台灣の讀者の皆さんへのコメント

海を越えて旅したことのない私の書いた小説が、
海を越えて多くの讀者の皆様のもとに届いていることを、
心から嬉しく思っています。
この作品も、どうぞお樂しみいただけますように！

致親愛的台灣讀者

從未出國旅行的我，
這次很高興自己寫的小說能跨海與許多讀者見面，
希望這部作品能帶給您無上的閱讀樂趣。

宮部みゆき

宮部美幸
作品集／24
Miyabe Miyuki

宮部美幸

劉子倩 譯 ／ 文藝評論家 傅博 總導讀

勇者物語

ブレイブ・ストーリー

BRAVE STORY 上

宮部美幸

作品集／24
Miyabe Miyuki

勇者物語 Brave Story（上）

Contents

宮部美幸的推理文學世界

總導讀——傅博

日本當代國民作家宮部美幸

近年來在日本的雜誌上，偶爾會看到尊稱宮部美幸爲國民作家。怎樣才能榮獲這個名譽呢？好像沒有確切的答案，然而綜觀過去被尊稱爲國民作家的作家生涯便不難看出國民作家的共同特徵。

明治維新（一八六八年）一百多年以來，被尊稱爲國民作家的爲數不多，夏目漱石和吉川英治是最早期的國民作家。夏目漱石是純文學大師，其作品具大眾性，一九一六年逝世至今，已歷九十年，其作品在書店仍然可見，代表作有《我是貓》、《少爺》等等。吉川英治是大眾文學大師，其作品有濃厚的思想性，對二次大戰戰敗的日本國民發揮了鼓舞的作用，其著作等身，代表作有《宮本武藏》、《新・平家物語》等等。

屬於戰後世代的國民作家有松本清張和司馬遼太郎。松本清張是社會派推理文學大師，其寫作範圍十分廣泛，除了推理小說之外，對日本古代史研究、挖掘昭和史等，留下不可磨滅的貢獻。司馬遼太郎是歷史文學大師，早期創作時代小說，之後撰寫歷史小說和文化論。這兩位作家的共同特徵是，著作豐富、作品領域廣泛、質與量兼俱。他們的思想對一九六〇年代後的日本文化發揮了影響力。

上述四位之外，日本推理小說之父江戶川亂步、時代小說大師山本周五郎，以及文學史上創作量最多、男女老少人人喜愛的赤川次郎也榮獲國民作家的尊稱。

綜觀以上的國民作家，其必備條件似乎是著作豐富、多傑作；作品具藝術性、思想性、社會性、娛樂性、普遍性；讀者不分男女，長期受到廣泛的老、中、青、少、勞動者以及知識份子的閱讀。

宮部美幸出道至今未滿二十年，共出版了四十三部作品，包括四十萬字以上的巨篇八部、長篇十五部、中篇集三部、短篇集十三部，非小說類有繪本兩冊、隨筆一冊、對談集一冊。以平均每年出版兩冊的數量來說，在日本並非多產作家，但是令人佩服的是，其寫作題材廣泛、多樣，品質又高，幾乎沒有失敗之作。所獲得的文學獎與同世代作家相較，名列第一，該得的獎都拿光了。質的成功與量成比例，是宮部美幸文學的最大武器，也是獲得國民作家之稱的最大因素。

宮部美幸，本名矢部美幸，一九六〇年十二月二十三日生於東京都江東區深川。東京都立墨田川高中畢業之後，到速記學校學習速記，並在法律事務所上班，負責速記，吸收了很多法律知識。一九八四年四月起在講談社主辦的娛樂小說教室學習創作。

一九八七年，〈吾家鄰人的犯罪〉獲第二十六屆《ＡＬＬ讀物》推理小說新人獎，〈鎌鼬〉獲第十二屆歷史文學獎佳作。一位新人，同年以不同領域的作品獲得兩種徵文比賽獎項實爲罕見。

前者是透過一名少年的觀點，以幽默輕鬆的筆調記述和舅舅、妹妹三人綁架小狗的計劃所引發的意外事件，是一篇以意外收場取勝的青春推理佳作，文風具有赤川次郎的味道。後者是以德川幕府時代的江戶（今之東京）爲時空背景的時代推理小說。故事記述一名少女追查試刀殺人的兇手之經過，全篇洋溢懸疑、冒險的氣氛。

要認識一位作家的本質，最好的方法就是閱讀其全部的作品。當其著作豐厚，無暇全部閱讀時，則是先閱讀其處女作，因爲作家的原點就在處女作。以宮部美幸爲例，其作品裡的偵探，不管是系列偵探或個案偵探，很少是職業偵探，大多是基於好奇心欲知發生在自己周遭的事件眞相，而做起偵探的非職業偵探，這些主角在推理小說是少年，在時代小說則是少女。其文體幽默輕鬆，故事收場不陰冷而十分溫馨，這些特徵在其雙線處女作之中已明顯呈現。

繼處女作之後的作品路線，即須視該作家的思惟了；有的一生堅持一條主線，不改作風，只追求同一主題，日本的推理小說家大多屬於這種單線作家——解謎、冷硬、懸疑、冒險、犯罪等各有專職作家。

另一種作家就不單純了，嘗試各種領域的小說，屬於這種複線型的推理作家不多，宮部美幸即是罕見的複線型全方位推理作家。她發表不同領域的處女作——推理小說和時代小說——同時獲得肯定，登龍推理文壇之後，此雙線成爲宮部美幸的創作主軸。

一九八九年，宮部美幸以《魔術的耳語》獲得第二屆日本推理懸疑小說大獎，拓寬了創作路線，由此確立推理作家的地位，並成爲暢銷作家。

宮部美幸作品的三大系統

這次宮部美幸授權獨步文化出版社，發行台灣版《宮部美幸作品集》二十七部（二十三部中有四部分爲上下兩冊），筆者以這二十三部爲主，按其類型分別簡介如下。

要完整歸類全方位作家宮部美幸的作品實非易事，然其作品主題是推理則毋庸置疑。筆者綜合故事的時空背景以及現實與非現實的題材，將它分爲三大系統。第一類爲推理小說，第二類時代小說，第三類奇幻小說，而每系統可再依其內容細分爲幾種系列。

一、推理小說系統的作品

宮部美幸的出道與新本格派的崛起（一九八七年）是同一時期，其早期的作品可能受到此影響之外，文體、人物設定、作品架構等，可就是受到赤川次郎的影響了。所以她早期的推理小說大多屬於青春解謎的推理小說；許多短篇沒有陰險的殺人事件登場，大多是以日常生活中的家庭糾紛爲主題，屬於日常之謎系列的推理小說不少。屬於本系列的有：

1.《吾家鄰人的犯罪》（短篇集，一九九〇年一月出版）收錄處女作以及之後發表的青春推理短篇四篇。早期推理短篇的代表作。

2.《完美的藍天》（長篇，一九八九年二月出版／獨步文化版・宮部美幸作品集01——以下只記集號）「元警犬系列」第一集。透過一隻退休警犬「正」的觀點，描述牠與現在的主人——蓮見偵探事務所調查員加代子——的辦案過程。故事是正和加代子找到離家出走的少年，在將少年帶回家的途中，目睹高中棒球明星球員（少年的哥哥）被潑汽油燒死的過程。在搜查過程中浮現的製藥公司的陰謀是什麼？「完美的藍天」是藥品名。具社會派氣氛。

3.《令人著迷——正之事件簿》（連作短篇集，一九九七年十一月出版／16）「元警犬系列」第二集。收錄〈令人著迷〉等五個短篇，在第五篇〈正的辯明〉裡，宮部美幸以事件委託人登場。

4.《今夜難眠》（長篇，一九九二年二月出版／06）「島崎俊彥系列」第一集。透過中學一年級生緒方雅男的觀點，記述與同學島崎俊彥一同調查一名股市投機商贈與雅男母親五億圓後，接獲恐嚇電話、父親離家出走等事件的眞相，事件意外展開、溫馨收場。

5.《連作夢也沒想到》（長篇，一九九五年五月出版／13）「島崎俊彥系列」第二集。在秋天的某個晚上，雅男和俊男兩人參加白河公園的蟲鳴會，主要是因爲雅男想看所喜歡的工藤小姐一眼，但是到了公園門口，卻碰到殺人事件，被害人是工藤的表姊，於是兩人開始調查眞相，發現事件背後的賣春組織。具社會派氣氛。

6.《無止境的殺人》（長篇，一九九二年九月出版／08）將錢包擬人化，由十個錢包輪流講自己所見的主人行爲而構成一部解謎的推理小說。人的最大欲望是金錢，作者功力非凡，藉由放錢的錢包揭開十個不同的人格，而構成解謎之作，是一部由連作構成的異色作品。

7.《繼父》（連作短篇集，一九九三年三月出版／09）「繼父系列」第一集。一個行竊失風的小偷，摔落至一對十三歲雙胞胎兄弟家裡，這對兄弟的父母失和，留下孩子各自離家出走，於是兄弟倆要求小偷當他們的爸爸，否則就報警，將他送進監獄，小偷不得已，承諾兄弟倆的要求當了繼父。不久，在這奇妙的家庭裡，發生七件奇妙的事件，他們全力以赴解決這七件案件。典型的幽默推理小說集。

8.《寂寞獵人》（連作短篇集，一九九三年十月出版／11）「田邊書店系列」第一集。以第三人稱多觀點記述在田邊舊書店周遭所發生的與書有關的謎團六篇。各篇主題迥異，有命案、有日常之謎、有異常心理、有懸疑。解謎者是田邊舊書店店主岩永幸吉和孫子稔。文體幽默輕鬆，但是收場不一定明朗，有的很嚴肅。

以上八部可歸類爲解謎推理小說，而從文體和重要登場人物等來歸類則是屬於幽默推理、青春推理爲多。屬於這個系列的另有以下兩部。

9.《地下街之雨》（短篇集，一九九四年四月出版）。

10.《人質卡濃》（短篇集，一九九六年一月出版）。

以下十部的題材、內容比較嚴肅，犯罪規模大，呈現作者的社會意識。有懸疑推理、有社會派推理、有報導文體的犯罪小說。

11.《魔術的耳語》（長篇，一九八九年十二月出版／02）獲第二屆日本推理懸疑小說大獎的社會派推理傑作。三起看似互不相干的年輕女性的死亡案件，和正在進行的第四起案件如何演變成連續殺人案。十六歲的少年日下守，爲了證實被逮捕的叔叔無罪，挑戰事件背後的魔術師的陰謀。宮部美幸早期代表作。

12.《Level 7》（長篇，一九九〇年九月出版／03）一對年輕男女在醒來之後失去記憶，手臂上被印上「Level 7」；一名高中女生在日記留下「到了 Level 7 會不會回不來」之後離奇失蹤。尋找自我的男女，和尋找失蹤的女高中生的眞行寺悅子醫師相遇，一起追查 Level 7 的陰謀。兩個事件錯綜複雜，發展爲殺人事件。宮部後期的奇幻推理小說的先驅之作、早期代表作。

13.《獵捕史奈克》（長篇，一九九二年六月出版／07）持散彈槍闖入大飯店婚宴的年輕女子關沼惠子、欲利用惠子所持的槍犯案的中年男子織口邦雄、欲阻止邦雄陰謀的青年佐倉修治、欲去探望病倒的妻子的優柔寡斷的神谷尚之、承辦本案的黑澤洋次刑警，這群各有不同目的的人相互交錯，故事向金澤之地收束。是一部上乘的懸疑推理小說。

14.《火車》（長篇，一九九二年七月出版）榮獲第六屆山本周五郎獎。停職中的刑警本間俊介受親戚栗坂和也之託，尋找失蹤的未婚妻關根彰子，在尋人的過程中，發現信用卡破產猶如地獄般的現實社會，是一部揭發社會黑暗的社會派推理傑作，宮部第二期的代表作。

15.《理由》（長篇，一九九八年六月出版）二〇〇一年榮獲第一百二十屆直木獎和第十七屆日本冒險小說協會大獎。東京荒川區的超高大樓的四十樓發生全家四人被殺害的事件。然而這被殺的四人並非此宅的住戶，而這四人也不是同一家族，沒有任何血緣關係。他們爲何僞裝成家人一起生活？他們到底是什麼人？又想做什麼？重重的謎團讓事件複雜化，事件的眞相是什麼？一部報導文學形式的社會派推理傑作。宮部第二期的代表作。

16.《模倣犯》（百萬字長篇，二〇〇一年四月出版）同時榮獲第五十五屆每日出版文化獎特別獎，二〇〇二年同時榮獲第五屆司馬遼太郎獎和二〇〇一年度藝術選獎文部科學大臣獎文學部門獎。在公園的垃圾堆裡，同時發現女性的右手腕與一名失蹤女性的皮包，不久兇手打電話到電視公司和失主家中，果然在兇手所指示的地點發現已經化爲白骨的女性屍體，是利用電視新聞的劇場型犯罪。不久，表面上連續殺人案一起終結了，之後卻意外展開新局面。是一部揭發現代社會問題的犯罪小說，宮部文學截至目前爲止的最高傑作，推理文學史上的不朽名著。

17.《R・P・G》（長篇，二〇〇一年八月出版／22）在食品公司上班的所田良介於杉並區的建築工地被刺死，在他的屍體上找到三天前在澀谷區被絞殺的大學女生今井直子身上所發現的同樣纖維，於是兩個轄區的警察組成共同搜查總部，而曾經在《模倣犯》登場的武上悅郎則與在《十字火焰》登場的石津知佳子連袂登場。是一部現今在網路上流行的擬似家族遊戲爲主題的社會派推理小說。

宮部美幸的社會派推理作品尚有：

18.《東京下町殺人暮色》（原題《東京殺人暮色》，長篇，一九九〇年四月出版）。

19.《不必回信》（短篇集，一九九一年十月出版）。

20.《誰？》（長篇，二〇〇三年十一月出版）。

二、時代小說系統的作品

時代小說是與現代小說和推理小說鼎足而立的三大大眾文學。凡是以明治維新之前爲時代背景的小說，總稱爲時代小說或歷史・時代小說。

時代小說視其題材、登場人物、主題等再細分爲市井、人情、股旅（以浪子的流浪爲主題）、劍豪、歷史（以歷史上的實際人物爲主題）、忍法（以特殊工夫的武鬥爲主題）、捕物等小說。

捕物小說又稱捕物帳、捕物帖、捕者帳等，近年推理小說的範疇不斷擴大，將捕物小說稱爲時代推理小說，歸爲推理小說的子領域之一。捕物小說的創作形式是日本獨有，其起源比日本推理小說早六年。一九一七年，岡本綺堂（劇作家、劇評家、小說家）發表《半七捕物帳》的首篇作的〈阿文的魂魄〉，是公認的捕物小說的原點。

據作者回憶，執筆《半七捕物帳》的動機是要塑造日本的福爾摩斯——半七，同時欲將故事背景的江戶的人情和風物以小說形式留給後世。之後，很多作家模倣《半七捕物帳》的形式，創作了很多捕物小說。

由此可知，捕物小說與推理小說的不同之處是以江戶的人情、風物爲經，謎團、推理爲緯而構成的小說。因此，捕物小說分爲以人情、風物爲主，與謎團、推理取勝的兩個系統。前者的代表作是野村胡堂的《錢形平次捕物帳》，後者即以《半七捕物帳》爲代表。

宮部美幸的時代小說有十一部，大多屬於以人情、風物取勝的捕物小說。

21.《本所深川怪異草紙》（連作短篇集，一九九一年四月出版／05）「茂七系列」第一集。榮獲第十三屆吉川英治文學新人獎。江戶的平民住宅區本所深川，有七件不可思議的事象，作者以此七事象爲題材，結合犯罪，構成七篇捕物小說。破案的是回向院捕吏茂七，但是他不是主角，每篇另有主角，大多是未滿二十歲的少女。以人情、風物取勝的時代推理佳作。

22.《幻色江戶曆》（連作短篇集，一九九四年八月出版／12）「茂七系列」第二集。以江戶十二個月的風物詩爲題，結合犯罪、怪異構成十二篇故事。辦案的是茂七，但仍然不是主角。以人情、風物取勝的時代推理小說。

23.《最初物語》（連作短篇集，一九九五年七月出版，二〇〇一年六月出版珍藏版，增補一篇作品／21）「茂七系列」第三集。以茂七爲主角，記述七篇茂七與部下系吉和權三辦案的經過，作者在每篇另有記述與故事沒有直接關係的季節食物掌故，介紹江戶風物詩。人情、風物、謎團、推理並重的時代推理小說。

24.《顫動的岩石——通靈阿初捕物控1》（長篇，一九九三年九月出版／10）「阿初系列」第一集。破案的主角是一名具有通靈能力的十六歲少女阿初，她看得見普通人看不見的東西，而且一般人聽不到的聲音也聽得到。某日，深川發生死人附身事件，幾乎與此同時，武士住宅裡的岩石開始顫動。這兩件靈異事件是否有關聯？背後有什麼陰謀？一部以怪異取勝的時代推理小說。

25.《天狗風——通靈阿初捕物控2》（長篇，一九九七年十一月出版／15）「阿初系列」第二集。天亮刮起大風時，少女一個一個地消失，十七歲的阿初在追查少女連續失蹤案的過程中遇到邪惡的天狗。天狗的眞相是什麼？其陰謀是什麼？也是以怪異取勝的時代推理小說。

26.《糊塗蟲》（長篇，二〇〇〇年四月出版／19．20）「糊塗蟲系列」第一集。深川北町的鐵瓶大雜院發生殺人事件後，住民相繼失蹤，是連續殺人案？抑是另有陰謀？負責辦案的是怕麻煩的小官岩井平四郎，協助他破案的是聰明的美少年弓之助。本故事架構很特別，作者先在冒頭分別記述五則故事，然後以一篇長篇與之結合，構成完整的長篇小說。以人情、推理並重的時代推理傑作。

27.《終日》（長篇，二〇〇五年一月出版／26．27）「糊塗蟲系列」第二集。故事架構與第一集一樣，在冒頭先記述四則故事，然後與長篇結合。負責辦案的是糊塗蟲岩井平四郎，協助破案的除了弓之助之外，回向院茂七的部下政五郎也登場，作者企圖把本系列複雜化，或許將來作者會將幾個系列納爲一大系列。也是人情、推理並重的時代推理小說。

以上二系列都是屬於時代推理小說。案發地點都在深川，但是每系列各具特色，有以風情詩取勝，也有以人際關係取勝，也有怪異現象取勝，作者實爲用心良苦。宮部美幸另有四部不同風格的時代小說。

28.《扮鬼臉》（長篇，二〇〇二年三月出版／23）深川的料理店「舟屋」主人的唯一女兒阿倫，發燒病倒，某日一個小女孩來到其病榻旁，對她扮鬼臉，之後在阿倫的病榻旁連續發生可怕又可笑的不可思議的事，於是阿倫與他人看不見的靈異交流。一部令人感動的時代奇幻小說佳作。

29.《怪》（奇幻短篇集，二〇〇〇年七月出版）。

30.《鎌鼬》（人情短篇集，一九九二年一月出版）。

31.《寛恕箱》（人情短篇集，一九九六年十一月出版）。

三、奇幻小說系統的作品

史蒂芬．金的恐怖小說和奇幻小說《哈利波特》成爲世界暢銷書後，原處於日本大眾文學邊緣的奇幻小說獲得成長發展的機會，漸漸確立了其獨立地位，而宮部美幸的奇幻小說就是在這欣欣向榮的機運中誕生的。她的奇幻作品的特徵是超越領域與推理小說結合。

32.《龍眠》（長篇，一九九一年二月出版／04）榮獲第四十五屆日本推理作家協會獎的長篇獎。週刊記者高坂昭吾在颱風夜駕車回東京的途中遇到十五歲的少年稻村愼司，少年告訴記者：「我具有超能力。」他能夠透視他人心理，愼司爲了證明自己的超能力，談起幾個鐘頭前發生的事件眞相，從此兩人被捲入陰謀。是一部以超能力爲題材的奇幻推理傑作，宮部早期代表作。

33.《十字火焰》（長篇，一九九八年十一月出版／17．18）青木淳子具有「念力放火」的超能力。有一天她撞見了四名年輕人欲殺害人，淳子手腕交叉從掌中噴出火焰殺害了其中的三個人，另一個逃走了。勘查現場的石津知佳子刑警，發現焚燒屍體的情況與去年的燒殺案十分類似。也是一部以超能力爲題材的奇幻推理大作。

34.《蒲生邸事件》（長篇，一九九六年十月出版／14）榮獲第十八屆日本ＳＦ大獎。尾崎高史爲了應考升學補習班上京，其投宿的飯店發生火災，因而被一名具有「時間旅行」的超能力者平田次郎搭救到一九三六年二月二十六日的二．二六事件（近衛軍叛亂事件）現場，兩名來自未來的訪客能否阻止起義而改變歷史？也是一部以超能力爲題材的奇幻推理大作。

35.《勇者物語—Brave Story》（八十萬字長篇，二〇〇三年三月出版／24．25）念小學五年級的三谷亘的父母不和，正在鬧離婚，有一天他幻聽到少女的聲音，決心改變不幸的雙親命運，打開幽靈大廈的門，進入「幻界」到「命運之塔」。全書是記述三谷亘的冒險歷程。一部異界冒險小說大作。

除了以上四部大作之外，屬於奇幻小說的作品尚有以下四部：

36.《鴿笛草》（中篇集，一九九五年九月出版）。

37.《僞夢1》（中篇集，二〇〇一年十一月出版）。

38.《僞夢2》（中篇集，二〇〇三年三月出版）。

39.《ＩＣＯ——霧之城》（長篇，二〇〇四年六月出版）。

以上三十九部是小說。另有四部非小說類從略。

如此將宮部美幸自一九八六年出道以來，一直到二〇〇五年底所出版的作品，歸類為三系統後，再按時序排列，便很容易看出作者二十年來的創作軌跡，也可預見今後的創作方向。請讀者欣賞現代，期待未來。

二〇〇五・十二・二十三

本文作者簡介

傅博

文藝評論家。另有筆名島崎博、黃淮。一九三三年出生，台南市人。於早稻田大學研究所專攻金融經濟。在日二十五年以島崎博之名撰寫作家書誌、文化時評等。曾任推理雜誌《幻影城》總編輯。一九七九年底回台定居。主編《日本十大推理名著全集》、《日本推理名著大展》、《日本名探推理系列》以及日本文學選集（合計四十冊，希代出版）。

第一部

汝已雀屏中選。切勿誤入歧途。

1

book

第一章　幽靈大樓

那樣的事，起先誰也不信。一點也不信。謠傳總是如此。

那應該是新學期剛開始的時候吧，是誰先提起的，如今已無從求證。謠傳總是這樣。

即便如此，大家對於自己聽過的事情可記得很清楚，也記得是從誰那裡聽來的。可是，一個個追查下去卻也問不出起點。謠傳總是這樣。

「小舟町那個三橋神社旁邊，不是蓋了一棟大樓嗎？聽說那裡有幽靈出沒耶。」

是「小村」居酒屋的阿克這麼告訴三谷亘的。「克美」這個名字，在阿克出生之前老早就決定了，他父母一心期盼生個女兒，做超音波檢查時，婦產科醫生也表示小村太太懷的是女孩。沒想到十一年前的四月九日，比預產期提早一個星期誕生的卻是個活潑的男嬰，他那宏亮的哭聲極有特色，在婦產科醫院裡無論是誰，即便是從走廊的另一頭也能立刻辨認出來，因為他的聲音略帶沙啞。

「我爸還說，我該不會在我媽肚子裡抽過菸吧。」

附帶一提，小村克美臉上的膚色略微黝黑，據說這也是從嬰兒時期就有的，說不定他在小村媽媽的肚子裡，一邊抽菸還一邊在艷陽下的海灘摸過蛤蜊。小亘覺得以這傢伙的個性就算真會做這種事也不足爲奇。因爲，就在他們戴著相同的小黃帽進入城東第一小學的那年十二月，阿克說教室太冷了，緊巴著火力不足的老舊煤油暖爐不放，老師都已經進教室了他還賴著不走，老師斥責他叫他回座位，他竟然笑嘻嘻地說：「你不用管我，『趕怪』做你該做的就好，『趕怪』！」

他就是這樣的小孩。也難怪小亘親眼目睹這段經過之後，因爲太可笑了回家說給家人聽，聽到的人還以爲這是瞎掰的故事。這段小插曲逐漸變成傳說，即使小亘他們現在都已經五年級了，還有些老師會半開玩笑地說：「小村，回家作業有沒有『趕怪』做好啊？」

阿克告訴小亘這個謠傳時，聲音還是跟平時一樣沙啞，可能是因爲有點興奮吧，講到「幽靈」時還有點破嗓。

「阿克你本來就喜歡鬼故事嘛。」

「不只是我，大家都這麼說。還有人半夜經過那裡，親眼看到了呢，聽說他嚇得落荒而逃還被鬼追。」

「是怎樣的幽靈？」

「好像是個老爺爺。」

老人的幽靈未免太稀奇了吧？

「什麼樣的打扮？」

阿克搓著人中老半天，壓低著沙啞的嗓音說道：「聽說披著披風，全黑的披風，從頭罩著，像這樣。」還做出從頭蓋住什麼東西的動作。

「這樣子根本看不見臉吧，憑什麼知道是老爺爺？」

阿克的臉皺成一團。有時候在超市或車站遇到阿克和小村伯伯結伴而行時，小村伯伯也會做出同樣的表情，並主動對小亘打招呼說：「嗨，還好嗎！」

「該知道的就會知道啦，幽靈本來就是這樣。」阿克說著，咧嘴一笑。「你就是喜歡在一些怪地方特別固執，不愧是賣鋼筋的兒子。」

小亘的爸爸三谷明在製鐵公司上班。在製造業當中，製鐵和造船業隨著基礎產業逐漸式微，爲了促進公司的活性化不得不開始在本業之外跨足各種領域。所以今年將滿三十八歲的三谷明，也只有剛進公司時曾經在製鐵工廠待過極短的一陣子，後來就一直在企劃研究和廣告部門之間調動，現在則被外派到專門開發渡假村的子公司。可是阿克光是衝著製鐵公司這個名字就老是喊小亘「賣鋼筋的」。他們打從幼稚園就玩在一起，阿克好歹也該記清楚了。

不過，據說小亘的脾氣有點死腦筋，也的確堅持要合乎邏輯才肯接受，這一點他自己幾乎毫無自覺，卻常常被如此批評，而這種個性，據說顯然得自於他父親的遺傳。第一個如此斷定的人是住在千葉房總的奶奶，那已經是三年前的事了。當時他們放暑假回老家玩，被奶奶唸說在海邊游泳游了那麼久，身體已經受涼了不能吃刨冰，他卻斗膽頂嘴還跟奶奶吵架。當時，千葉的奶奶曾如是說：「天啊，這孩子跟阿明一個德性，嘴上一點虧也不肯吃。這下子我看邦子有罪受囉。」

這時，小亘的媽媽——對奶奶來說是「媳婦邦子」的三谷邦子假裝沒聽見。

「千葉的奶奶會說出那種同情媽媽的話，這大概是爸媽結婚十年以來的第二次吧。」媽媽後來曾這麼說，還問小亘爲什麼會跟奶奶吵架。

「奶奶說游泳後不能吃刨冰，我就問她說，那奶奶家爲什麼要賣刨冰。」

媽媽聽到他的回答放聲大笑。三谷明的老家在房總半島的大濱海水浴場經營餐飲店，也擁有海邊民宿的經營權，每逢旺季，奶奶也會幫忙弄刨冰。

「你說的一點也沒錯。」邦子輕撫著小亘的頭說：「不過你的確很喜歡講道理，你遺傳了你爸的頭腦。」

可是三谷明自己後來聽說了這件事卻顯得有點不高興，他說小亘只是愛頂嘴，那跟據理力爭、講求邏輯根本是兩碼子事。但他之所以會不高興，多少也算是一種喜歡爭辯的表現。

總之，在這種個性的小亘看來，那個什麼幽靈傳說有太多不合理的疑點。

歸根究柢，蓋在三橋神社旁的問題大樓，正確說來應該是尚未完工的大樓，由於正好位於小亘通學路徑的中心點，他每天往返都會經過，所以他很清楚，那個謠傳首先在這一點就不正確。

其實，那棟大樓一直處於興建中的狀態，工程是在小亘要從二年級升上三年級的那個春假開始的，已經是兩年多以前的事了，地上八層建築的鋼筋已經架好，整體覆蓋著藍色塑膠布，到此為止似乎一路進展得很順利，沒想到作業卻就此停擺。就小亘的記憶所及，當時那些工人突然消失，作業用的重型機具也不再進出，過了一陣子，連藍色塑膠布都換了，上面印刷的營造商名稱也不一樣了。

沒想到邦子說後來還換過一次塑膠布，當時同樣又換了一家營造商。不過從那之後就再也沒有變化，蓋到一半的大樓就這麼保持簡陋工寮的姿態，俯瞰周遭的房舍蕭瑟佇立，正面掛的「建築計畫公告」看板也在某一天消失無蹤。

「八成是建設公司和包商之間發生糾紛，所以才會停工吧？這年頭，這種事已經不稀奇了。」

聽到爸爸這麼說，小亘不置可否，也就這麼拋在腦後了。沒想到邦子後來又聽到很多消息。

三谷家就住在總數將近三百戶的大型分租公寓，小亘一出生三谷夫婦就立刻買下並搬了進來。三谷夫婦當初就是懶得跟鄰居打交道才選擇住公寓，可是家裡一旦有了小孩，自然會透過小孩產生一些人際關係。小亘也在公寓裡交了幾個朋友，還一起坐幼稚園的娃娃車上學。邦子也跟一些鄰居媽媽時有來往，就在這群鄰居當中，有個當地不動產公司的社長夫人，對當地的各種事情瞭如指掌，有一天閒話家常之際，就把三橋神社旁那棟「倒楣大樓」的詳細內幕都告訴了她。

「我老早就覺得奇怪，那棟大樓根本不屬於三橋神社。」

三橋神社在當地歷史悠久，甚至在江戶時代的古老地圖上都找得到，可說是系出名門。

「那裡佔地很寬廣吧？聽說維持起來也很吃力。結果啊，要改建老舊的神社社殿時，就把空著的土地賣掉了。那棟大樓就是蓋在那塊地上，不過地主已經不是神社了。」

據說買下那塊土地，在那裡蓋大樓的是總公司位於神田的「大松大樓」租賃公司，該公司在東京都內各地置產，既然能跟神社打交道，應該算是正派經營，不過公司規模並不大，據說是由大松三郎這個姓名古意盎然的社長獨自承攬的個人公司。

小亘他們住的這個地區在東京屬於東邊所謂的老街，以前本來都是小工廠，但由於到都心的通勤時間只需三十分鐘左右，佔了交通之便的優點，這十年來公寓大樓急速開發，整個地區的風貌也隨之改變。在當地土生土長的社長夫人是這麼形容的：「簡直就像整個地區釣到金龜婿，麻雀變鳳凰了。」

小亘的爸爸在千葉長大，媽媽的娘家在小田原，自然無法完全理解當地人的感受，即便如此，多少也能感覺到「這裡是個雖然喧鬧但適於居住的地區」。如雨後春筍般競相聳立的嶄新公寓，房價和都內人氣地段比起來毫不遜色，這一點光看廣告也知道。因此，在三橋神社旁邊買下土地建造租賃大樓，這個點子似乎還不錯。事實上，「大松大樓」好像投下了不少資金。

「旁邊是神社，店鋪當然不能不經過慎重篩選，那裡雖然是商業區，可是緊貼在後方的就是甲種住宅專用區。」邦子操著跟社長夫人學來的字眼說明。

「不過，類似咖啡店或美容院、補習班啦，可以出租的店鋪種類好像還不少。至於上層聽說是打算蓋出租公寓，沒想到……」

鋼筋架好沒多久，最先負責施工的營造商就倒閉了。「大松大樓」連忙尋找其他業者接手，可是據說中途接手這種工作，作業會加倍麻煩，光是這樣就得花上不少錢，因而一直找不到符合條件的營造商，就這樣擱置了大約兩個月，好不容易找到新的營造商，這才總算恢復開工。於是，這時就換了一塊藍色的塑膠布。

「新的營造商雖然來了……」

沒想到，短短數個月之後竟然也倒閉了。

「大松的社長傷透了腦筋，他四處奔走，尋找合適的營造商，最後總算找到了第三家公司，可是規模比之前那兩家還小，由老闆一個人包辦內外，就這一點而言跟大松大樓很像，可能是老闆很同情他吧，該怎麼說呢，也許是同仇敵愾，也或許是助人爲善吧，總之那家營造商就答應簽約了。」

沒想到簽約三天後，那家營造商的老闆竟然猝死，據說是腦中風。

「那是小型的工程公司，少了老闆就立刻停擺了，也沒有繼承人，老闆的兒子聽說還是大學生。結果，施工契約也報廢了，大樓又再次停工。」

然後就這麼擱置到現在。

「大松的社長還是拼命尋找新的營造商……，我想，他應該也有自己的人脈吧，何況現在這麼不景氣，照理說不可能找不到業者接手。可是，要是交給那種經營不善、搶著要接這種工作的營造商，搞不好過兩天又倒閉了，這樣等於又浪費時間和金錢，而且在建築圈內有所謂的家相學之類的，好像還是很在乎風水之說，所以，大松那棟租賃大樓風水不好的消息傳遍了圈內，大家都避之唯恐不及，結果一直談不攏。」

光是每天放學途中路過也看得出來，這棟中途停工的倒楣大樓，眼看著狀態一天比一天糟，水泥已經乾涸龜裂，鋼筋被雨淋得髒兮兮，塑膠布的下襬散佈著一大堆沒公德心的人丟棄的垃圾，貓狗的糞便也隨處可見。

初春時，塑膠布被強風吹走了一塊，從此，主幹的部分鋼筋以及通往二樓的鐵製樓梯轉角處，從路邊也能看得一清二楚。即便如此，路人也只能從那個定點窺見塑膠布內的模樣，所以被議論紛紛的幽靈應該在那裡出沒吧。

到底是什麼人的幽靈呢？既然傳說中是個老人幽靈，根據之前發生的幾樁倒楣事件，歸納之後唯一能想到的就是才接下工程便中風猝死的第三家營造商老闆。可是聽說還罩著頭罩？做工程的老闆會打扮成那樣嗎？就算退一百步，姑且假設那個老闆生前很喜歡穿連帽外套，所以用那副打扮化為幽靈出現吧，那他出來做什麼？擔心工程進度？因為簽了約卻來不及動工，所以感到很抱歉？這也未免太有道義了。更何況，既然都是同行，自己一旦化爲幽靈出現，講究風水的營造商更不想接手，這樣反而害了大松社長，這一點他不會不知道吧。

就這麼想著想著，今天下課就發生了那件事。因爲大家又把話題扯到那個幽靈，小亘遂說出自己的意見，結果班上的女生卻說那棟大樓出現的是「自縛靈」（註一）。

「車禍死亡的人，他的靈魂會離不開車禍現場，附身在當地。」

可是這也太奇怪了吧，大樓所在的位置，不久之前還是神社境內的空地，怎麼可能發生車禍。

「不然就是有人在神社境內自殺，一定是這樣。」女生回嘴說：「那個人的鬼魂徘徊不去。」

「我早就覺得，每次去那間神社都感覺背脊一股涼意，兩腿抖個不停。像這種感覺，大概就叫做不吉吧？」其他女生說道，另一名女生也頻頻點頭說：「對對對，我也是。」

「你們確認過神社境內眞的有人自殺嗎？」小亘問她們：「你們問過神社的神主（註二）嗎？」

女生們頓時花容失色。

「別傻了！」

「誰會去做這種事啊！」

「我們憑什麼非得去問這種事不可。」

「那種神社我光是靠近就覺得毛骨悚然了。」

小亘也毫不讓步地說：「可是，妳們根本就不知道事情眞相嘛。」

第一名女生噘起嘴巴回說：「那裡有幽靈出現，就表示那裡有自縛靈。你蹚什麼，硬要扯什麼眞相之類的神氣巴拉。你就是這樣，大家才會這麼討厭你，因爲你老愛講大道理。」

「你老說這種話瞧不起幽靈，小心遲早會被詛咒。」

「討厭鬼！」

女生們忿忿不平地嘀咕著，各自回座位去了。小亘這下子打擊可大了，他默默坐回桌前，即使他知道對方說的根本不合邏輯，可是一旦聽到「大家最討厭你這種人」還是難以承受，就好像胸口被斧頭砍了一刀。

在回家的路上，他跟阿克並肩同行，不管阿克跟他說什麼，就算話題扯到昨晚，日本足球代表隊和伊朗代表隊在延長賽奮戰不休形成拉鋸戰這個振奮人心的話題，他也完全提不起勁，因爲下課時那記悶棍依然令他耿耿於懷。反觀阿克，一個人講得口沫橫飛，說什麼中田英壽果然厲害啦小野簡直帥呆了，一邊朝著天空頻頻揮拳一邊滔滔不絕，就算昨晚沒看比賽的人聽了阿克的演說，大概也會對比賽經過一清二楚了。

兩人逐漸走近那棟問題大樓。換做平常，阿克在前一個轉角就會右轉說拜拜了，可是他今天忙著做足球比賽的實況轉播兼球評講解，好像忘了要回家。

「喂，阿克。」

小亘開口時，阿克正在比手畫腳地講解中田在上半場三十二分鐘那記直線傳球的角度，當下一隻腳懸在半空中扭肩轉頭看他。

註一：人無論結束生命的方式是主動（自殺）或被動（他殺），靈魂在死前受到意志的束縛，稱為束縛靈。

註二：在神社擔任神職者。

「啊？幹嘛？」

「就是這裡吧……」

小亘仰望著被塑膠布包覆的大樓。鋼筋搭建、空蕩蕩的細長盒子，罩著破破爛爛的塑膠布垂頭喪氣的。今天又是五月的一個大好晴天，天空蔚藍無雲，破舊的藍色塑膠布看起來更悲慘了，彷彿被人遺棄看起來好寂寞。

「你幹嘛，一本正經的。」阿克挺直身體，湊近小亘的臉。

「我啊，很想弄清楚，到底有沒有幽靈出現。如果眞的有，會是哪種幽靈。」

小亘的話似乎讓阿克有點目瞪口呆，兩眼眨個不停。然後，他也仿傚小亘仰望著那棟暴露出光禿禿骨架的大樓，就這麼望了好一陣子，可是小亘接下來什麼也沒說，於是他抓著腦袋回頭問：「怎麼弄清楚？」

「晚上來監視。」小亘說著，快步邁出。「阿克你家有大型手電筒吧？能不能借我？」

阿克跑著追上來。「是可以啦，可是要把那個拿出來很麻煩，那是緊急逃生用的，我老爸鐵定會生氣。」

阿克的父親小村伯伯是神戶人，他來到東京已經很多年了，阿克也是在這裡出生的，可是那場襲擊故鄉的大地震，還是讓小村伯伯的心靈受到莫大的衝擊。小村家的防災措施，搞不好比東京都廳這種公家機關還要周全。

「那就算了。」小亘走得更快了，頭也不回地說：「我自己想辦法。」

「等一下嘛。好啦，我拿出來就是了。」

阿克開始有點緊張了，大概是因爲小亘看起來太意氣用事吧。

「喂，你是怎麼了？幹嘛這麼在乎幽靈？」

小亘在乎的不是幽靈，是被那些女生說成「最討厭」。他只是想知道，「老是講大道理」真有這麼罪大惡極嗎？他只是覺得她們講話不合邏輯太可笑了，才會提出腦子裡自然浮現的疑問。即使是正確的事，如果大家不相信就不能說嗎？大家不會爽快贊同的事，就得默默忍氣吞聲嗎？要不然就會被大家討厭，被女生們聯合抵制嗎？

可是這種話說出來太丟臉了，小亘說不出口，所以他保持沉默，只是怒氣沖沖地繼續走。

「幾點？」阿克在後面說，「喂，你回話呀。」

小亘停下腳步。「什麼幾點？」

阿克啪地伸出右腿，好像要朝飄在空中看不見的足球踢去。

「監視行動，我陪你一起去。」

小亘高興得連自己都覺得丟臉。「還是半夜去比較好吧。」

「十二點嗎？」阿克笑了，「我家做通宵生意無所謂啦，可是你溜得出來嗎？」

被阿克這麼一說還眞的是，對小亘來說，要在將近午夜十二點溜出家門，在現實中幾近不可能。

小亘家只有他跟爸媽一家三口，但一年當中大約有兩百天等於是他跟媽媽相依爲命。爸爸三谷明回家的時間很晚，假日也總有一大堆理由外出，自從開始參與渡假村開發計畫後，長期出差的次數變得更頻繁，忙碌到一個月如果有一半時間在家就已經算是很好了。因此，三谷明至今從未參加過小亘學校的星期日參觀活動和運動會，雖然他每次在活動前夕都再三承諾一定會設法趕去，但是這個承諾始終沒有兌現。

不過，區區假日參觀也沒什麼大不了，小亘已經不是小嬰兒，不會爲了這種小事一直鬧彆扭，爸爸眞的很忙，而且工作的約定也不能不遵守。重點是眼前的問題，今晚他百分之百確定爸爸又會過了半夜才回來，而且媽媽會一直等到爸爸回來。她會做點編織，翻翻雜誌，如果深夜的電視節目不好看，有時候也會去租片子回來看，沒有伺候回家的父親洗澡、吃宵夜、做完善後工作之前，媽媽絕對不會睡的，該怎樣才能避開她的視線偷偷溜出來呢？

小亘一邊吃晚餐，一邊祈求奇蹟出現，只要今天就好，能不能讓爸爸提早回家說聲好累，然後讓爸媽早早上床睡覺呢？等他們倆都睡熟了，他就可以躡手躡腳地溜出去了。就算萬一，爸媽眞的來他房間檢查，只要把玩具熊藏在被子底下當他的替身就行了。那是他老爸去年年底在公司尾牙抽獎抽到的，那隻連百分之一秒也沒引起小亘注意的玩具熊，這下子終於可以派上用場了。

可是現實畢竟還是現實，一如往常只有母子倆共進晚餐，聽著媽媽嘮叨「功課要好好寫喔，你今天發回來的作文，撇開文章和內容不提，錯別字太多了」，在桌前被綁了一個小時，然後小亘去洗澡，等他洗好出來時媽媽說：「小村剛才打電話來。」

「我看他好像沒有急事，就叫他有話明天到學校再說。媽媽之前也說過了，媽媽不喜歡小學生過了晚上九點還打電話聊天。」

媽媽雙手叉腰。

「小村家是做特種營業的，可能觀念不一樣吧。」

小亘每次聽到媽媽口中冒出這種話，總有一股衝動想說：「什麼嘛，莫名其妙。」那種感覺就像胸前皮膚最嫩薄的某處被指甲尖摳了一下。即使媽媽沒有橫眉豎眼，小亘也知道她不喜歡阿克，也知道她討厭小村伯伯和小村媽媽。要說原因的話，大概是因為小村家經營居酒屋，「沒教養又下流，進進出出的都是不良份子」吧。

可是阿克，對小亘來說是朋友。

小村伯伯，或許確實很粗俗，校園開放日輪到他當值，他卻喝得醉醺醺紅著臉跑來，還被老師警告；小村媽媽又愛濃妝豔抹，就算站在商店街的對面，光聞味道也知道是她。連阿克自己都曾經笑說：「我老媽臉大粉又塗得厚，用起粉底之類的要比一般人多一倍，可以說是化妝品專櫃的最佳顧客。」可是小亘並不討厭小村伯伯跟小村媽媽，只要他們倆參加運動會，一定會替小亘加油，三年級春天的那個參觀日，小亘在算數課湊巧答對了一題有點難的題目，小村伯伯立刻大聲替他喝采：「噢，了不起！」雖然被大家嘲笑，他也毫不在乎。這是小亘第一次被人這樣熱情誇獎，因此那天的事就好像埋在土礫中發光的彩色玻璃碎片，在他心中閃爍著久久不滅。

每當媽媽對小村家的人投以輕蔑的眼神時，他雖然很想立刻反駁，可是話總是衝到喉嚨中央就頹然消失了。這麼一來，他總覺得好像背叛了小村伯伯跟小村媽媽，甚至是阿克。即便如此，他還是無法反駁，或許是因為在內心某處，他也承認媽媽說的話有道理。小亘雖然不清楚進出「小村」的客人，不過光聽阿克描述也察覺得到，他們跟爸爸公司的人比起來如何截然不同。如果更進一步問他將來是否想當居酒屋老闆，他八成會搖頭吧。儘管還談不上具體計畫，不過他將來想在大學做研究或是當律師。說來說去，到頭來媽媽想說的就是，三谷家和小村家不是同類。而小亘也能理解這一點。

阿克打電話來，應該是要確認他今晚能不能溜出去吧。三谷家只有客廳有電話，無法偷偷打給阿克，小亘覺得很心虛，有點窩囊。

（我真是沒出息。）

小亘雙肘撐著桌子兩手托腮，茫然地望著桌前貼的功課表，明天第一堂課是國語，記得好像又要寫作文。阿克最怕寫作文了，每次都跑來找小亘問東問西。

可是如果今晚放阿克鴿子，明天他一定會氣得不理人吧，這是當然的。

「你放心，不會有這種事發生。」

冷不防地，背後有人如此說道，是個甜美的女生聲音。

小亘嚇得跳起來，椅子順勢吱呀作響。回頭一看，六張榻榻米大的兒童房內，當然不可能有別人。去年夏天，因爲第一學期的成績好得出乎意料，經過他再三懇求、爸媽終於同意買給他的十四吋電視，現在也是關著的。

四下張望了好一陣子，小亘的視線回到前方，重新坐回椅子。大概是剛才發呆時，不知不覺打起瞌睡吧。上次電視上有位學者曾經解釋過，像這種時候做的夢會格外鮮明，甚至難以區分是現實還是夢。

沒想到，同一個聲音又再度說話了：「今晚你出得去，所以最好趁現在睡一下喔。」

這一次小亘真的從椅子上摔了下來。他立刻爬起來站好，迅速環視屋內，幾乎頭暈目眩。鋪著藍格子床罩的床鋪、參考書和童話書後面藏著漫畫書的書架、電視機旁的遊戲機上罩著碎花圖案的手帕。小亘很喜歡打電動玩具，可是只能玩媽媽准許的遊戲軟體——別說是買了，連借來的都得經過媽媽批准——所以如果放著不玩，遊戲機會立刻蒙上灰塵。腳下的地毯，只有椅子滑輪那一塊被磨平，小亘脫下而亂扔的拖鞋，橫躺在桌子後方。

沒有任何人，除了小亘沒別人。

「就算要找我也看不到喔。」

女生的聲音在小亘腦中響起。「現在還不行，懂嗎？」

小亘心臟怦怦地狂跳。該不會是小精靈遊戲中的鬼吧？

「妳、妳、妳是誰？」

小亘發出聲音，朝著熟悉的房間、略帶塵埃的熟悉空氣問道，聲音幾近耳語。對著空無一人的空間說話眞傻，而且腦袋裡竟然會聽見女生說話的聲音眞是太可笑了。可是只要小小聲地說，對這種行爲的羞恥感好像也會減少一些。

「你猜我是誰？」看不見的女生開心地笑了。「別管這個了，你快進被窩吧，待會兒還要夜遊，一定要先睡一下，否則明天上學會遲到喔。」

霎時之間各種判斷攪成一團。說到那些念頭的數量，幾乎比在博物館看過的進化系統樹的分枝數目還要多，但是小亘還是選擇了最孩子氣的念頭——立刻衝出房間。

「幹嘛，你怎麼了？」

邦子坐在廚房桌邊正在削蘋果。

「要不要吃一個？吃完記得刷牙，你該睡了。」

小亘渾身發軟幾乎站不穩，勉強抓著柱子。

「唉呀天哪，你的臉色怎麼這麼難看。」邦子說著把刀子往桌上一放，疑惑地看著小亘。「對了，你今天早上有點咳嗽吧？該不會是感冒了。」

小亘沒有回答，於是媽媽起身走過來，伸手摸著他的額頭，她的手冰涼又滑膩。

「好像沒有發燒……，你在冒冷汗？不舒服嗎？想吐嗎？」

小亘含糊說著不我沒事不要緊媽晚安之類的話。他搖搖擺擺地回到房間關上門，靠在門上，背後響起敲門的聲音。

「小亘？你是怎麼了？真的沒事嗎？喂。」

「沒事啦，我沒有不舒服。」

小亘總算打起精神回答。一想到該怎麼跟媽媽解釋，只怕會更麻煩更混亂。

敲門聲終於停止，他離開門邊癱倒在床上，由於心跳過快幾乎無法呼吸，真的開始頭暈了。

「對不起喔，真可憐。」女生的聲音再度傳來。「我不是故意要嚇你的。」

小亘用雙手摀住耳朵，緊緊閉上眼，彷彿就這麼暈厥，任由周遭暗下來。

本來沒這個打算，但他好像還是睡著了。當他猶如衝出黑暗倏地醒過來時，床邊的鬧鐘正指著十一點五十分。小亘猛然爬起來，他睡著的時間很短，但因爲穿著衣服，所以有點冒汗，可是又有點冷。

他輕輕打開房門偷窺廚房，電視開著，正在播夜間新聞，這是媽媽向來不會錯過的節目。可是，媽媽卻在睡覺，她趴在廚房桌上發出規律的鼾聲。

距離幽靈大樓有一個街區之隔的南邊公園入口處，阿克已經先來到約好的地點。阿克通常會早到，或許也是遺傳自父母的急性子。

「我遲到……了……對……不起。」

小亘上氣不接下氣，沒辦法好好講話，才跑這麼一點路就喘成這樣是很丟臉，可是他就是無法克制，大概是因爲他把怪事撂在家裡就跑來的緣故吧。

「你媽聲音那麼恐怖，虧你還出得來。」阿克在公園的欄杆上跳來跳去，一邊像猴子似地東鑽西竄一邊說道。

「你說電話嗎？抱歉。」

「無所謂啦。反正你媽對我每次都是那個調調。」

阿克說得不當一回事，可是小亘卻心虛得縮起脖子。他知道阿克早就發現媽媽對小村家的人特別不客氣。

「你媽先睡了嗎？不可能吧。你爸回來之前，她向來連睡衣也不換，會一直等吧，那你是怎麼溜出來的？」

阿克漆黑如樹子的眼珠充滿驚訝與好奇，映著路燈的燈光閃閃發亮。看到阿克的臉，小亘這才慢半拍地感到媽媽那個樣子的確不對勁，忍不住轉頭朝他家的方向看去。

「結果她啊……睡著了。」

「她感冒了嗎？」

小亘默默地搖頭。好幾個亂無頭緒的問題已經衝到喉頭了，硬是被他像吞大顆藥片般嚥了下去。阿克，你曾經有過那種不是睡著，而是眼前突然一黑，昏過去的經驗嗎？你曾經在空無一人的地方，聽到除了自己以外的某人跟你說話嗎？這算是異常嗎？如果是女生的聲音，更異常嗎？最重要的是，你爸你媽會趴在廚房的桌上呼呼大睡嗎？不管怎麼推怎麼拉都不動，即使在耳邊吼叫也叫不醒，簡直就像被魔導士施了睡眠魔法，我甚至忍不住四下張望，看她頭上有沒有出現「ＺＺＺ」的記號呢。你看過有誰是這種睡法嗎？很怪吧。我啊，有點害怕耶。

「哎，管它的。我們快走吧。」

阿克從公園的欄杆上砰地跳下。這句話讓小亘把一堆疑問又吞了回去，他嗯了一聲向前跑去。

book 1

第二章 沉靜的公主

即使在這個時刻，罩著幽靈大樓的藍色塑膠布映著路燈的光，看起來依然有種奇妙的廉價光彩。四周的房舍連門燈都已熄滅，還亮著燈的窗口寥寥無幾、悄然無聲，旁邊的三橋神社也在森然樹影環繞下陷入寂靜，那個光芒反而更強調出這棟大樓半途而廢的模樣。

距離雖短，可是踩著運動鞋吱呀作響、一路跑來令小亘心情激昂，他終於重新掌握今晚的目的。眞的有幽靈嗎？他要親眼確認。

然而，經過神社前面正要朝大樓走去之際，跑在前頭的阿克猛然停下，張開手攔住他，「好像有人。」

他低聲耳語，說完背部緊貼著神社圍牆，小亘也反射性地仿傚他的動作，可是沒看到半個人影。

「在哪裡？」

阿克伸手一指，「大樓對面那邊，馬路那邊不是有車燈嗎？」

「在哪？那不是路燈？」

「才不是，是有一輛車子停在那邊。」

小亘試著凝神細看，但還是看不清楚。他離開神社圍牆，快快走去。「過去看看吧，有什麼關係，反正我們又沒做壞事。」

更何況，也許只不過是停了一輛車子罷了——就在他一邊這麼想，一邊走到幽靈大樓前面時，藍色塑膠布突然掀起，從那裡鑽出一個人影。

小亘哇地一聲大叫著往後跳。喀唧一聲，塑膠布掉下砸到地面，頓時塵埃瀰漫。

「痛死了。」塑膠布說。不，聲音是從塑膠布裡面傳出來的。

「怎、怎麼了？」衝過來的阿克，抓住小亘肩膀。這時，塑膠布再度被掀起，人影露出了臉孔，仰望小亘兩人後，發出茫然的聲音：「搞什麼啊……，奇怪？你們在幹嘛？」

是個很年輕的男人，大約二十歲左右吧。他嘿咻一聲鑽出塑膠布走到馬路上。於是，可以看出他個子相當高，穿著鬆垮垮的T恤和牛仔褲，戴著眼鏡，頭髮理得很短，右手還拿著手電筒。

剛才阿克指著說「停了一輛車子」的方向，傳來大型廂型車滑動式拉門關閉的聲音，接著就聽到一個聲音說：「則之，怎麼了？」

問話的是中年男子的聲音，接著出現了一個矮壯結實、有稜有角的人影。

小亘一下子想到太多種可能，反而身體動彈不得。這些人是小偷？在巡夜？找什麼東西？埋什麼東西？還是打算在這放火？

「怎麼，原來是小孩子啊，這麼晚了你們在幹嘛？」

新出路臉的人物跟小亘憑聲音想像得一樣，是一個矮壯的大叔。他走到叫作「則之」的眼鏡大哥哥身邊，環視著小亘和阿克的臉。當他說「這麼晚了」之際，視線也隨之落在手錶上彷彿要確認時間，那是一支繫著樸素黑色皮革錶帶的手錶。

「該不會是迷路吧。」眼鏡大哥哥咧嘴一笑。「該不會是補習班剛下課吧？」

「哎呀呀……」阿克發出聲音。如果照字典的方式解釋，這是小村克美表示惶恐的慣用語氣。

小亘過於焦慮，也來不及整理思緒就張嘴準備說些什麼。結果，混亂中最接近嘴邊的話語就像爆米花般蹦了出來。唉，不管是大人或小孩，所謂的失言，大概都是這樣發生的。

「我、我、我要叫警察囉！」

眼鏡大哥哥和矮壯大叔都愣住了，彼此面面相覷，然後又不約而同地看著小亘。

等到小亘察覺時，才發現連阿克也張著嘴呆望著他的臉。然後，停頓了一拍才問他：「爲什麼？」

頓時，矮壯大叔和眼鏡大哥哥都捧腹大笑。

「老爸，你笑太大聲了。」大哥哥啪啪拍著矮壯大叔的肩膀笑道：「會吵到附近鄰居喔。」

「小弟弟、小弟弟！」矮壯大叔一邊朝小亘揮著粗短的手臂一邊說：「我們不是可疑人物，你用不著這麼害怕。」

阿克猛力一抓小亘的手肘。「眞的，這些人沒問題啦。」

小亘認眞地睜大了眼睛打量著阿克，阿克回看他，似乎漸漸憋不住笑意，最後還是忍不住笑了出來。這時，小亘才發現，現在不是二對二，已經變成三對一了。三個發笑的人和一個被嘲笑的人。他的臉孔發燙。

「啊，糟糕。」大哥哥止住笑，衝向矮壯大叔剛才過來的方向。「冷落了香織一個人。」

很快地，從大哥哥消失的方向滑出一輛淺棕色的大型廂型車。車子彎過轉角，打橫停在幽靈大樓前。

看著光滑的車身，阿克感嘆著說：「哇，新車耶。好大喔！」「一定很貴！」

可是，其他的發現令小亘更驚訝。廂型車的車身兩側印有公司名稱。

「大松股份有限公司」

小亘拼命眨眼。然後，再次仰望矮壯大叔的臉。

「大叔你是……大松三郎先生嗎？」他忍不住脫口問道。

矮壯大叔本來正笑得頻頻拭淚，頓時收起笑容俯視小亘。

不需要聽他的回答，光看表情小亘也知道，這個人正是倒楣的幽靈大樓所有人——大松三郎社長，至於眼鏡大哥哥，應該是大松社長的兒子。

廂型車的車門開啓，發出了某種機械聲音，從裡面伸出像機器手臂的裝置，然後，一輛輪椅從上面平行滑動，輪椅停止後，機器手臂就降下來著地。

輪椅上坐著一個束著馬尾、身材纖細的女孩，隨著機器手臂和輪椅的動作，細瘦脖子所支撐的優美腦袋也跟著不停地晃動。

「你是聽這附近的人提起我的事吧？」大松社長問小亘，然後自己回答：「沒錯，我就是這棟大樓的建商，那是我兒子則之。」

眼鏡大哥哥推著輪椅朝這邊走近，輪椅上的女孩既不看小亘他們，也不看大叔，只是任由脖子晃動。她的眼睛睜著，卻似乎什麼也沒看見。

「還有，這是我女兒香織。」

大松社長溫柔地拍了一下推過來的輪椅扶手。香織的雙手藏在蓋著膝頭的淡粉色毛毯底下，似乎也無意回應父親的這個動作。

「我們啊，不是可疑人物喔，眞的。」大松則之笑著說。可以感覺他是在試圖安撫小亘。

（可見得剛才的我，看起來一定嚇得六神無主吧）小亘羞得恨不得咬舌自盡。

「我們帶我妹出來散步，順便想說來看看大樓的情況。你們也看到了，在這種狀態下，滿地垃圾，野貓到處跑，那才眞是問題多多呢。」

「這樣嗎，對不起。」

小亘實在太丟臉了，不僅對社長和則之，他連阿克都不敢看，深深地垂下頭，巴不得就這樣折著身體，轉身一口氣逃回家。

阿克絲毫沒想到小亘的心情，自顧自地問道。小亘還來不及阻止他說豬頭別亂問，大松社長已經回答：「嗯……我女兒身體有點不好，如果人太多的時候帶她出來，她會不高興。」

「對喔，夜裡的確安靜多了。」

阿克也沒多想就被說服了，可是小亘卻看到大松父子迅速交換眼神，露出有點被抓到痛處的表情。

大松香織是個美麗的女孩。當周遭的人們指著她說「美麗」時，「美麗」這個字眼的精靈，一定眞的很自豪而且欣喜異常吧，說不定還會靦腆地說「哎喲你們過獎了啦」。就是那樣子的「美麗」。

在小亘活到目前為止的十一年人生當中，第一次看到這麼美的女孩，也是第一次看到這麼像洋娃娃的女孩。不會講話，不會笑，對外界毫無反應，眼神茫然，雙眼只會眨動。俗話說眼睛是靈魂之窗，但她這扇窗卻是洋娃娃屋的窗戶。

「香織唸國一。」則之朝著妹妹略微躬身說：「應該算是你們的姊姊，你們幾年級？」

一時之間，小亘本想回答「六年級」。小亘和阿克個子都小，即使謊稱國中生也沒人會相信，不過就算多成熟個一年也好。

沒想到老實的阿克已經搶先回答：「五年級，唸城東。」

「城東第一小學？啊，我懂了，那你們也是幽靈探險隊囉。」

則之噗哧一笑，大松社長也笑了。體格壯碩的社長晃動著肚子一笑，他扶著香織的輪椅便跟著搖動，香織的脖子又開始晃動。

「什麼探險隊？」

「大家都在傳說這棟大樓有幽靈出現吧？為了確認，小朋友半夜還在大樓附近徘徊，甚至企圖闖入，你們不是第一個了。城東第一小學的家長會還責備我，說這樣很危險叫我要好好管理呢。」

「什麼時候的事？」

大松父子傾頭思索。則之回答：「已經有半個月了吧。」

小亘很失望，原來早就被人家搶先了啊。

「我們兩個也是來調查眞相的。」

「幽靈探險隊還來拍過照呢，那叫靈異照片吧？」

則之點點頭。「帶著拍立得。」

「我們可不是隨便玩玩的，是眞的想確認幽靈的身分。」

「啊，對了。」阿克突然提高嗓門雙手一拍。「你說的幽靈探險隊，是不是六年級？聽說他們好像還把靈異照片送去什麼電視台，對吧！」

「對對對，就是那個。」則之苦笑著用力點頭。「帶頭的……叫什麼來著的，是個態度惡劣的小鬼。」

「石岡吧？石岡健兒。」

「對，你蠻清楚的嘛，是你朋友？」

「才不是，不過我老爸跟石岡的老爸是釣友，我聽我老爸說，他老爸提過石岡他們要上電視參加什麼靈異照片單元。啊，一堆老爸亂成一團，你聽得懂嗎？」

石岡健兒和他那幾個死黨是六年級的問題兒童，據說本來就是被學校盯得很緊，到了四年級下學期，行爲偏差的情況越來越嚴重，現在已經成了城東第一小學的燙手山芋。

他們根本就不知道學校這種地方到底要幹嘛，所以課也不好好上，隨意進出教室，遲到早退、曠課更是理所當然，還會製造噪音妨礙老師上課、偷竊學校用品、破壞公物、欺凌同學、勒索金錢。雖是小學生，行爲卻已跟不良高中生不相上下。

不過，可嘆的是，這年頭像這種狀況的問題兒童，不管哪個學年起碼都有一兩個。石岡他們之所以會跨越學年界線，一口氣升格爲「全國級」，是因爲去年暑假校園開放時，他們擅自駕駛校長停在正門旁邊的私家車在校園裡來回穿梭，結果撞上了在校園玩耍的學弟妹，造成三人受傷，引起軒然大波。

翌日，校長立刻在禮堂緊急召開家長會，除了說明事件經過，同時也低頭貼著講台桌面深深鞠躬道歉。他表示：「雖然我只是暫停一下，但畢竟是在校園裡，我插著鑰匙就下車還是太輕率了。」

據說校長那天是因爲家裡的眼鏡壞了，所以到學校的校長室拿備用眼鏡，只是爲了這件小事，而且又在趕時間，但諷刺的是，據說他當時就是急著趕去參加教育委員會的活動。

儘管這是比小亘他們高一年級的學生引起的事件，但是傷者之中有小亘的同學，所以他媽媽邦子也出席了這次會議，而且回來時還怒氣沖沖地嘀咕著。

「校長眞是的，幹嘛那樣道歉，你不覺得很奇怪嗎？」媽媽嘟著嘴巴說。「竟然說什麼一切都是因爲他不該隨便停車，問題根本就不在這裡嘛，明明是小孩子不該亂開車。」

但在會議中，聲討校長責任的人還是佔了明顯的優勢。

「居然說什麼小孩本來就喜歡調皮搗蛋，所以大人應該多注意，這些人都瘋了，問題根本不在這裡。甚至還有人說小學生會開車眞了不起，眞是夠了，我看這社會完了。」

可能是因爲受傷的三個人只有輕微擦傷吧，這件風波並未繼續擴大。當然既未報警也沒上報，校長的位子也保住了，如果算算利害得失，徒然讓石岡他們增長了氣焰，從此變得更小看校方。

他們就是這樣的人，小亘感到不可思議，石岡跟靈異照片？怎麼想也扯不到一塊兒。

「那些六年級學生，是打從一開始就想要上電視節目的靈異照片單元嗎？」

「好像是。」則之回答，略微側目望著大樓。「他們還說什麼如果拍不到好照片就要自己動手腳呢。」

「太過分了，那他們也是在這裡遇到你們嗎？」

「嗯，不過，當時不是只有小孩，還跟著兩個大人。」

「那些大人應該是電視台的人吧。」大松社長說著雙臂交抱。

「有可能。」則之點點頭。「那兩個人跟我們打照面時可能有點尷尬，還裝出監護人的姿態，不過我看那一定是電視台的工作人員。」

小亘轉頭對阿克說：「這方面你爸沒提起？」

阿克搖搖頭，「沒聽說。不過，據說後來決定上節目了，還神氣得很呢。」

「那個節目你看了嗎？」則之問。

「沒看。最近，石岡他爸也沒來我家……啊，我家是開居酒屋的。」阿克露出商業化的笑容，「這麼說，或許那個節目決定不播了，我老爸也沒吭氣。」

「要不然就是以後才要播出。」

「啊，有可能。製作電視節目好像很花時間吧？對了，一定是這樣。」

風吹過來，藍色塑膠布劈啪作響，大家霎時嚇了一跳。

「怎麼連我們也跟著緊張啊。」則之邊笑邊說著，回過神時，才發現大家都仰望著大樓。

「這裡不可能有幽靈出沒，我們應該最清楚，怎麼連老爸也那種表情。」

大松社長羞澀地搓著額頭。他一做這種動作，讓人很明顯發現他的頭已經很禿了。「就是啊，比起什麼幽靈，活生生的人要可怕多了。」
這話只是隨口說說而已，至少在小亘聽來是如此。對於怕鬼的小毛頭，有常識的大人說出這種話很正常。
可是，說這話的大松社長和聽到的則之卻好像做了什麼丟臉的事，各自猛然低下了頭。
「好了，我們也該回去了。」
則之繞到香織的輪椅後面，鬆開卡榫，車輪發出吱地一聲。
「我看，你們也上車吧，我送你們回家。」
「我們沒關係，就住在這附近。」
「那怎麼行，身為大人有這個責任。快，上車上車。」
於是，小亘和阿克都被塞進廂型車。在車內，小亘就坐在連輪椅帶人一起固定在座位上的香織身邊，她的頭髮散發出洗髮精的香味。雖說要在車上聞女生的髮香，最起碼還早了五年，不過這並沒有讓他怦然心動，反而是感到一陣心痛。香織不動、不笑、不言不語，只是像個洋娃娃般坐著，可是她的頭髮竟然散發出這麼好聞的味道，她的臉蛋如此美麗，肌膚像香皂一樣白皙光滑，手腳纖細修長，反而讓人更心痛。
由於「小村」比較近，所以先送阿克，然後再往小亘家的方向走。
「讓我在附近下車就行了。」
駕駛座的大松社長笑了。「如果開到你家門口，你怕聲音太大，半夜溜出來的事情會東窗事發嗎？」

小亘老實招認：「我爸向來回來得晚，我怕在公寓門口碰個正著……」

「可是，你這樣偷偷溜回去，萬一被當成小偷豈不是麻煩？」

最後，還是讓他在公寓門口前方的馬路下車，公寓杳無人影，整棟建築靜悄悄的。大松父子目送小亘跑進電梯間後，閃了一下廂型車的頭燈，這才悄然離去。

到了第二天。

「沒被發現嗎？」

第一堂課剛上完，阿克立刻跑過來。

「該不會你一回去就發現你媽醒了，被臭罵一整晚？」

小亘搖頭。他躡手躡腳地回家一看，媽媽依然趴在桌上睡覺，爸爸也尚未回來。

「那，完全是安全上壘嘛，你幹嘛還一臉沒睡好的樣子？」

「阿克你倒是睡得很好？」

「一回去就躺平了。」

「你到底有沒有神經啊。」

阿克滴溜溜地瞪大了眼睛。「失眠不好吧？」

小亘是在想著香織。大松社長和則之那種好像隱瞞了什麼，有什麼難言之隱的態度也令他耿耿於懷。回家安頓好了之後，他越想越覺得不對勁，才會整晚睡不著。

「會嗎？他們人不錯呀。」

「他們的確很親切，但你不覺得親切過了頭嗎？」
「爲什麼？」
「在那種地方遇上我們這樣的小孩，大人們通常都會生氣，可是他們只有笑，也沒有罵人的意思。」
「可能是因爲之前有石岡他們的前例，已經習慣了吧？」
「才不是呢。」小亘說著，一逕凝視著桌子。這張新學期發下來的桌子，在光滑的表面上還留著去年使用這張桌子的學長所刻的紀念品，是兩個漢字，「極惡」。爲什麼會刻這種東西？這樣有什麼好玩？
「對大松先生他們來說，一定有什麼事情比我們兩個找幽靈的小孩更嚴重，他們滿腦子都是那件事，所以根本沒空管半夜遇到的鄰家小孩。他們是因爲不當一回事，才會那麼親切。」
阿克拼命搔著他那顆頭髮短得幾近光頭的小平頭，露出極爲困惑的表情。這種情形過去也常發生，對於小亘來說很認眞的事，阿克卻一點也無法理解。於是小亘就會很不耐煩地想找阿克出氣。這時候，他的表情就跟媽媽邦子不屑地說「小村家是做特種營業的」時一模一樣。對於這一點，他自己毫無所覺。
「你是說，爲了那個香織的事嗎？」
阿克冷不妨低語。（一定不是這樣，所以最好別讓小亘聽到，可是萬一讓他說中了，他還是希望小亘能夠聽見。）就是這樣的音量。
結果他說中了。

「這還用說。一定是的，不然還會為了什麼。」

被阿克猜中，讓小亘更加生氣。（我要說的話，憑什麼先讓你說中了。）

「那個女生生病了嗎？」阿克更加軟弱地低語。「光看她的臉倒是挺健康的，為什麼她一句話也不說？」

小亘想過，就連那個「散步」都很可疑，既然討厭擁擠的人群，去公園或水邊不就好了，為什麼非得在半夜帶她出門？更何況，具體而言，香織的身體到底是哪裡有問題？說不定她會變成那樣，是和半途停工的幽靈大樓有什麼關連，所以大松社長才會像要避人耳目似地，選在半夜偷偷帶香織去那裡吧。

看小亘陷入沉默，阿克更困惑了，他吞吞吐吐說：「對了，石岡他們上電視的事，今早我問過我老爸。他說後來石岡他爸什麼都沒講。」

因為做生意的關係，小村伯伯和小村媽媽都很晚睡，不過他們習慣一定要全家共進早餐，一天一次，全家一起吃飯——這種類似口號式的例行活動，小村家的人都很熱愛，比方說什麼日行一善啦，或是和平相處是美德之類的。

「他說不知道。因為石岡他老爸已經很久沒來了，所以上電視的事他也不清楚。」

「嗯……」小亘只哼了一聲當作回答。

「那棟大樓幽靈的事，我看算了吧！」阿克嘻皮笑臉地說。「跟石岡他們做同樣的事未免太蠢了。」

小亘默然。阿克又拼命抓著頭，一邊說什麼那就這樣不好意思，然後就走回座位去了。上課鐘聲開始響起。

小亘望著阿克的背影。那顆腦袋，聽說是小村伯伯幫他用推子理的，不過通常理得有點坑坑疤疤，每次沒理好的部位都不太一樣，形狀也隨之不同，但阿克倒是從未抱怨過。

他想起香織頭髮的洗髮精香味。

就像小村伯伯每兩個星期一次，會一邊幫阿克理髮一邊說說笑笑威脅阿克不要亂動否則會剪到耳朵一樣，也有一個人會一邊跟面無表情的香織說說笑笑，一邊替她洗頭髮、吹乾、用梳子梳理、綁成馬尾，大概是她媽媽吧。她媽媽一定很傷心，因爲香織不回話而傷心，因爲她變成行屍走肉而傷心。

香織究竟發生了什麼事？

對於小亘來說，如果按照過去慣用的方式發揮想像力，絕對無法理解大松家三個人的生活。雖然小亘家是上班族家庭，但他能夠想像做生意的阿克家是怎麼生活的。坐在他隔壁的女生，爸媽都是老師，他也可以想像老師的家庭。同樣的，父親當消防隊員的家庭、父母離婚只剩母親的單親家庭、父親隻身派駐國外的家庭，他都能夠想像。即使他的想像和實際情形差了十萬八千里，站在小亘的立場，只要能夠想像「大概是那樣、這樣吧」，他就能安心。

可是，大松家的人卻非如此，家裡有個退縮自閉成那種狀態的可愛女孩，因爲某種原因讓她變成那樣，而大家都把那個原因埋在心底——那種生活，那種家庭，已經超乎小亘的想像範圍，甚至無法自以爲是地產生「大概是這樣吧」的念頭。從小孩轉變成大人的成長過程中會經歷各種挫折，不過那些挫折多半是因爲遇上了自己過去培養的價值觀與想像力無法應付的事物——這種成長公式，小亘第一次接觸到，不過他自己當然沒發現，所以才會焦躁不安，才會連自己已被挑起興趣都不知道。

那天，他在課堂上一直心不在焉。一回到家，邦子正在客廳攤著一大堆洗好的衣物熨燙，她一邊機械性地來回熨燙襯衫和長褲，眼睛一直盯著電視，可是摺痕筆挺絲毫不偏。父親三谷明把這招稱為「媽媽的拿手絕活」。

換做平常，他會敷衍一句「我回來了」就直接進房間，看電視打電動直到該去補習班為止，可是今天小亘卻停下腳步，主動跟媽媽說：「媽，三橋神社隔壁的幽靈大樓，妳最近還有聽說什麼嗎？」

邦子漫不經心地回答：「啊？」

「那棟蓋到一半的大樓，建商是一個叫大松的社長吧？聽說那家人有一個上國中的女兒。」

邦子一邊拍打襯衫前襟一邊說：「是嗎。」視線在瞬間離開電視畫面，看著手邊，捏起沾在衣服上的線頭扔掉，然後視線又回到電視上。

「媽媽認識的那個不動產公司的太太，會不會知道什麼？」

邦子沒有回答依舊看著電視，好像正在演殺人推理劇，女主角正推開沒上鎖的門進入某間屋子，那裡躺著一具屍體，她尖叫一聲，然後進廣告，這時邦子終於看著小亘。

「什麼？你剛才說什麼？」

小亘本想重問一次，卻突然心生厭煩。「沒什麼。」他低頭望著腳下說。

「你這孩子真怪，冰箱有起司蛋糕，今天要補習吧？不要騎腳踏車去喔，今天那個三葉橋那邊

正在施工　手洗了沒？漱口水如果用完了，洗臉台下面的抽屜裡還有新的。」

這時候小亘總會懷疑，就算他早上去上學，下午回家時變成深山狸貓，只要他有按規矩說聲我回來了，媽媽是不是也不會發現。還是趕快吃完起司蛋糕就回房間吧——當他這麼想著正要站起來時，電話響了。

「喂，接電話接電話。」

坐在熨斗檯前的邦子，一時之間爬不起來。今年胖了兩公斤，跪坐時雙腳總是立刻麻痺眞是傷腦筋——最近她才在電話中跟誰這樣說過。

小亘走近客廳角落的壁掛式電話，拿起話筒。「喂？這是三谷家。」

悄然無聲。

「喂？這是三谷家。」

依舊靜悄悄。小亘又喊了一次喂，確認無人應答後就掛上了電話。

「打錯了嗎？」邦子問。

「好像是。」

「最近常常這樣，我一接起來，對方就不吭氣，然後就掛斷了。」

既然來到電話旁邊，本想順便打給阿克，跟他說今天心情不好對不起，回家時也一個人匆匆走掉很抱歉，可是想想還是算了。

這時，電話又響了。第一聲還沒響完，小亘已拿起話筒。

「喂？」

又是靜悄悄。小亘今天心情本來就已經跌到了谷底，頓時氣得發飆。他把話筒拿到正前方，大聲怒吼：「沒事就別打來，神經病！」

啪地一掛電話，才發現邦子正瞪大眼睛看著他，那眼神與其說是擔心，更像是覺得有趣。

那天補習時也無法專心，這對小亘來說很罕見，短短兩個小時就被老師警告了三次，第三次時，老師甚至還問他：「是不是身體不舒服？」

小亘自己也搞不清楚，回過神時才發現昨晚的事又在腦中甦醒。大松社長寵溺地輕拍著輪椅扶手，香織纖細的脖子就左右晃動，映照著隨意包裹幽靈大樓的塑膠布顏色，她的臉頰也像蠟一般慘白，還有她的頭髮散發出清新的洗髮精香味。同樣的景象不斷地在心中重現，這是一種病態嗎？如果是錄放影機鐵定需要修理，可是如果是人，又如何呢？

就這麼茫茫然地走在返家的路上，他決定再去幽靈大樓看看。補習班跟學校正好是一百八十度的反方向，不僅要繞遠路還得經過家門前。即便如此，他仍然決定去看看。走到公寓共同玄關處時，要不是一個出乎意料的聲音叫住他，他一定會這麼做。

「你回來啦，今天補習嗎？」

抬眼一看，三谷明站在兩、三公尺以外，右手拎著公事包，左手拿著摺傘。這才想起，今天市中心那邊好像下著小雨。

「爸你回來了。」小亘也說著走近父親。明沒等小亘追上來，便朝著通往共同玄關的斜坡緩步走去。

「爸，你今天回來得很早耶。」

小亘左腕上的電子錶顯示晚間八點四十三分。這支匆匆閃爍顯示百分之一秒時間的手錶，是去年秋天明去洛杉磯出差時買給他的禮物，上面還有在當地極受歡迎的籃球隊標誌。可是小亘對籃球毫無興趣，收到這支錶並沒有很高興，他比較想要華納推出的獨家商品，所以平常幾乎沒戴過。今晚眞幸運，爸爸一定會以爲小亘很喜歡這支手錶吧。

「學校怎樣？」

「嗯。」小亘回答，就這樣。這種問答方式，最近這一年來已成了父子之間的固定模式。小亘縱使在「嗯」之後繼續說話，爸爸大概也只會默默聽著，明在「怎樣」之後就算問什麼具體性的問題，小亘大概也只會回答「嗯」，對，大概。因爲實際上這種情形還沒發生過。

三谷明，本來就是個沉默寡言的人。相較之下，邦子很愛說話。就小亘所聽到的，邦子以一比十的比例佔了絕對優勢。在日常生活中，發言量的多寡直接展現發言者的威力。簡而言之，「喋喋不休的人就贏了」，在三谷家，通常是由邦子的意見左右。

不過，如果事情非屬「日常」，而是關於「日常的基礎」，那麼情況就不同了。平時沉默的三谷明，在這種局面下，往往會像千葉的奶奶批評得那樣「愛爭辯到令人火大的地步」。當初買下這間公寓就是這樣；邦子想讓小亘唸私立小學時也是如此；決定小亘上哪家補習班時是這樣；要換車時也總是如此。明對於眼前的問題會做許多事前調查，審愼考慮，最後選擇他認爲最合理的結論。曖昧的「感覺」或「這樣好像比較好」或「大家都是這樣」或「這是社會普遍現象」之類的說法在此毫不管用。對象如果是車子，就要考慮燃料費和安全性，是公寓就要考慮施工業者和居住環境，如果不能拿出明確的數據和資料，就算搬來千軍萬馬也說不過他。

正好十年前，三谷家的祖父——也就是明的父親；千葉奶奶的老伴；小亘的爺爺過世時，明的種種舉止至今仍是親戚之間的話題，就連當時尚在襁褓中的小亘，也因爲親戚只要一聚集就會談論這件事，搞得連他都彷彿親眼看過般地印象深刻。

不只是葬禮，乃至儀式流程，通常起源和原因雖不明確，卻伴隨了「基本上這種場合應該這樣」的規矩，但是明對於這些徹頭徹尾地產生抗拒，他質疑爲什麼戒名（註）還有分高低等級、爲什麼是依據繳納的金額決定等級、與亡父生前不和的親戚，憑什麼只因爲是親戚身分就可以在守靈夜的席位上大搖大擺。據說當時的情形還頗爲精采。

既然是爺爺的葬禮，喪主當然是奶奶，據說最後要不是奶奶看不下去哭著懇求他說：「阿明，你就讓步一下，讓我安安靜靜辦完喪事好嗎！」可能爺爺的棺材就算放上一個星期也別想抬出千葉老家一步。

親戚們似乎也都因此再次體認到，「原本還以爲阿明是個聰明卻沉默安分的人，沒想到一旦做了決定任誰也勸不動。」

「媽媽早就知道會有這種事，所以還覺得蠻好玩的。」邦子笑著告訴小亘。

三谷明並不是一個可怕的父親。撇開無知的嬰兒期與一不小心隨時會發生危險的幼兒期不說，小亘打從懂事起從來沒有被父親罵過，也沒有挨過揍。到目前爲止，父親也沒有把「據理力爭」這個最後武器搬出來——當然也是因爲他忙到沒時間做這種事。

註：僧侶替死者追封的法號。

對小亘來說，他到現在還是不太瞭解父親。不過這種「不瞭解」並非那種不愉快、令人不舒服的「不瞭解」，雖然父親的這扇門沒有打開，今後恐怕也難得打開，但在門後面的東西對小亘來說很重要，他也能隱約感受到父親同樣把那個看得很重要。或許可以這樣形容吧。

其實，小亘還蠻喜歡父親的，不像很多人一心只想說自己的事。無論在自己周遭或電視上乃至在學校，有時他甚至覺得每天默默忙碌的父親，看起來還挺酷的。如同這個年齡的孩子，他對父親抱持的印象，嚴格說來，幾乎是直接來自母親三谷邦子對丈夫三谷明的印象。

即使丈夫只是一邊聆聽一邊默默點頭，邦子還是會把好玩的事、生氣的事、有點需要商量的事、已經自行決定只是徵求事後承諾的事，興高采烈地一一傾訴。就在不久之前，打從心底仍是「小朋友」的小亘也是如此。可是現在的小亘就像煮得彈牙的義大利麵麵芯，一個人類個體而非「小朋友」的核心正在逐漸成形，就是那個核心，勸小亘只回答「嗯」之後便保持沉默。或許這正是男女不同之處，抑或邦子體內雖然沒有，小亘體內卻有著明的遺傳基因在作祟。

即便如此，今晚「嗯」了之後，父子倆走向電梯間的過程中，他還是有點動搖。好想跟爸爸說……，說好多事情。

世上真的有幽靈嗎？大家努力相信、覺得有趣的事，即使明知那是瞎扯的也應該配合大家？要不然就會被排擠？爸爸很討厭這樣子吧？可是，就算這樣，也犯不著被人用「三谷亘最討厭了」這種話來臭罵吧？我也能變得跟爸爸一樣嗎？到底該怎樣才能不對的事就說不對，又可以不跟人家起衝突？

還有那個不發一語，好像跟外界切斷關係的大松香織。嗯爸爸，我遇到一個女孩，簡直就像電玩中被困在塔裡的公主一樣，真的有這種女生耶。我啊，有點擔心那個女生，我擔心她到底是怎麼了。爸爸也遇過這種情形嗎？

好多話在他腦中盤旋，可是最後還是找不到出口，父子倆就這麼抵達了家門。

一家三口難得一起吃晚餐，邦子忙著向明報告各種事情，跟他商量、問他情況，總之熱鬧非凡。媽媽看起來很開心，這種氣氛也感染了小亘，晚餐吃得津津有味。

吃完飯，小亘起身正想把自己的碗筷拿去廚房，電話響了。他連忙拿起話筒。

悄然無聲。

「又來了？」邦子放下筷子問。

「又來了。」小亘回答，掛上話筒。

「最近這種不出聲的電話特別多。」邦子皺起眉頭。「教人毛毛的。」

明略顯疑惑地看著電話。

「都是這種時間打來的嗎？」

「每次都是白天……，昨天也是這樣，對吧小亘。」

「嗯，連續兩通。」

「小亘也接過好幾次嗎？」

「沒，我昨天第一次接到。」

明把手上的飯碗放回桌上，再次回頭望著電話。「答錄機開著不就好了。」

邦子笑了。「沒關係，反正又不是性騷擾電話。而且，千葉的奶奶打電話來時，如果我們開著答錄機，後果更麻煩。」

說的也是！明說著也笑了一下。小亘從冰箱拿出冰淇淋，從瀝水籃拿了湯匙，正要回到桌邊，電話又響了。

「我來接！」

小亘嚷著撲向話筒。他決定跟昨天一樣，好好臭罵對方兩句，所以一開始就先下馬威，故意用粗魯的聲音喊「喂！」

沒想到，一個開朗、粗啞的聲音回答他：「噢，小亘嗎？你還眞有精神啊。」

不可能是別人，是千葉的悟伯伯。小亘很失望。

「眞是的，原來是魯伯伯。」

「這種打招呼方式太過分了吧！最近好嗎？」

「嗯，很好啊。」

「你本來就是個乖乖上學的小孩嘛，沒有排斥上學吧？」

「沒有沒有。」

「有沒有同學欺負你啊向你勒索的？」

「沒有沒有。」小亘噗哧地笑了出來，「伯伯，你是不是看太多社會新聞啦？」

「會嗎？這年頭的學校不是已經變得像江戶時代的牢房一樣嗎？」

「我是不太清楚啦，不過完全不一樣。」

「是喔，看來電視這玩意兒果然靠不住。那你交了女朋友嗎？」

「怎麼可能！」

「太慢了吧，你都五年級了耶，起碼該談個初戀了，你身邊都沒有那種會讓你臉紅心跳的女生嗎？」

悟伯伯最近動不動就用這個話題揶揄小亘，所以他已經聽慣了這樣的話。可是，今晚這番話聽在耳裡卻格外鮮明，小亘在心慌意亂之餘，甚至懷疑自己好像漲紅了臉。

一聽見「令人臉紅心跳的女生」這幾個字，眼睛深處頓時浮現大松香織清晰的臉孔。那白皙的臉頰、大大的雙眸。

「沒、沒有啦。」他轉身背對爸媽坐的餐桌，慌忙答道。「我們班上的女生一點也不可愛。」

「嗯……那眞是可惜。」悟伯伯完全沒察覺小亘的反應。「對了，你媽在嗎？」

「在啊，今天我爸也回來了。」

電話彼端揚起怪叫聲。「這還眞稀奇咧，那叫你爸來聽電話。」

小亘還沒說完是魯伯伯，明已經走到他身後，從他手中接過電話。然後，難得嚴肅地警告他說：「要規規矩矩地喊悟伯伯。」

三谷悟，是比三谷明年長五歲的哥哥，十六歲那年秋天從當地高中輟學並繼承家業，至今依然如此。與跑到東京唸大學的明正好成對比，是個一步也不肯離開房總的人，對於大海、船舶和海釣愛得要命。

家中雖然只有兄弟倆，個性卻差了十萬八千里。悟伯伯愛說話，而且講話向來牛頭不對馬嘴，什麼邏輯道理似乎離他很遠；又或者，他根本就不知道有這種東西存在。

父親和悟伯伯無論是體格或長相一點都不像。父親的身材中等、體型瘦削，悟伯伯卻長得高大魁梧；父親是長臉，伯伯卻有一張稜角分明的國字臉。今年四十三歲的伯伯，據說從幼稚園時就長這副德性了，直到最近，年齡才終於趕上了外貌。

不知道是因爲種種因素導致的，還是悟伯伯自己太任性，他一直未婚。千葉的奶奶似乎私底下爲此很頭痛，可是他自己倒是不當一回事，還說結婚太麻煩了，不過他好像不討厭小孩，不但很關心小亘，還會偷偷塞零用錢給他。

小亘還有一個大舅舅和一個小舅舅，爲了避免混淆在稱呼上必須做個區別。兩個舅舅按照住的地方分別稱爲「小田原的大舅」和「板橋的小舅」，不知爲什麼只有悟伯伯沒被喊成「千葉的大伯」。「砉伯伯」是小亘牙牙學語、口齒不太清楚時用的稱呼，可是至今仍常常脫口而出，每次都會被糾正。

悟伯伯打電話來，好像是爲了什麼「法事」的複雜事情，小亘一直在旁邊等著話筒再回到他手上，結果卻被趕出客廳洗澡去。

媽媽一個人洗澡時，據說常常東想西想，因爲大人很少有時間獨處。其實小孩子也一樣，浴室是個引人沉思的場所。而今晚，伴隨著沐浴精的香氣在小亘腦中浮現的，依然是大松香織的臉。塔裡的沉默公主，是被人囚禁呢？還是自己閉門不出？

（起碼該談個初戀了……是嗎？）

魯伯伯的話在小亘胸口翻來覆去，讓他再度悸動不已。洗澡水啪答地晃蕩起來。

1

book

第三章

轉學生

他是在春天放連假的前夕出現的。班上女生竊竊私語地說，是一個報到時間不上不下的轉學生。

「聽說長得很帥。」

「聽說成績很好。」

「聽說英文很流利耶。」

「聽說因爲他父親工作的關係，一直住在國外。」

左一句聽說右一句聽說，熱烈的聊天聲此起彼落。可是，對小亘來說，這不是想讓他豎耳傾聽的新聞。

轉學生當然會引人注意，不過那是隔壁班的事，不知道也就算了，更何況所謂的轉學生，在這個標籤剝落變成普通同學的過程中，即使是豬頭或呆瓜，往往看起來也會增加三分好感。

小亘居住的這個地區，雖然正逢景氣跌落谷底，卻沸騰著遲來的公寓建設熱潮，人潮出入也很頻繁。因此，小亘在升上五年級之前，就已經迎接過四個轉學生了，光是看過這幾個人就已有充分經驗。轉學生眞的一如標籤所示是名副其實的「厲害傢伙」，其機率大概跟走在路上被隕石砸中一命嗚呼差不多，根本就沒有必要大驚小怪。而且在這樣的過程中，反而讓他更在意幽靈大樓的謠傳，老實說他連隔壁班轉學生的名字都記不住。

因此，起先雞同鴨講讓他很傷腦筋。

「聽說芦川拍到了靈異照片耶！」

「你看到了？他有拿給你看嗎？」

「我沒看過，可是聽說拍得非常清楚喔！」

自從遇到大松家的人之後，剛好過了一個星期。早上，當他忍住呵欠走進教室時，教室後門口聚集了五、六名同學，正在熱烈討論著這樣的話題。對於從那天起一直惦記著香織的小亘來說，就連幽靈大樓的「幽」字都不會錯過。

「眞的？眞的拍到了那種照片？」小亘闖入談話圈，「什麼時候？」

「聽說是前天下午。」

「下午……那，是白天嗎？」

「是美勞課去寫生。」

美勞課時，老師出的題目是要素描街上盛開的花。

「他們去畫三橋神社的杜鵑花。」

「這麼說……不是我們班囉？」

「就跟你說是芦川拍的嘛。」

小亘這才知道，話題主角原來是隔壁班的轉學生。

「他姓芦川啊？」

「對！美鶴．芦川。因爲他是在國外長大的。」

一個男生矯揉造作地模仿外國人說話的腔調，女生們都笑翻了。

「你白痴啊，又不是把名字倒過來唸就可以變成外國人。」

對小亘來說，轉學生的個人資料一點都不重要，問題是那傢伙拍到的靈異照片。

「那張照片，可以跟他借來看嗎？」

大家眾口紛紜，爭相表示自己也想看。

「可是芦川說，不該爲了這點小事大驚小怪，所以拿回家去了。就這樣，據說誰也沒看過。」

霎時，小亘心底一隅暗自竊喜。芦川這個轉學生說不定想法跟我差不多，不該爲了這點小事大驚小怪啊……嗯，這句台詞蠻不錯的。上次我跟班上女生吵嘴時，或許也該這樣說才對。

「隔壁班有誰親眼看過嗎？跟他一起去寫生的人應該看到了吧？」

同學們舉出隔壁班好幾名學生的名字。去寫生的有三男二女共五人，其中也包括了隔壁班的班長宮原祐太郎，他倒是小亘的朋友。

「拍照的相機聽說是宮原帶來的。」有人又補上一句重要情報。

「這樣回家以後，就可以一邊看著照片一邊描繪寫生圖的細節了。」

聽說是拍立得相機。在宮原的提議下，每個人都按照自己想畫的構圖拍了一張照片。據說芦川拍的，是從神社境內仰視環繞境內的樹林和隔壁幽靈大樓的景象，沒想到卻拍到了看似人臉的東西——這就是事情經過。

「大家當場就發現相機拍到了怪東西，聽說搞得人仰馬翻。起先還覺得好玩，後來就有女生哭了出來，大家都嚇得跑回家了。不曉得他們的寫生畫要怎麼交？」

光聽到這些就已足夠了。下一堂課的下課時間，小亘立刻跑去隔壁班。從靠走廊的教室窗戶往裡面一看，可以看到宮原的側臉，他坐在窗邊的最後一個位子，正在和前座的女生及隔壁的男生聊天。

宮原祐太郎是全學年第一名的優等生。城東第一小學雖然不會把每學期成績優秀的學生名單公佈在走廊上，不過大家自然會知道哪些人頭腦好。這種感知度說不定比老師還要敏感精確。

不久之前，忘了是什麼原因，父親三谷明曾跟母親邦子討論過所謂的學校論，當時小亘聽得一知半解，由於明的長篇大論說得很複雜，大部分內容小亘都聽不懂。不過唯有一點他可以理解，而且還閃亮地留在心裡。

「真正優秀的人，縱使沒有殺氣騰騰地犧牲一切來用功，照樣會很優秀，因爲他有所謂的才華。」

小亘聽到父親的這段話時，腦海裡自然浮現宮原祐太郎的臉，他覺得這些話對極了。宮原總是非常開朗，心情愉快，而且慢條斯理，可是又很會唸書，每次接力賽的參賽者也一定少不了他。宮原從幼稚園起就開始學游泳，在游泳訓練班據說也是代表隊的成員之一，平時不但愛看電視對電玩遊戲也瞭如指掌，完全沒有那種勉強「扮演」優等生的感覺，他是一個天生的優等生，可是老師們總是誇獎他「熱心上進」、「努力向學」。小亘每次都覺得好奇怪。宮原雖然是個好人，但他才沒有那樣埋頭苦讀咧，爲什麼老師們不明白呢？

如果小亘再長大一點或許就能理解，其實老師也知道這點，而且比任何人都清楚，可是如果坦白這麼說會招來很多麻煩，所以只好保持緘默。因爲，人類生來就有能力高低之分，這和努力的重要、崇高、樂趣雖然是兩碼了事，卻常常被混爲一談，而這正是人生的趣味與困難點。這種事該怎麼對小學生解釋？

宮原似乎聊得渾然忘我，教室裡又很吵，站在外面喊他八成聽不到。小亘四下張望，可是找不到任何可以隨意喊叫的熟面孔。

在小學裡，不同班就好像不同的水槽，難得會有交流。到了五年級，像音樂和保健體育這幾門科目，就會兩班一起合上或男女分開授課，這才總算有了往來，不過那也只限於短短幾堂課。小亘之所以跟宮原很熟，是因爲他們在補習班同班。

他走到教室後門口徘徊，可是宮原聊得起勁，完全沒注意到他。以小亘的個性，在這種局面下往往會自己先打退堂鼓，絕對不敢厚著臉皮走進隔壁班教室。就這麼耗著耗著，下課時間結束的預備鐘響起了。

（沒辦法，只好到補習班再談了。）

小亘匆忙轉身，沒想到這時，眼前冷不防堵著一個漆黑的東西，當場撞個正著。

「啊，好痛！」

他忍不住脫口而出。小亘撞到的黑影無聲無息，只是散發出若有似無的藥味。

眼前，站著一名身穿黑色運動長袖T恤的少年。在一眨眼之間，小亘還以爲自己在照鏡子，因爲少年的體型與他非常相似。

「啊，抱歉。」

反射性地說完後，錯覺也跟著消失了。黑衣之上的那張臉孔跟小亘一點也不像。

雖然不甘心，還是不得不承認那是一個超級美少年。

小亘茫然張著嘴，凝視著少年的臉。他也像時下的青少年預備軍，把受封爲「有趣的傢伙」視爲最高勳章，無論何時何地，腦袋裡都要思索著搞笑的台詞。所以這種本能忠實地以千分之一毫秒的速度開始思考。「就我個人來說，這個月簡直就是全國美少男少女強化月嘛！」——可是這句台詞好像不夠好笑，所以他終究沒有說出口。正在這麼想著之際，他赫然發現對方胸前別的名牌。

「芦川美鶴」。

美鶴．芦川。人家可是國外長大的。

這傢伙就是話題中的轉學生！

正想出聲打招呼時，芦川美鶴已經輕快地避開小亘走進教室了。他的動作之快，即使已經從眼前消失，小亘仍然有整整兩秒鐘無法回頭，一逕地背對著隔壁教室的門口，像個傻瓜般呆立著。好不容易可以探頭窺看教室時，大部分學生都已回座，最後一聲鐘響（這是錄音的，不是眞的有敲鐘）顫抖地拖著嫋嫋尾音即將消失了。

小亘連忙衝回自己的教室，不知爲什麼心跳得好快。

那天正好要去補習，小亘先回家一趟，然後比平常提早去補習班，因爲宮原通常也會提早去，趁著教室裡安靜的時候先自習。

小亘去補習的「春日共進塾」，從家裡騎腳踏車約需五分鐘，補習班租用四層樓高的小型大樓三樓一整層，總共有三間教室。小亘他們五年級的課一星期有三次，以國語和算數爲主，一次兩小時，使用的是最北邊的邊間教室。

果然，宮原一個人正在教室角落他最喜歡的位置攤開參考書和筆記，好像是算數。

宮原一家有五口人，爸爸經營加油站，祐太郎下面有一個上幼稚園的弟弟和一個還在包尿片的妹妹。

宮原的媽媽和宮原的親生父親很早以前就離婚了，弟弟妹妹都是宮原媽媽和現在的爸爸生的小孩，所以跟宮原等於是同母異父。雖然沒有人問過宮原的身世，但這種事往往會自然傳開，不知不覺就變得眾所周知，跟流行性感冒倒是有點像。

宮原是個很好的傢伙，但他在家裡的情況怎樣，小亘一無所知，雖然聽說他很疼愛弟妹，尤其是女生特別愛這樣說，但儘管他們屬於同一個學區，上同一家補習班，生活圈大半重疊，卻從未看過宮原跟弟妹一起出現，所以也無從證實。

唯一能確定的是，宮原會這樣勤於到補習班自習，是因爲家裡太吵無法專心唸書，這是他自己說的。小亘多少也能想像，家裡有嬰兒和幼稚園小朋友，想必很難專心唸書吧，補習班的老師也是顧慮到這一點，才把教室借給他使用。當然，家裡有年幼弟妹的學生不只宮原一人，另外還有好幾個，可是，不是用弟妹太吵無法唸書來當藉口，而是眞的只要有安靜場所就能唸書的，只有宮原一個人。因此，通常他都會在這裡一個人用功。

小亘一走進教室，宮原抬起臉，驚訝地瞪大眼睛。他望著牆上的鐘，似乎在想「已經這麼晚了嗎」，小亘連忙表明：「有件事想跟你說，可以嗎？」
「可以啊，什麼事？」
看宮原一本正經，小亘有點難以啓齒。是關於靈異照片的事……，這樣子，豈不是太幼稚了嗎？
即便如此，他還是勉強說出口，宮原頓時「啊，原來是那個啊。」宮原看起來好像鬆了一口氣，「看來消息已經傳遍學校了。」
「眞的拍到幽靈了嗎？」
「嗯……」
宮原往後靠在椅子上，隨手亂抓整齊的頭髮，臉上依然掛著笑。
「在杅鵑花的陰影處，的確拍到了看似人臉的東西。可是，到底是不是幽靈就不知道了，當時我是這麼覺得啦，可是是眞是假我也不清楚。」
「三橋神社隔壁蓋到一半的大樓有幽靈出現，這個謠傳你聽過吧？」
「嗯，聽過啊。」
「這跟那個靈異照片會不會有關係？」
「那種事誰知道啊。」宮原眞的笑出來了，「三谷，你對這種東西有興趣？」
小亘突然感到害羞，其中也夾雜了一絲氣憤。其實我從一開始就不相信這種謠傳！人家並未責備他，他自己卻急著想辯解，然後忍不住噘起嘴巴，把得罪班上女生的經過說了出來。
「咽……」這下子宮原似乎總算認眞起來，臉上的笑容也消失了。「我也不相信有什麼幽靈，所以你應該沒有講錯什麼話吧，不用在意。」

「要是這樣就好……」

小亘覺得安慰，可是這下子連話題也談不下去了，乾脆把大松香織的事情也說出來吧。告訴你喔，我遇到一個超級美少女，從那天起就一直坐立不安。他覺得以宮原的個性應該不會嘲笑別人。

可是，脫口而出的卻是另一回事。「芦川是什麼樣的人？」

宮原很自然地流露出不可思議的神情，「什麼樣的人？什麼意思？」

「我今早第一次看到他，那傢伙長得很像洋娃娃耶。」

對小亘來說，那不是「看到」應該是「瞄到」。

「他人不錯呀，嗯！」宮原立刻回答。他的回答方式不帶絲毫勉強，也沒有含糊曖昧。「說他長得像洋娃娃啊……嗯，我們班女生都爲他瘋狂。」

宮原難道不會吃味嗎。本來他才是「人氣王」。

「可是你不覺得他有點怪？拍到什麼靈異照片，而且還帶回家，說什麼不該爲了這種事大驚小怪，該不會是故意裝酷吧？」

「我想他應該不是故意裝酷。」宮原又吃吃地笑了。「既然你這麼在意，不妨見見他，他也會來。」

「會來？來這裡？」

「嗯，從今天起。」

芦川問宮原哪裡有不錯的補習班，宮原把這裡告訴他，他立刻就決定來上課了。

「這裡的女生想必也會掀起騷動吧。」

「誰知道。不過就算掀起騷動也無所謂。」

「那個芦川，功課……」

「很厲害。他成績一定很好。」

聽宮原笑咪咪地這麼說，小亘不禁看著他的臉。他一點也不在意，眞的不在意，不是勉強裝出來的，是天生如此，即使「人氣王」的寶座被搶走，他恐怕還是不在意吧。

小亘這才發現，宮原根本不會失去什麼，縱使芦川美鶴再怎麼優秀、帥氣，宮原也不可能因此變笨，宮原還是跟原來一樣會唸書、跑得快、游得好，十項全能、瀟灑帥氣的特質依然不變。與其一個人當優等生，現在多了一個優等生朋友或許更快樂，他們不是要搶奪「人氣王」的寶座，想必是感情融洽地一起坐上寶座吧。

關於這方面，小亘跟他的情形可就截然不同了，帥氣優秀的人越多，小亘就會越沒有容身之處。

就算宮原與芦川說出跟小亘一樣的話，也不會惹惱女生。眼前不就已擺明了嗎？明明是自己拍到靈異照片，竟然還說什麼「不該爲了這種事大驚小怪」。這句話就意義而言，其實跟小亘之前激怒班上女生所說的話沒什麼兩樣，可是跟芦川在一起的女生，還有聽到這個消息的女生，沒有人會責怪芦川「竟然不相信靈異照片，眞是個討厭鬼」。

要是宮原說：「三谷說的沒錯，在尙未確定是否有人死在三橋神社之前，我也認爲不應該隨便說就是那個幽靈。」女生們大概會乖乖聽他的吧，肯定會這樣。女生們一定會說：「既然宮原這麼說，那就不會錯。」

眞是太不公平了。

他的怒火猛然升起，幾乎壓倒了所有情緒。這時候，有幾個女生邊說話邊走進來，於是小亘回到位子上坐好。在補習班，先來的人可以先挑選想坐的位置，不過久而久之大家還是會有固定的座位。小亘的座位在靠走廊那一排的中央。

上課五分鐘前，小亘他們的班導師石井老師走進教室，身後緊跟著芦川美鶴。教室已經坐滿了八成，正在吱吱喳喳地聊天，一看到芦川，大家頓時一片安靜。

補習班的學生是由三所小學組成的，包括城東第一、城東第三，還有私立小學。城東第三和私小的學生第一次看到芦川美鶴，想必很驚訝吧。

老師跟大家打完招呼，就介紹芦川：「這位是從今天起要跟我們一起上課的芦川美鶴，城東第一的同學應該已經認識他了吧？」

石井老師二十四歲，是大學研修生，在這裡打工當老師，個子矮小，有時候會因爲穿著看起來像高中生，不過他是個非常聰明的老師，也很會說話，上課很有趣。最重要的是，他不會敷衍或霸道地壓制小亘他們，所以大家都很喜歡他，也很尊敬他。

可是，跟芦川站在一起，不知爲什麼，該怎麼說才好呢？老師看起來很渺小。有必要動用到小亘的字彙中還沒有的字眼與說法來表現。看起來很卑微，氣勢矮了一截……，大概是這樣吧。打從老師帶芦川進來時就這樣，芦川看起來不像是跟著老師，倒像是純粹基於立場走在老師後面。

「我姓芦川。」說完，微微一鞠躬，感覺這樣就夠了。他的聲音很宏亮。

芦川在空位上坐下時，與宮原四目相對，笑了一下，宮原也報以微笑。跟小亘坐同排的女生們交頭接耳地看著他們倆，不是竊笑就是低語，好像很高興。

石井老師的教學方針是盡量以個別指導的形式來上課，所以那天小亘沒機會證實芦川是否眞如宮原所說的那麼有才華。不過，他能感受到那股十項全能的氣勢，看樣子，這傢伙好像是名副其實的「狠角色」，是隕石。

上完了課，放學時間一到，宮原與芦川理當結伴而行，補習班的同學們都圍著他們，不只是女生，也夾雜著男生。

小亘找不到機會接近兩人，而且在大家喧鬧的情況下，也不想沒頭沒腦地問起對方靈異照片的眞假。所以他抱著書包快步回家，由於太倉促了，簡直像在逃避。可是在逃避什麼？你自己明明知道。

爲了向自己表明絕非在逃避，明明沒有必要，他還是一路跑回家。當他用鑰匙打開玄關大門大喊「我回來了」，衝進屋裡時，他隔著客廳玻璃門看到媽媽站著好像在接電話，他一開門，媽媽皺著臉，粗魯地掛上電話。

「怎麼了？」

「又是不出聲電話。」邦子說，看樣子她眞的很生氣，氣呼呼地。廚房裡的鍋子正沸騰著，正冒出滾滾白煙。

「今天已經是第三次了，我正忙著做晚餐，對方好像明知我在忙還故意打來……」

這時小亘第一次發現，媽媽不僅生氣，還帶著恐懼。

「下次再打來，讓我來接。鍋子裡的東西好像要滿出來了。」

「哎呀，糟糕！」

邦子衝向廚房，小亘回到自己房間整理書包。邦子在廚房安頓好之後，立刻連珠炮似地問他今天補習補得怎樣、今晚要吃炒飯、營養午餐吃的是什麼等等。這已成慣例，所以小亘也東拉西扯逐一報告，可是他依然對芦川耿耿於懷，一點也開心不起來。

洗了手正在擺放餐具之際，電話響了。小亘衝過去接。

「我是小村，請問小亘在嗎？」

是阿克。邦子停下拌沙拉的手看著他，小亘連忙搖手表示不是。

「你今天有去補習吧？」

「對呀，所以現在才要吃飯。」

「那我待會再打好了，不然你媽會生氣。」

阿克好像在很吵的地方打電話，聲音聽不清楚。

「我待會再打給你。」

「嗯，那就這樣。」

阿克匆匆掛了電話。邦子不喜歡阿克，阿克顯然很清楚。

常打電話來的如果是優等生宮原不曉得會怎樣？媽媽應該就不會一臉嫌惡了吧。「宮原最好的朋友」，這個頭銜媽媽應該會很滿意。

那小亘自己呢？比起阿克，他也覺得宮原祐太郎比較好嗎？

宮原人很好，但對小亘來說，交往之後會成爲很有趣的朋友嗎？如果在一起老是覺得自己矮了一截，這樣好像不算是「朋友」吧。

要是能有一個像宮原一樣備受好評，又像阿克一樣有趣的朋友就好了，可是這是不可能的。就跟遊客爆滿卻不用排隊等上一、兩個小時就能乘坐遊樂設施的東京迪士尼樂園一樣，絕不可能。

宮原與芦川。

阿克與小亘。

如果往天秤兩端一放，結果似乎一目了然。不，不是說小亘和阿克慘敗，看是用哪種秤，可能有時候小亘這一組會比較重，不過那個秤似乎不是小亘打從心底希望被擺上去的秤。

就這麼想著想著，電話又響了，這次一定是不出聲電話吧。小亘立刻拿起話筒。

「我是三谷！」

「小亘嗎？」

是明打來的。

「原來是爸爸啊。」

「你這是什麼態度。」

「不出聲電話又打來了，媽媽很害怕。」

一陣沉默，「今天嗎？」

「嗯，傍晚就打了三次。」

看到邦子走近，小亘說是爸爸就把話筒遞出去，回到了餐桌。菜已經上桌了，今晚又只有母子倆一起吃飯。

邦子講了一會兒電話後說：「好好好我知道了，我會先準備。」不曉得是急著答應什麼，「那就這樣，辛苦了。」說完就掛了。對於媽媽接到爸爸的電話時一定會添上這樣一句慰勞話，小亘覺得理所當然。

可是，大約在一年前吧，媽媽有個推銷化妝品的老同學半公半私地登門造訪，才讓他有了重新的認識。那個阿姨長得挺漂亮的，但是臉上化妝品的味道太濃烈，小亘待在旁邊連鼻子都會癢，所以一打完招呼就立刻窩回房間打電動。

媽媽跟那個推銷員阿姨聊得正起勁時，爸爸就像今天一樣打電話回來，媽媽像平常一樣應對，按照慣例說完慰勞話才掛上電話，結果推銷員阿姨大驚失色，小亘聽見她大聲說：「眞不敢相信，剛才那通電話是妳先生吧！這年頭又不是明治時代，妳老公也沒有比妳偉大，妳幹嘛這麼低聲下氣的？」

低聲下氣是什麼意思？小亘查字典，字典上寫著「尊崇對方，貶低自己」，這下子他更糊塗了。因此，當推銷員阿姨突然變得傲慢、半帶說教意味地跟媽媽說三道四時，他連忙豎耳傾聽，以爲這樣或許能搞懂意思。

「作風古典是無所謂啦，但妳不能太寵妳老公，既然結了婚，對方就有義務努力工作養活妻小。大家互相扯平，根本不用感激他。」

媽媽一邊笑，一邊小小地反駁說，我才沒有寵他咧。

「誰知道做老公的都在外面幹些什麼。」推銷員阿姨說著，咯咯笑了起來。「像我們家，彼此放牛吃草，他不干涉我，我也不干涉他，要不是有小孩，我們早就離婚了。俗話說小孩是『夫妻的鎖鏈』，眞是一點也沒錯。」

阿姨說的越多，小亘越覺得屋裡的空氣變得越髒。愛乾淨的媽媽已經打掃過地板和牆壁，也沒人拜託阿姨，卻感覺她擅自認定這樣不算打掃過，又重新用髒抹布抹了一遍。

這個推銷員阿姨再也沒來過三谷家，小亘認爲媽媽八成也不喜歡那個人，於是鬆了一口氣。

晚餐過後，他打電話給阿克，這次傳來的是震耳欲聾的電視聲，是阿克接的。

「能不能把音量關小一點？」

「啊，抱歉。」

還以爲阿克有什麼事，原來是今天放學時遇到大松社長了。

「爲什麼？在哪裡？」

「在幽靈大樓前面。我看他跟穿著灰色工作服的人在一起。」

也許是找到接手的施工業者了。「只有社長嗎？他兒子呢？」

「沒看到……，爲什麼這麼問？」

「爲什麼……」小亘語塞，「沒什麼特別原因啦。」

阿克的個性就是這樣，無論什麼事都深信只要問一聲「爲什麼」，立刻就能得到回答。這大概就是所謂的「單純」吧。

「社長看起來很高興。他說可以恢復施工了。」

果然是這樣。

「只要大樓一完工，奇怪的謠傳應該就會消失了吧。」小亘說。「這樣最好，如果放著不管，又會冒出像隔壁班的芦川那樣說什麼拍到靈異照片沾沾自喜的傢伙了。」

這話說得帶刺，而且是謊言。

這種明知說謊、但別人聽起來肯定會震驚的話一說出口，舌頭便辣得發麻，就像香料。所以，一旦上癮就再也戒不掉，平時不可以隨便說謊，一旦養成這種習慣，後果將不堪設想。

可是小亘還是說了。果然，阿克馬上有反應。

「你說什麼？什麼靈異照片？」

小亘解釋給他聽，明知這等於是謊上加謊。阿克似乎是第一次聽說，明顯地露出驚訝。

「好酷喔，好想看喔。」

「別傻了，就是因爲大家這麼興奮，芦川才會那麼跩。」

「我老媽說，如果到二十歲還沒看過幽靈，就一輩子也看不到了。」

「那就更不應該看了。」

「會嗎？我在二十歲以前一定要看到，連幽靈都沒看過的生活，豈不是太無聊了。」

這就是阿克派的邏輯。爲了開創不無聊的人生所必須掌握的，好像不是這種能夠看到幽靈的「素質」吧。小亘本想這麼說，卻又把話呑回肚裡，就算說出這種話，阿克大概也只會用更無厘頭的答案回敬他。對於這種事，今晚不知爲什麼特別讓他不耐煩。

「好了，那我要去洗澡了。」

阿克還在講什麼，小亘卻已快快掛上電話。邦子問小村有什麼事，他隨便找個理由敷衍，回到自己房間，關上了門，總算鬆了一口氣。

這時，突然響起女生的聲音。

「騙子。」

小亘坐在椅子上，頓時嚇得渾身僵硬。

第四章 看不見的女孩

聽錯了。

這跟上星期遇到大松先生他們那晚溜出家門前所發生的情況一樣。他突然覺得口乾舌燥。

「原來你是個騙子。」

再一次，聽錯了。聽起來是個甜美的女孩聲音，但八成是耳鳴，不，是鄰居家的電視聲。這棟公寓的牆壁比設計藍圖上的規格還薄，之前爸爸不就如此抱怨過嗎？

「就算你假裝沒聽見也沒用。」

女孩的聲音很固執。一定是電視連續劇的台詞，這還用懷疑嗎？

「爲什麼要跟朋友說那種謊？原來你是這種人，眞令我失望。」

小亘悄悄地環視周遭，這是已經看慣了的房間，今天媽媽好像替他換過床罩和枕頭套，藍格花紋變成黃格花紋，書架上的書本排列得整整齊齊，底下放的是千葉的奶奶慶祝他入學送的《兒童百科事典》。小亘收到之後，聽說這一整套要價二十萬圓，覺得很懊惱，既然要花這麼多錢買禮物，他寧願買的是電腦。奶奶聽他嘟著嘴巴這麼一說，卻回說小學入學賀禮送《兒童百科事典》最適合不過了。什麼電腦，等你長大了自己買，奶奶可不喜歡。結果這玩意兒還很佔地方，看起來格外礙眼。

牆上的月曆、地上的地毯、桌上的橡皮擦屑、天花板的燈。

小亘猛然翻身，探頭查看桌子底下，附有輪子的椅子順勢滑動。

當然，那裡不可能躲著任何人。

即便如此，他還是迅速轉身檢查床底下，簡直就像衝進歹徒巢穴的ＦＢＩ特搜小組，穿著背部印有標誌的外套，裡面是防彈背心，肩上掛著槍套。

床底下藏著一團灰塵，只有這個在媽媽的清掃大作戰下苟延殘喘的游擊兵，乖乖出來投降。

他聽見女生的吃吃笑聲。「我又沒有躲起來。」

小亘挺直身體，緩緩坐回椅子，心臟變得只有乒乓球那麼大，彷彿一邊怦怦跳一邊在全身滾動，本來該放心臟的位置現在空了一塊，一陣冷風吹過。

「妳到底在哪裡？」他小聲問。

眞是不可思議，他完全無法判別女生的聲音從哪傳來的，既非天花板，也不是牆壁，不前不後，更不是來自腳下。

可是聲音卻在小亘腦中響起，不過跟他自己的聲音截然不同。

「我根本沒有躲起來。不過，你就算想找也找不到。」女生的聲音像唱歌般說道。「要找沒藏起來的東西實在太荒謬了，你怎麼會一廂情願地認定必須找的東西就一定藏在哪裡呢？因爲要找就得藏起來？因爲藏起來所以才要找？」

小亘皺著臉，忍不住對著空中反問：「妳是誰？妳在說什麼？」

女生的聲音說：「我就在你身邊。」

小亘猛然瞪大了雙眼，腦中閃過一個念頭。他立刻從椅子起身，打開門衝出房間。客廳裡，電視上正在播放愉快的廣告歌，沒看到媽媽，她一定在洗澡，媽媽總是電視開著去洗澡。

在長沙發旁邊的小抽屜裡應該有一台即可拍相機，那是上個月全家去動物園時買的，可以拍二十四張，結果只拍了三、四張就回來了，後來就一直這麼擱著。

往抽屜裡一找……，找到了！小亘抓起相機衝回房間。

不，不行，不可以悶著頭衝進去。他靠在關著的房門旁背部緊貼著牆壁，調整呼吸，再次化身為ＦＢＩ。不過，現在的三谷搜查員並沒有同事支援，必須單槍匹馬闖入。他緩緩地轉動房門握把，輕輕移動，把房門推開十公分，推開二十公分。好，靜悄悄地潛入。

拿著相機的右手藏在背後，輕倚著關上的房門。犯人還沒發現……，或許吧，他也不知道。因為這個凶惡的嫌犯，穿上會釋放隱形光線的特殊服裝……，這種形容方式或許有點可笑，總之他想特別強調「肉眼看不見」這一點。啊，要是有帶紅外線護目鏡來就好了。

小亘做個深呼吸算準時機後，便取出相機，像扣扳機似的……，在心情上……，按下快門。

底片沒有捲動。

就是因為這樣才討厭。用即可拍相機拍照時，每拍完一張就得立刻捲動才行。

事到如今，已經露出馬腳。小亘捲動底片按下快門，繞著房間四處打轉，拍了又拍不停地拍，過程中他什麼也沒想，拍天花板、拍床底下、拍椅子陰影；轉過身拍、蹲下來拍。

底片終於一張也不剩，鼻頭大量冒汗。他用手背一擦，癱坐在地上，明明運動量不大，卻已氣喘吁吁。

女生的聲音靜靜地說：「縱使沒有拍到我，你也可以騙說拍到了。」

小亘再度感到渾身凍結、手指僵硬，相機掉在膝上。

「縱使有拍到我，你也可以騙說沒拍到。」

前一句話好像是從右方傳來的，後面這一句又彷彿來自左方。

「沒有的事，只要你說有就會變成有。有的事，只要你說沒有就會變成沒有。」

這次的聲音似乎是從腳邊像竊竊私語般傳出來。

接下來的聲音從天花板飄落，彷彿小雨。

「因為你是你的中心，你是世界的中心。」

他發現唱歌般的聲調似乎正逐漸改變，好像帶著……一絲哀傷。

在難以說明卻又走投無路的心情催逼下，小亘仰望著房間的天花板，然後出聲問道：「妳在哪裡？」

心臟終於恢復原來的大小，快快回到原本的收納位置，咚、咚、咚，小亘的腳步聲數到五時，女生回答：「你明明已經知道了。」

然後……，似乎消失了。明明是個無影無形、連從哪裡跟小亘說話都無法確定的女孩，但還是可以感覺到她離開這個房間了，那就好像是……斷了線的感覺。

回過神來時，才發現脖子和背上已經汗涔涔，指尖還在顫抖，想撿起掉在膝旁的即可拍相機，竟然連著兩次都沒抓住。

你明明已經知道了。

怎麼可能，那個甜美的聲音，我們班上沒有那種聲音的女生，如果是朋友的聲音，照理說一聽就認得出來。

（到底是誰？）

突然間，他覺得彷彿遭到遺棄。可是，同時又有一種遺棄了某人的感覺。

這個月剩下的零用錢還不夠讓小亘去快速沖印店洗照片，他只好把底片拿去附近的大型藥局，沖洗就要花上一整天。而且，小亘上學時藥局還沒開門，必須等放學再過去，這下子更耽誤時間。身爲小孩子，眞是太不方便了。

書桌旁的書架上排滿了他喜愛的漫畫書，後面藏著一個空餅乾盒，盒子裡放著秘密存款，要用來買今年九月即將上市的電玩「復活邪神Ⅲ吟遊詩人之歌」。如果動用那筆錢，很快就可以拿到洗好的照片，他的心情有些動搖，甚至已經搬開漫畫書，看到盒蓋上的圖案了。色調如融化奶油的小兔子正一臉開心地吃餅乾，他凝視了好一陣子，搖搖頭又把漫畫書挪回原處。已經六月中旬了，如果現在用了這筆錢，在「復活邪神Ⅲ」上市之前絕對來不及把錢存夠。

結果，他只好把即可拍藏在書包裡，翌日下午衝到藥局。那張細長的領貨單上，在「交貨日期」這一欄寫著「後天下午四點以後」，對小亘來說這段字非常殘忍，這期間叫他在那個房間裡怎麼生活？

小亘在商店街垂頭喪氣地走著走著，走到了他跟阿克常逛的那家遊戲軟體商店前。這家店比便利商店還小，四周都是透明玻璃窗，窗戶內側貼滿了各種遊戲軟體的海報，彷彿要淹沒窗戶般，從隨處的小小空隙間隱約可見店內設置的軟體展示櫃以及示範用的螢幕一角。

「復活邪神III吟遊詩人之歌」的海報貼在靠近店鋪的正面，自動門旁邊的那扇窗戶內側。雖然電玩雜誌早已介紹過部分設定圖和主要登場人物，不過海報構圖倒是很簡潔——蔚藍的天空飄浮著許多像撕開棉絮般的小朵白雲，正中央有一艘乘風揚帆的帆船，準備一飛沖天；不是在大海裡而是在藍天中破浪前進的船。當然，那是載著主角們的船。

緊貼著海報上方，附帶一張手寫的小紙條「九月二十日預定發售　八月二十日開始接受預購」，至於「預售價六千八百圓」倒是用最粗的紅色麥克筆寫的。

望著那張海報好一陣子，湧起的念頭是，幸好沒有動用到餅乾盒裡的存款。雖然不知道小五生平均的經濟狀態怎麼樣，至少對小亘來說，六千八百圓是一筆鉅款。所以，漫畫雜誌或電玩雜誌一刊出「復活邪神III」上市日期的消息，他就立刻開始存錢了。

在三谷家，原則上撒嬌是行不通的。無論是「我會努力考好算數」、「暑假我會早起」這種未來保證型的請求，或是「因爲這學期的成績表現良好」、「這次考試我很努力」這種成功報酬型的懇求，通通不管用。因此，小亘房裡的那台十四吋電視機，就連求了半天才讓爸媽點頭的小亘自己都不敢相信，那算是極爲罕見的例外，即便如此，買電視的時候還是基於別的「理由」：

「也該給小亘機會選擇他自己想看的節目了。」

「爸媽都很好奇小亘會選擇什麼電視節目。」

在小亘看來這可是他好不容易才求到的電視機，不過爸媽顯然另有盤算。

三谷明在這方面尤其嚴格。他常說：「我不希望小亘在面對人生的重要局面時，抱著那種只要做怎樣怎樣的事就能有這等回報的心態，以爲世上靠這套就能行得通。」「努力不是爲了換取報酬，是爲了自己。」

阿克對於三谷家爸媽的感想是「超級嚴厲」，眼睛還瞪得老大，小亘自己倒是無話可說。不過，他知道家裡有這種在零用錢方面不吃小孩哭鬧那一套的爸媽，必然會變得很現實。想要的東西和能買的東西，絕對無法畫上等號，所以想要的東西只能靠自己動腦筋了。

對於小亘的這種處境，還有一個大人的反應也跟阿克一樣，會用「超級嚴厲」來形容的，那就是魯伯伯。

「阿明，小亘還是個孩子，偶爾也寵寵他嘛。」伯伯甚至還替他說話。「小亘表現得努力的時候，一定也希望得到讚美吧，而且在朋友面前還要顧及面子。」

可是魯伯伯的這種意見，爸爸充耳不聞。

「那是因爲大哥你沒養過小孩，根本就不懂。光是站在小孩子的角度來發言，太不負責了。」

爸爸只會這樣頂回去。

不只是關於小亘的事，三谷悟與三谷明原本就是一對動不動就意見相反的兄弟。魯伯伯在大部分場合都表現得大而化之，而爸爸則是一絲不苟，所以通常都是爸爸的意見獲勝，因爲與人爭論或交換意見這種行爲本身，就讓魯伯伯覺得太麻煩了。

即便如此，兄弟倆的感情倒不壞，既沒吵過架，也常常趁暑假或過年時，到千葉的奶奶家喝酒聊天。對，甚至可說是一對感情融洽的兄弟。

可是……，最近小亘經常感覺到，魯伯伯爲了他的事似乎變得鍥而不捨，往往不肯輕易投降。要讓魯伯伯說出「哎，反正又不是什麼大不了的問題」這句固定台詞，和其他問題比起來，即使是像「做法會」這麼重要的儀式，通常會耗得更久。

而這一點，在小亘心中所賦予的意義甚至遠超過他所自覺的，只不過到目前爲止還沒有變成明確的問題意識。小亘喜歡爸媽，也喜歡魯伯伯。

小亘每次去千葉的老家玩，魯伯伯就會塞零用錢給他，而且都是偷偷的，還叫他「別告訴爸爸」。可是，小亘事後一定會向爸媽招認，尤其是從去年起，魯伯伯一次給的零用錢金額變得太大，叫他獨守秘密實在令他不安。於是爸媽就會把那筆零用錢沒收，存進小亘名下的銀行帳戶。有時，他們也會把那本存摺拿給小亘看，告訴他已經存了多少錢。這個習慣打從小亘四歲時初次意識到「壓歲錢」的那一年新年就開始了。

「我們家不想讓小孩養成身懷鉅款的習慣。」

爸爸不管去哪一邊的老家都如此解釋。媽媽娘家的小田原外婆塞錢時比魯伯伯更偷偷摸摸，看起來好像有點怕爸爸，給的錢也比魯伯伯多，不過那筆錢的下場還是一樣。

在這種情況下，小亘幾乎沒有錢可以亂花。不只是阿克，其他同學聽了之後也驚訝地說：「三谷你家好嚴喔。」甚至還有人一臉認眞地問他：「虧你這樣都不會發飆喔？」讓小亘有點煩惱，因爲「虧你這樣都不會發飆喔？」這句話的背後似乎隱含著「你這人眞沒出息」的評價。

所以關於零用錢，他曾問過邦子那麼唯一的一次。我並不覺得爸爸媽媽很嚴格，可是朋友都說「很嚴格」，眞的「很嚴格」嗎？就算不是，那爲什麼我們家的做法跟其他人不一樣呢？

湊巧那時候發生了那個六年級問題生石岡健兒偷開校長車子的事件，校區內一團混亂。也許該說是時機不對，石岡原本是高他一屆的學生，他平常也沒機會聽到石岡家的事情，可是唯獨此時連三谷邦子都瞭如指掌，而且火氣正大。

在零用錢方面，石岡揮霍無度的程度，就連家裡管得比小亘家寬鬆許多的小孩都會大驚失色。根據謠傳（實在沒勇氣當面向他本人求證），石岡光是一個月的零用錢，就足夠買十套「復活邪神III」了。而且，那還只是「石岡從爸媽那裡領到的平均金額」，實際上可能更高。就連他自己一個月到底花了多少錢也搞不清楚。換言之，只要他撒個嬌，要多少就有多少。

況且石岡的母親對此好像還頗爲得意，據說開家長會時還洋洋得意地吹噓「從來沒讓小孩缺過錢」。爲了謹愼起見，在此要再度強調，召開那次家長會的原因，就是她的寶貝兒子石岡健兒偷開校長的車子撞傷低年級學生，才把大家聚在一起開會討論。當時她就是這麼說的，從前後的脈絡來看，大概是想說「我家很有錢，小孩從不缺錢用，因此那些被撞傷的遲鈍小孩的醫療費，我也不會小氣，一定會如數付清，這樣你們總該沒有意見了吧」。不管怎樣，若非基於「如果不這麼做，無法平息眾怒」這個理由，石岡的母親根本不需要以「胡言亂語」解釋到這種地步。

三谷邦子聽了很氣憤。她說這簡直令人匪夷所思，上樑不正下樑歪！開什麼玩笑啊，眞是的。可是在家長會，或者該說在民主國家，人民有思想自由，不管對方口出何等狂言也不能因此動粗，即使再怎麼生氣，也不能因此制裁對方。在這種情況下，三谷邦子回家時，心情就像餘燼仍在悶燒的地獄爐火一樣。

小亘偏偏挑這個節骨眼問起關於零用錢的事情。仔細想想他還眞是個倒楣的小孩。

果然，邦子將之解釋成小亘是在「抱怨零用錢太少，朋友也這麼笑他」。

「你是說你也想像石岡一樣有很多零用錢？」媽媽如此回嘴，變得非常情緒化。「那我可要警告你，媽媽最討厭這樣子了，沒想到你會說出這種話，媽媽看錯你了。」

被看錯的這廂卻是一頭霧水。這也難怪，小亘面對忿忿不平的母親，只能在莫名其妙的情況下道歉，帶著彷彿被推落海底的悲傷心情窩回房間，從此他再也沒有提過零用錢的問題。

在道理上，憑著遺傳自父親的邏輯性頭腦，小亘也理解，讓小孩擁有太多錢並不是一件好事。爸媽是想告訴他，努力是爲了自己不是爲了錢。ＯＫ，爸我知道了。雖然知道，但是被同齡的朋友批評「你家好嚴格」，自然會希望父母把原委說清楚，好讓自己安心。只要能夠安心，小亘其實對爸媽毫無疑慮，就連「我家很嚴格」都可以變成一種自傲的特色。

一想起當時的事，小亘至今仍會有點心痛。這只是時機不對，小亘和邦子都沒有錯，可是他就是受傷了。不過，「現實向來如此」畢竟也是赤裸裸的事實。

總之，小亘是活在「我的零用錢很少」的現實生活中，所以像這次雖然造成許多不便，倒也可以讓他維護這樣的信條——一點一滴地存錢，一邊望著「復活邪神III」的海報，一邊屈指算著上市日期滿心期待，這樣的喜悅遠超過石岡健兒那種可以輕易拿到萬圓大鈔買「復活邪神III」的小孩。

等照片洗好的這一整天，小亘盡量嚴格克制自己，努力不去思考那個甜美的女生聲音，可是沒有用，思緒變得越來越具體，在恐怖幻想和粉紅色綺夢之間來來去去。

那會是誰呢？

從哪裡來到小亘的身邊？

是個怎樣的女孩？

她是人嗎？

或是幽靈？

又或者……該不會是妖精吧？

對，妖精。小亘覺得這個說法最貼近，雜誌的搶先報也曾寫到，在「復活邪神III」中，妖精扮演了主人翁的導引角色。雖然在「復活邪神II」裡不是什麼重要角色，只是一個吉祥物，可是「I」的妖精妮娜是重要成員之一，在遊戲中段要攀登困難的「野蠻斷崖」時，絕對需要她的力量。小亘特別喜歡妮娜，還悉心養育到最後一關。在與最後一關關主戰鬥前出現新的任務，妮娜說：「接下來，我們妖精無法進入。」就這麼脫離成員名單，他失望得連遙控器都失手掉落，忍無可忍於是打電話給阿克。

「怎麼，你都不知道？」聽到阿克語氣這麼輕鬆令他更加愕然。

「最後一關關主的基本護衛，以前是守護大托瑪國的好妖精長老，如果讓妖精進入，會變成同類自相殘殺所以不行。」

「這我根本沒聽說！」

「啊，這麼說，你沒啟動諾爾噴泉的任務，那就難怪了，真可憐，超不幸。」

結果，小亘一直謹慎保存的妮娜又回到了養育前的儲存檔，必須從頭玩起。

大小約可放在小孩的手掌上，背上長著一雙翅膀，穿著輕飄飄彷彿芭蕾舞伶的漂亮衣裳——

「復活邪神」裡出現的妖精通常都是這個樣子，妮娜也是這種標準造型，絕對不是壞人，可愛開朗又親切。雖然有時說話刺耳但是博學多聞，已經用這可愛造型活了很久，其壽命是人類難以比擬的。

跟小亘說話的那個甜美聲音，或許也是這樣的身分吧？

由於過度的期待與不安，同時又過於脫離現實，所以這件事他連阿克都不好意思說。萬一照片拍到了什麼，他會第一個拿給阿克看，可是單憑聽見隱形女生的聲音，就算是好朋友阿克或許也會笑他，弄得不好說不定還會擔心他。

在放學回家的路上，他跑向藥局。每當站在斑馬線前等紅綠燈時，他就確認手錶，秒針正在走，還差五分鐘就四點了，還有四分鐘，還有三分鐘。

衝進店裡跑到櫃檯前排隊時，正好差十秒四點，排在小亘前面的是一個略微發福的歐巴桑，正在和穿著白袍的店員聊得起勁。

小亘伸長了脖子偷看。有有有，在櫃檯後面豎放著裝有洗好照片的長方形紙袋，有很多個，大約有二十個吧。袋口處寫了姓名。他一一掃過，尋找「三谷」這個名字……找到了！從前面數來第五個，已經沖洗出來了。

「可是一點也不管用耶。」胖胖的歐巴桑噘起圓圓的嘴唇正在抱怨。「都是聽你們建議我才改買那種藥，那個還比較貴咧。」

白袍店員一邊笑咪咪，一邊爲難地挑起眉毛。「這樣嗎……可是，這是廣受好評的新藥。」

「我可沒聽說過什麼好評，都是你們自己在說。」

「呃，是嗎？」

「所以我想換別種，那個根本沒效。沒效的藥吃了也沒有意義。」

「可是，呃，已經開封的藥不能更換……」

「爲什麼？問題應該不在開不開封吧？重點是到底有沒有效，這可是藥耶。快拿新的給我。」

歐巴桑的手裡抓著電視上經常在廣告的那款胃藥紙盒。小亘急得要命，四下張望尋找其他店員的身影。這家店很大，通常有三、四名白袍店員值班，今天不知爲什麼卻不見人影，收銀台有一名小姐，但小亘知道那個人並不處理照片業務。

「呃，我……」焦躁之餘，他從歐巴桑身旁探出腦袋，跟櫃檯的店員說：「我要拿照片……」

「對不起，請你等一下。」店員帶著笑容道歉。歐巴桑狠狠瞪著小亘說：「排隊。」

「那麼，您要不要試試這種藥？」

白袍店員從櫃檯下面取出一包藥，好像是試用品。

「我才不要那種東西。」歐巴桑嘴裡這麼說，但還是收下了店員遞過來的東西。「這玩意兒，有效嗎？」

「這是中藥配方的新藥，對胃酸過多、消化不良很有效，服用之後會很舒服。」

「眞的假的。」歐巴桑把鼻子湊到藥包上頭猛聞，「好怪的味道。」

店員只是再度露出爲難的笑容，並沒有說話。小亘捕捉到店員的視線，試著用嘴型說出：「照、片。」

「那這個我就收下了。」歐巴桑把試用品放進又大又鼓的手提袋裡。

小亘也跟店員一樣鬆了一口氣，可是歐巴桑還不肯走，她大搖大擺地賴了下來，望著店員後面擺滿藥品的櫃子，

「還有那個感冒藥喔……」她開口說，「我的胃不好，不能吃藥效太強的，還有吃了想睡覺的，你們賣的藥吃了都會想睡覺很討厭，有沒有什麼新貨色？」

小亘鼓起勇氣用手肘頂開歐巴桑，然後一邊取出那張細長的領貨單，一邊說：「我姓三谷，麻煩拿照片。」

店員瞄了歐巴桑一眼，還是說了聲「好」，往豎放照片袋的方向跨出一步。小亘的脖子突然「呼」地吹來一股熱氣，他以為是什麼回頭一看，原來是那個歐巴桑的鼻息。

「你這小孩眞沒禮貌。」歐巴桑的小眼睛炯炯發亮，扭曲的嘴角吐出：「我不是說過要排隊嗎！」

「對不起，我以爲妳已經買到胃藥了。」小亘盡量裝出天眞無邪的表情，開朗地說。

「沒大沒小的小鬼，眞想看看你爸媽是什麼德性。」歐巴桑恨恨地說著，總算大搖大擺地轉向，離開了櫃檯。「居然敢跟大人頂嘴。」

白袍店員拿著小亘剛才看到的長方形袋子回到櫃檯，取出袋中物，迅速將幾張照片拿給他看。

「是這個沒錯吧？」

「對，沒錯。」

付錢的時候，仍能感覺到剛才那個歐巴桑的視線和鼻息，不過他努力不當一回事，店員似乎也是如此。開店眞辛苦，就算是那種客人，畢竟還是客人。

抓著裝有照片的袋子，他一路狂奔，回過神時已經來到幽靈大樓附近。

他喘個不停，臉頰發燙、雙手顫抖，實在沒有勇氣當場打開來看，一心只想先找個秘密、安全又安靜的地方，就這麼一路跑來。

照片不能帶回家，因爲他擅自用掉了還剩很多的底片。不，更重要的是，相機可能拍到了妖精！這種東西怎麼能拿給媽媽看。

小亘雖已駐足，感覺只有心臟還在跳個不停，他一邊調整呼吸，一邊環顧四周，去三橋神社境內好了，那裡有長椅，而且光線充足又沒有人。小亘穿越馬路。

幽靈大樓還是一樣罩著塑膠布，悄然無聲，即使從前面經過，也聽不到半點聲音。上次，阿克雖然那樣說，但結果可能還是沒找到願意接手的營造商，那件事或許沒有談成吧。

穿過朱漆斑駁的鳥居（註），進入神社境內，赤柱綠簷的拜殿兩側有最近才設置的乾淨長椅；左右各有一張；各有一張，向來總是空著……

不，有一個小孩坐在左邊的長椅上。

是芦川美鶴，就他一個人。

可能是滿腦子都在想照片，所以視而不見吧，小亘完全沒察覺有人坐在那裡，等他「啊」地一聲時已經太晚了。大概是聽到踩著碎石的腳步聲，芦川仰起臉看著他，四目相對。

芦川正在看書，好像是一本很厚的書，書背厚達十公分，正攤開在膝上。

註：日本建於神社或寺廟外的大型雙十字牌坊，象徵俗世與神界之間的門戶。

小亘茫然地張著嘴看著對方，有那麼百分之一秒的時間，他覺得長椅上好像放了一個洋娃娃，看起來好像是什麼廣告照片。

芦川收回視線又開始看書。

他對小亘毫不在意，就好像看到麻雀或小狗。不，如果是小鳥或小狗靠近，他大概還會有比較多反應吧。比那個更糟，就好像看到垃圾或落葉，一旦確認是紙屑、葉片之後，就再也不屑一顧的那種眼神

說不定他連小亘都不記得。小亘努力往好的方向想，沒錯，一定是這樣，他不記得我的長相，一定是這樣。

「請問……」小亘對他說。

連自己都想笑，窩囊又軟弱的聲音。

芦川起先沒有抬頭。小亘心想，他沒聽見我剛才叫了一聲嗎，對了一定是沒聽見，好那我再喊一次，就在他下定決心正要開口之際，對方總算把視線投過來了。小麻雀吱吱喳喳，鬼叫什麼吵死了。就是這樣無足輕重的視線。

面對張嘴正想說話的小亘，芦川瞄了一眼，眞的只有一眼。半秒後，他的視線又回到了書本上的鉛字。

小亘羞恥得渾身冒汗，眞奇怪，明明失禮的是芦川，小亘只不過照常理跟他打招呼，爲什麼會覺得這麼丟臉？

「我們上的補習班……是同一家吧？」小亘又說。所以我有這個資格跟你說話。他覺得自己似

乎在拼命辯解。學生並非未經許可擅自發言，報告教官。

芦川再次抬眼凝視小亘，這次比剛才更久。小亘驀然想起，不久前在隔壁班教室前的走廊撞上他時，近距離看到他的長睫毛。他好像正用那睫毛沙沙沙地碰觸我、檢查著我。

回過神時，芦川又回到書本上了。一陣清風吹來，從拜殿屋頂上吹往左邊的辦事處，芦川與小亘置身於兩者之間，頭髮被微風輕柔撫過。

「我，姓三谷。」小亘鼓起勇氣，按捺著某種情緒，拼命說。「呃……我是宮原的朋友……呃……」

芦川唐突地闔上書本，砰地一聲。那是一本深藍色封面、看似老舊的書。

「所以呢？」他說得很簡短，聲音宏亮，可是實在太簡短了，語氣又很不耐煩，所以小亘甚至沒聽懂這是問話。

於是小亘一下子緊張了起來。我跟芦川美鶴說上話了！

「我聽宮原說，你很聰明，沒想到你真的這麼優秀我很驚訝……」

芦川端整的臉孔朝向他，笑也不笑地又說了一次：「所以呢？」

這下子，小亘總算明白是在質問自己，可是他還是不懂對方在問什麼。大概是領悟到這一點吧，芦川刻意慢條斯理地，用跟小小孩說話的口吻問他：「所、以、呢？所以那又怎樣？」

小亘頓時感到渾身的汗都縮了回去。所以呢？芦川在問他所以那又怎樣。再也沒有比這句話更能簡潔表明對方既不想說話也不想跟小亘拉近關係。

可是，這未免太過分了吧？

「我正在看書。」芦川說著，輕撫書本的藍色封面。從小亘的位置看不清楚書名，只能看到一排漢字，大概是內容很艱深的書吧。

「啊、嗯，我知道了。」小亘用比剛才更軟弱的聲音說道。芦川凝視著他的臉，一邊攤開書一邊瞪了他一眼，這才繼續閱讀。

小亘應該轉身就走的，就算生氣也無妨，甚至抓起一把沙子扔過去……，反正這麼遠的距離也扔不中，想必也沒有人會怪他。對於善意搭訕的人居然用那種態度回應，本來就該受懲罰。

可是小亘依舊杵在那裡，他完全被芦川美鶴所散發的氛圍給呑沒了。對方有一種非常「好」的感覺、一種「珍貴」的感覺。在無謂的自卑和憧憬的蠱惑下，他就是無法說出「哼，討厭的傢伙」斷然割捨。

「聽說你就是在這裡拍到靈異照片的。」

慌張之餘，像求救般脫口而出的話，就是這一句。

芦川攤著書，緩緩抬起頭，表情跟剛才一樣毫無改變，但已讓小亘振作起來。太好了！挑起他的關心了。

「可是聽你說不該爲了這種事大驚小怪，我也是這麼想。」

芦川的瞳孔微微一動，顯然是覺得小亘的話很有趣。小亘也感覺嘴角浮起了笑意。

「不過，呃，我覺得很難。雖然大驚小怪很蠢，可是世上的確有不可思議的事，面對這種事，一定要冷靜才行。所以……」

「照片。」芦川說。

「啊？」

「你拿著照片。」

沒錯，小亘拿著剛從藥局拿回來的照片，他本來就是爲了檢查照片才跑來這裡的，現在也正想提起這件事，芦川卻先發制人，眞是太厲害了，這傢伙該不會有特異功能吧？

小亘彷彿又搭上超高速電梯般緊張起來。

「我、我、我說不定，也拍到了類似靈異照片的東西。」

小亘連忙跑到芦川身邊。一踩著沙礫，就有種踩在半空中的感覺。一副軀體裡分成「奇怪，我幹嘛爲了這種傢伙這麼緊張」的氣憤小亘和「萬歲！這下子也許可以跟芦川美鶴做朋友」的興奮小亘。

「這些照片拍的是我房間。」小亘用顫抖的手指試著取出照片，很焦急。「不是有所謂的妖精嗎？『復活邪神．吟遊詩人之歌』也有出現，對吧！我房間裡說不定也有那種東西……，因爲我聽到聲音，不只一次，是兩次耶！」

如果是那個向來講求邏輯、理性及合理性的三谷明的長子——平時的三谷亘，要他滿臉通紅地用亢奮的語氣一股腦地說出這種話，或許他寧願咬舌自盡吧。人類有時候會做出連自己都不敢相信的行爲，跟平常差了十萬八千里。這種情況多半具有各種意味、爲了各種東西、各種理由而迷醉，不過現在的小亘當然還不明白這一點。

「我想一定拍到了，你快看看，就是這個！」

小亘總算取出照片，遞給芦川。裝在薄薄塑膠袋裡的底片，還有用同一台相機拍攝的動物園照片也順勢啪地一聲掉在腳邊的沙礫上。小亘把這些東西一把抓起來放在長椅上，芦川的身邊。芦川一個人坐在長椅正中央，左右兩邊都沒有空間，所以小亘無法坐下。

在小亘房間裡拍的照片有將近二十張，芦川用切牌般的速度將照片逐一看過。看完之後，他初次對嚥著口水在旁守候的小亘一笑。然後問：「在哪裡？」

小亘費了二、三秒才搞懂，他是在問哪裡有拍到那種東西。

「沒有……拍到？」

「完全沒有，一個也沒有。」

芦川說著，笑意消失，把照片遞到小亘面前，小亘瞬間愣了一下，然後一把搶過來，他的手抖個不停，幾乎無法好好翻閱照片。

「不可能，這怎麼可能！」

小亘一邊激動地大叫，一邊檢查照片，由於過度慌張，有一、兩張照片從指間滑落，輕輕飄落在運動鞋的腳背上。

拍到了……小亘的房間，牆壁、窗簾，連床罩的花色都清晰可見；桌上雜亂的樣子，桌上小型書架排放的參考書和練習題庫的書背，連書名都可以辨認。

可是……就是看不到妖精。

連女孩子的一根頭髮、白皙的指尖、輕飄飄的衣裳裙襬都沒有，沒拍到任何一樣。空無一物。

Nothing。

小亘抬頭望著芦川，對方正在看書，平靜得彷彿早已沒有小亘的存在。

「……我的確聽見了，」

女生的聲音……這後半截的話在小亘口中化爲呢喃消失無蹤。

「就在身邊。所以，我以爲絕對會拍到。」

芦川眼睛盯著細小的鉛字說：「做夢啦。」

「啊？」小亘朝他走近一步。由於他的聲音很低沉，小亘沒聽清楚。

「做夢，你是在做夢。」芦川一邊翻頁一邊說。「睡糊塗了，明明沒人卻以爲聽到聲音。」

「可是，不只一次，同樣的事發生了兩次耶！」

「那，你大概兩次都睡糊塗了吧。」

芦川翻著書頁，大概是一整章結束了吧，書上出現了空白頁。他發出小小的嘆息聲，仰起臉說：「踩到了。」

「啊？」這次又怎麼了。

「照片，掉在腳邊的，被你踩到了。」

他說的沒錯。小亘踩到了從運動鞋鞋背滑落的照片一角，那是在動物園拍的其中一張，小亘與邦子站在獸欄前笑得很開心，裡面的大象正從飼育員手上接過蘋果。

「我可沒有拍什麼靈異照片喔。」

小亘彎身正想撿起照片之際，芦川如此說道，彷彿一直在等小亘的視線離開，算準了這一刻。

「在這裡拍的照片，怎麼可能拍到什麼幽靈，會引起騷動是因爲這樣比較好玩，如此而已。」

「可是，你……」

「我是說過不該爲了這種事大驚小怪，你不也有同感嗎？是你剛才自己說的。」

芦川看起來好像有點生氣，眼睛炯炯發亮。

「你既然抱持這種意見，爲什麼還想拍下妖精，眞奇怪。」

好像在責備他。

「對啦……！或許是有點奇怪，可是我眞的在沒人的地方聽到女生說話的聲音。」

心裡明明就想堅持主張，實際上說話的氣勢卻越來越微弱。

「所以，我才說你大概在做夢，要是我就會這麼想，根本不會拍什麼照片。」

芦川說著，略傾著腦袋凝視著小亘。

「做一套說一套，一個人大驚小怪的，眞奇怪。」

小亘蠕動著嘴巴，很想說些什麼，不然眞怕自己會哭出來。突然很想尿尿。

簡直像在跟大人說話。不，比起跟口拙的大人說話還糟，他完全不是對手。就算是魯伯伯，也連芦川的一半都比不上。要說像誰的話，大概像爸爸吧，像最好辯時的爸爸。

這只是小孩子之間的鬥嘴、小孩子做的事、小孩子的想法。這種最根本的辯解之詞，從一開始就被封鎖了。如果有大人在一旁看著，一定會有這種感覺吧。

「我倒覺得，和什麼妖精比起來，還有更嚴重的問題。」

芦川用冷靜的口吻繼續說。小亘輕輕眨眼，確定沒有掉出眼淚後，才看著他的臉。

「什麼問題？」

「因人而異啦。」

芦川說著，豎起膝上的書，拉出和封面同色的藍色書籤繩，夾在他攤開的那一頁，然後又砰地一聲闔上書本，夾在腋下站了起來。

小亘突然感到一陣寒意，這次會面就要以這種形式結束了嗎？

「你到底覺得我有什麼問題？」

「沒什麼，我沒這麼說。」

「你明明說了！」

又開始有想哭的衝動，所以小亘扯高嗓門。我也生氣了。

芦川朝著跟剛才相反的方向傾著頭，再一次宛如觀察珍禽異物般仔細打量小亘。然後他的視線動也不動，表情不變，只有嘴巴在說：「你家，沒有爸爸嗎？」

小亘很驚訝。「你幹嘛這樣問？」

「沒有嗎？」

「有、有啊！當然有。」

芦川眨眨眼。

「那，你爸討厭拍照嗎？」

問的越來越奇怪了。「爲什麼？」

芦川抬起線條優美的下巴指指小亘手中的照片。

「你爸沒在照片上，一張也沒有。」

小亘的視線落在照片上。這種事他完全沒注意到，是這樣嗎？

「你回去好好檢查，都沒拍到他，全部都是你跟你媽。」

小亘脫口說出腦中浮現的話。

「我爸喜歡幫人拍照。」

實際上根本沒這回事。應該說，三谷明是否喜歡攝影，是否討厭上鏡頭，這種事在家裡根本連提都沒提過。不過，這次去動物園時，明的確自己沒照相，只顧著替邦子和小亘拍，所以這麼回答芦川也沒錯。

更何況，這本來就是三谷家的自由。

「嗯……」芦川哼了一聲當作回答。「那，就沒事了。」

說著，他猛然轉身，快快邁步走出。在小亘看來他們話才說到一半，所以直到芦川走到神社的鳥居旁，他還愣在原地。眼看芦川漸行漸遠，他才彷彿大夢初醒般追上前去。

「喂，等一下！」

芦川沒有回頭。不發一語。

「你說有問題，撂下這麼過分的話就想走，這樣算什麼！」

芦川穿過紅色的鳥居，已經走到神社外面，四周突然靜了下來，只聽到小鳥啼鳴。

（那傢伙搞什麼啊。）

簡直比怪人還怪。

突然間，他覺得好累，緊抓著照片以免弄掉，走近剛才芦川坐的長椅，一屁股坐下。剛才屬於芦川的視野範圍，頓時在眼前擴展，其實根本沒什麼，杜鵑花已過了盛開時節，四處散落著凋零的花瓣。三橋神社倒好，境內杳無人跡。

他拿起照片一張張檢查。小亘的房間。果然，那個甜美聲音的主人完全不見蹤影。

再看動物園拍的照片。背對著展翅的火鶴群，正朝鏡頭搞笑的小亘、丟爆米花餵鴿子的邦子……，那一天天氣很好，邦子和小亘都瞇起眼笑著。

芦川說的沒錯，三谷明並沒有出現在任何一張照片中。

第五章 事件的影子

（這個月很倒楣。）

六月才剛開始，小亘就決定這麼想，這是一個不管做什麼都不會順利的月份，所以老是發生無聊的事，老是覺得不愉快。

（放暑假之前還是安分一點吧。）

就算不是這樣，小亘在一年當中最討厭六月了，雨老是下個不停，有時才覺得氣溫突然下降鼻子發癢，緊接著就連續好幾天夜裡熱得滿身大汗，也不知該穿長袖還是短袖，心愛的襯衫與長褲一旦洗了，久久都乾不了，爲什麼媽媽就是不肯買烘衣機呢？現在這台洗衣機換新時，電器行老闆明明再三推銷，還說如果一起買可以打折，媽媽卻說我們家坐南朝北沒這個必要。就算坐南朝北，太陽不出來衣服還是乾不了，而且我最討厭衣服晾在屋裡，看起來很窮酸。

關於這點，或許該說不愧是父子，三谷明也有同感。每次邦子在家中晾滿衣服，他就會露骨地面帶不悅，像小孩一樣噘起嘴抱怨，叫邦子想想辦法。

「買台烘衣機不就好了。」

他提出跟小亘一樣的建議，可是邦子充耳不聞。

「那樣太奢侈了，即使是梅雨季，也不至於整個星期甚至十天半個月不出太陽。」

只要雨下個不停，這種小鬥嘴或爭執就會跟早晚打招呼的頻率一樣在三谷家常常出現。不過，除此之外家裡倒是很平靜，六月靜靜地，同時也濕濕地，似乎就要這麼過去了，小亘覺得最好還是安分一點，於是像小烏龜般縮起脖子，變得更安分了。

幽靈人樓的謠傳，可能也是因為小亘不在意了吧，再也沒有聽說，大家都是三分鐘熱度，從那之後就沒見過大松家的人，阿克也說沒看過任何人，而工程依然處於停擺狀態。

芦川美鶴不只是在學校，在「春日共進塾」也證明了他是一個優等生。每兩個月一次，導師石井先生和補習班的班主任為了「掌握大家學力進步的情形」會舉行實力測驗，芦川輕易就追過宮原祐太郎，躍居為第一名，不只是在現在的五年級補習班學生當中拿第一，據說還是補習班有史以來的最佳成績。

小亘不管在補習班或學校，都盡量避免跟芦川打照面，如果用比較古老的說法，連「擦肩而過」的情形都盡量避免，每天很小心地過日子，他已經不想再那樣一面倒地落居下風，而且那並不是全力以赴之後的慘敗。儘管小亘拼命出招，芦川這邊卻好像只是用劍尖敷衍。正因為如此，不只是當場受傷，事後每次想起，傷口似乎變得更深，他已經不想再跟芦川扯上關係了。

而且到了六月中旬，幸運的是，對小亘來說，出現了一個比芦川或幽靈大樓更值得思考的快樂目標。不是別的，正是整個八月要在千葉的三谷老家渡假的計畫。

以前每次放暑假，照例都是從七月底到八月初的第一個星期，在最適合海水浴的季節到千葉的奶奶家度過快樂的假期。三谷明不能請這麼久的假，他上班時邦子也不能離家遠行，所以這時候只有小亘一個人去奶奶家住。從幼稚園起，小亘就習以爲常，從來沒有因爲想家或想媽媽而哭過，魯伯伯也保證「小亘是大海男兒」。

今年小亘終於不用小家子氣地只待一個星期或十天，而是整個八月都可以住在千葉。不過，既然要待這麼久，當然不可能一直以作客的身分玩耍。奶奶的店、海邊民宿的販賣部、魯伯伯的工作，小亘都得盡量幫忙。

「只要你好好工作，我會給你應得的工錢。」魯伯伯說。小亘聽了高興得跳起來。「工錢」這個字眼眞是太棒了！

繼「復活邪神III」之後，大概在十一月中旬吧，還會推出「BIONIC ROAD」這個似乎非常好玩的遊戲，雖然不是RPG（註一）而是動作遊戲（註二），不過就雜誌上披露的消息看來，科幻情節非常複雜，充滿了謎團，主角又很酷，是個最合小亘胃口令他期待不已的遊戲，而那個預售價是七千二百圓，有兩片光碟。

起先在雜誌上看到時，他心想「啊，這個不行」，原本已經放棄了，因爲和「復活邪神III」上市日期相距不到兩個月。七千二百圓，他絕對買不起，想都別想。

註一：Role Play Games是角色扮演遊戲。玩家扮演虛擬世界中的一個或者幾個特定角色在特定場景下進行遊戲。角色根據不同的遊戲情節和統計資料（例如力量、靈敏度、智力、魔法等）具有不同的能力，而這些屬性會根據遊戲規則在遊戲情節中改變。

註二：動作遊戲（ACT）是電玩遊戲中的一種，強調玩家的反應能力和手眼的配合。

換成是阿克或許還有辦法，相隔兩個月，應該可以從零用錢設法。因爲在小村家，小村伯伯和小村媽媽都忙著做生意沒空管阿克，在零用錢方面比三谷家寬鬆多了，也不會嚴格檢查遊戲內容。

不過，還是有個基本上的大障礙，那就是阿克討厭動作遊戲，他只玩ＲＰＧ。「BIONIC ROAD」？那是什麼？啊？主角是電子生化人？要擊退入侵的外星人，救出被關在宇宙部落的居民們？縱使小亘使出渾身解數推銷遊戲有多好玩，阿克恐怕也聽得心不在焉，然後會問他：「那，不能使用魔法？」

如果小亘回答不能，這個遊戲當場就會被判出局。對阿克來說，不能使用魔法的遊戲，就跟沒放梅乾的飯糰一樣毫無意義。

換言之，叫小村克美買下「BIONIC ROAD」，然後再讓小亘借回家或當場試玩的招數從一開始就行不通。

啊，我需要錢！小亘深切地這麼想。就在這時，魯伯伯說話了：「你整個八月份想留在我家？只要你好好工作，我會給你工錢。」

我會的！我一定好好工作！

小亘拼命努力說服爸媽。起先，三谷明和邦子對於孩子要離家一整個月似乎有強烈的抗拒感，如果是半個月還可以考慮，可是整整三十天，那就有點……

「如果一直待在千葉的奶奶家，那你一定整天玩瘋了，根本沒空寫作業吧？不行。」邦子如此反對。

「作業我會在七月就寫完，反正只有習題，另外剩下日記和心得，我在千葉也可以寫。」

「不是要觀察牽牛花嗎？」

「那就更要去千葉了。媽！妳不是說過，在陽臺放牽牛花盆栽會引來毛毛蟲很討厭嗎？」

邦子這下子沉默了許久。她的確討厭毛毛蟲，毛毛蟲會從牽牛花的藤蔓爬到晾曬的衣物和被子上。每年夏天，小亘為了寫作業種植牽牛花，邦子都會在陽臺上尖叫不斷，搞得在鄰居面前非常丟臉。

相較之下，三谷明更難纏。

「雖說是親戚家，現在打工畢竟還太早。小亘還是小學生，最起碼也得等上了國中再說。」

「魯伯伯都說我可以了。」

「那是伯伯的想法，爸爸跟他意見不同，你還是小孩，不可以為了賺錢去工作。」

他覺得已無計可施了。不管說什麼，怎麼懇求，答案都一樣。你還太小了。小亘感到眼前一片漆黑，日復一日，他都在拼命動腦筋，思索到底該怎樣做，該陳述什麼意見才能讓爸爸改變想法，搞得連晚上都睡不好。

沒想到……，出現了轉機。

「小亘，暑假你可以去奶奶和阿悟伯伯那裡住。」

六月的最後一個星期天，在比平時晚吃的那頓早餐餐桌上，明突然這麼說。而且是一邊看報，一邊輕描淡寫地隨口說出，感覺上不像是針對父子倆爭論許久的話題做出結論，語氣反倒像是在說「幫我拿鹽巴」。小亘一時之間不敢相信，看著邦子的臉，懷疑自己是否還沒睡醒。邦子也很驚訝。

「老公……，這樣好嗎？」邦子笑了一下，但還是再次求證。「小亘整個八月份都要待在千葉耶！」

「有什麼關係。」明翻著報紙。「不然，妳也可以一起去。」

「那怎麼可以。」邦子笑了出來。「我怎能扔下你不管，自己跑去海邊玩，是吧？」她徵求小亘的同意。

「我倒覺得無所謂。」明的眼睛依舊盯著報紙，用超然的語氣說。「其實平常不就已經很少見面，很像是單親家庭了嗎？現在也一樣，我就跟鰥夫沒兩樣。」

這種說法……，該怎麼說呢，帶有那麼一絲絲「弦外之音」。小亘的確有這種感覺。昨天是星期六，爸爸加了一整天的班，很晚才回來。也許是遇到什麼不愉快的事，也許是太累了，所以才會心情不好吧。

「正因爲這樣，所以暑假才更要把握一家三口相處的時間，對吧？」邦子對小亘一笑，這次臉上明顯地寫著「快支援我」、「明隊長現在心情不好喔，小亘二等兵」。

可是，小亘很爲難。爸爸的承諾是他夢寐以求，好不容易主動送上門來的，卻要他爲了支援媽媽而拒絕。

「而且，小亘如果八月去千葉，就見不到小田原的外公外婆了。」邦子說著，起身拿咖啡壺過來。「兩老會很寂寞，很可憐。」

明沉默不語，不僅如此，還把報紙拿高擋住了臉，後來邦子又東拉西扯了一堆，但明的回應有一搭沒一搭，餐桌上的氣氛也陷入僵局。

就這樣，到頭來有點像是逐步造成的既成事實，總之小亘還是獲准放暑假時到千葉待一個月。

爲了在千葉有效而愉快地度過整個八月份，七月份就得在東京把大部分的作業寫完。小亘在這方面向來設想周到，他已擬好計畫，決定七月份挪出大約十天，即使睡蟲的誘惑再怎麼強烈，都要準時起床到學校做體操，除了每個星期到游泳訓練班兩次，其餘時間都待在家裡專心寫作業。一想到這裡就無比雀躍，換做平常，原本是最討厭的六月，而且是最最最討厭的這段時期——綿綿霪雨伴隨著悶濕酷熱，不時又像突然想到似地夜裡驟然變冷令人鼻塞，即便是這徒然令人憂鬱的梅雨來臨，今年卻一點也不以爲苦了。潮濕的空氣和陰沉的天空前方，有著可以盡情享受的美好夏天，正爲了小亘等待露臉。

「最近，你好像特別開朗喔？」

被阿克這麼一問，他連忙透露快樂的秘密，令阿克欣羨不已。

「好好喔，要是我也能去玩一下就好了。」

「那我幫你問問看魯伯伯吧？」

如果有阿克同行，小亘會更開心。

「我想伯伯一定會答應的。」

「嗯……」阿克難得露出有點猶豫的表情。「可是，我還得幫忙家裡做生意。」

「中元節假期呢？」

「那時候我們全家要去旅行，我爸媽平時很少休假，唯有全家旅行絕不錯過。」

「你這算是孝順吧？」

「……算是吧？」

兩人說著，都笑了。

日子就這樣過去，到了六月底，只要再撕掉一張日曆就是期待已久的七月，事情就在這一天下午發生的。

這一天要補習，所以小亘一放學就回家，他想先吃點東西塡飽肚子就出門。

沒想到，玄關放著一雙漂亮的女鞋，客廳傳來說話聲。是女人的聲音。

偷偷探頭一看，是媽媽的那個朋友——不動產公司的社長夫人來了。空氣中飄散著香水味。

「哎呀，你回來啦。」邦子發現小亘便喊住他，社長夫人也回過頭。到了這個節骨眼，小亘可不想搞砸近在眼前的千葉之行，所以盡量討媽媽歡心，非常乖巧地打招呼。

媽媽大概很滿意吧，立刻替他準備點心，而且准許他端回房間吃，不用待在客人面前。那份點心是豪華蛋糕，上面裝飾了堆積如山的水果。

「是佐伯太太送的，還不快謝謝人家。」

媽媽一邊遞出托盤，一邊對社長夫人微笑地如是說。對了對了，社長夫人的公司好像就叫佐伯房地產公司。

身爲家中女王的邦子，只要她有朋友來小亘就得同席，一邊聽客人問些學校或朋友之類的無聊問題一邊陪同喝茶，這是身爲第一王子的小亘應負的使命——這就是三谷家的法律。今天爽快地獲得赦免，令小亘打從心底鬆了一口氣，但他立刻覺得有點不對勁，爲什麼可以獲得這種破格優待？邦子和佐伯社長夫人還在聊，竊竊私語。

答案很明顯，他們的對話不想讓小亘聽見。那他該怎麼辦？這還用說，當然是偷聽，小亘一邊用手抓著蛋糕吃，一邊貼在門上豎起耳朵。

「那警察打算怎麼辦？」邦子低聲說。

小亘一邊舔著沾滿奶油的手指，一邊瞪大了眼。

「當然要把犯人找出來，我看他們可能已經鎖定目標了。」

「一定是變態吧，說不定之前也幹過同樣的勾當。」

「也是啦……據說可能是不良少年幫派。」

「妳說的不良少年是高中生嗎？不會是國中生吧，這種行徑太大膽了，而且還開著車？」

「對呀，可是最近很多小孩才剛上高中就輟學，待在家裡遊手好閒，所以這種人如果聚在一起……」

「那就會惹出問題了吧。哎呀，現在已經不只是惹出問題了，這根本是犯罪嘛。」

「所以才說要組織社區自衛隊呀。我家跟妳家一樣幸好只有男孩，但是家裡有女兒可就麻煩了，現在都嚇得發抖呢。」

「這是當然的。」

「不過，說來也眞可憐。」社長夫人嘆了一口氣。「大松家的也是……」

小亘這時正好將蛋糕上的櫻桃放進嘴裡。驚愕之餘，連櫻桃核都呑下了肚。

大松？那個大松大樓的老闆大松先生嗎？一定是一定是，因爲，當初把蓋到一半的大松大樓詳細情報透露給媽媽的，不是別人正是佐伯社長夫人。

「聽說他女兒還是國中生？」

「對，沒錯。可是大松家，在事情發生後並沒有立刻報警，直到這次又出事，這才……，大概是想到攻擊他女兒的犯人可能是同一人，所以才去報案，警方也正在四處打聽。」

「他的心情我多少可以理解啦，不過他當初還是應該早點報案。」

「結果啊，聽說大松家的女兒因爲這件事的打擊變得不會說話了。有點……，該怎麼說呢，好像是精神失常吧。」

大概是很震驚吧，邦子陷入沉默，可是貼在房門內側的小亘受到了更大的衝擊，當場呆若木雞，他的臉色變得跟沾在臉頰上的奶油一樣蒼白。

大松家唸國中的女兒。

不會說話。

精神失常。

那是在說香織。不可能是別人。

雖然美得令人著迷卻睜著茫然失神的雙眼，坐在哥哥推的輪椅上，就像尚未完成的洋娃娃，晃動著纖細的脖子。

香織——她會變成那樣，原來是因爲某個「事件」造成的，是某個牽涉到變態或不良份子的事件，現在已經驚動了警方。

佐伯社長夫人剛才是不是提到了「攻擊他女兒」？香織被誰攻擊了嗎？被綁架，然後再被摧殘成那樣？

小亘的胃袋彷彿縮得比拳頭還小，猛然下墜，一直墜到膝頭才停止。蛋糕已經一口也吃不下去了。

儘管小亘的年紀尚未到達思春期的入口，即便如此，也能從現在的位置看到入口，而且思春期的入口沒有大門也沒有柵欄，以前好像有，但隨著時代進步早已破壞殆盡。因此，即使遠眺也能充分一窺究竟，更何況站在入口外，裡面的東西看起來亮麗繽紛，所以小亘知道的事情遠超過爸媽懷疑小亘在窺探的一倍以上。

因此他可以推測，大松香織在什麼過程下，如何被摧殘的，那對女孩子來說代表了什麼。因爲只是推測所以細節可能有誤——八成誤差極大，不過整體來說那是一件可怕、不祥、骯髒的事，至少這個直覺不會錯。

補習班上課的時間已經逼近，他該把盤子拿去廚房，跟邦子打聲招呼就出門了。可是，他不知道該裝出什麼表情。媽媽，我認識那個女孩，我認識香織，自從見過她以後，老實說我一直惦記著她，因爲她眞的好可愛，就像妖精妮娜一樣。

光想到這一點，他就好想哭。

小亘像忍者般溜出房間，不顧媽媽和社長夫人的竊竊私語，在自己也無法解釋的衝動下，一口氣衝向補習班。路上的行人大概會覺得奇怪，這個男孩爲何如此氣憤吧。

那天在補習班的課堂上，他雖然一直坐在椅子上，即使老師指出他交的算數習題哪裡有錯，即使宮原祐太郎依舊規矩用功令大家佩服……，他覺得自己好像一直跑個不停，不知道要跑去哪裡，甚至不明白爲何要跑。他只是繼續奔跑，彷彿像一名英雄，深信自己只要跑下去，自然就會明白自己該救的人在哪裡。彷彿像一名勇者，知道自己只要跑下去，前方就會出現自己應該打倒的怪物。

然而，實際上他什麼也看不見，哪裡也到不了。因此，他很孤獨。

結束補習以後，已經過了晚上八點，通常這時候他已經餓得肚子咕嚕作響了，可是今天他甚至不覺得餓，只覺得胃部好像空蕩蕩的。他也沒跟朋友說話，只是把參考書和筆記本匆匆一收，便默默地踏上歸途。

走著走著，突然好想去大松大樓，他總覺得只要去那裡就能再看到香織。第一次見面的時間比現在晚多了，是半夜，所以就算這個時候跑去，她也不可能在那裡散步。不僅如此，他連施工中的大松大樓是否包含在香織平時的散步路線都不確定。那晚，或許大松社長只是帶女兒出門散步時，順道去看看中途停工的大樓而已。

即使頭腦清醒有條理，雙腳依然往大松大樓的方向走去。今晚，沒有在公寓樓下大廳被明偶然叫住。小亘筆直地，彷彿有什麼目的般地一意孤行，朝著大松大樓走去，幸好今晚的雨也停了。

阿克巧遇大松社長帶著身穿灰色制服的工人，那已經是半個月以前的事了。可是後來大樓也沒有重新施工，瘦不啦嘰的鋼筋骨架上罩著塑膠布，夏天快到了，依然蕭瑟地孤立著。

沒有人影。果然，每天上下課經過這裡時，雖然路上還有一些往來行人，可是隔壁畢竟是神社，這一帶又都是住宅區，放眼望去既沒有店家也沒有便利商店，天一黑頓時變得寂靜無聲。

小亘站在路燈下仰望著大松大樓。把塑膠布綁在一起的粗繩吸飽了這幾天的雨水，頹然下垂猶如死掉的蚯蚓，觸目皆是。他計算著數量。

如果施工順利，原本應該是出入口的地方，現在搭掛著特別厚的塑膠布，只有那塊塑膠布沒有繩子，而是用大型掛鎖鎖著。在找到接手的承包商之前，這個掛鎖的鑰匙一定是由大松社長保管吧。上次在這裡遇見社長他們時，說不定社長早就在小亘和阿克來之前就已經打開掛鎖，在建築物裡面視察。

小亘緊貼著塑膠布之間的空隙往裡面窺視，勉強可以看到鋼筋和狀似樓梯的結構，有股霉味。

小亘的視線落在電子錶的顯示螢幕上，晚上八點十九分三十二秒……

大松社長為什麼在那麼晚的時間帶香織出來散步呢？白天不是也可以檢查這塊工地嗎？何必特地挑三更半夜……

也許是怕白天來，香織失常的模樣在刺眼的陽光下會殘酷地清晰到令人無法承受的地步吧。香織自己會排斥白天外出嗎？不，說不定她怕的不是陽光，而是走在街頭的陌生人群，因為這會令香織想起摧殘她的壞人？抑或令她想起那些沒有出手搭救的人們？

為了抹消不斷湧現的痛苦疑問，小亘渴望知道事件的詳情。可是另一方面，他又壓根兒不想知道那起事件。

在小亘眼中，這棟厄運連連的大樓彷彿與大松香織的身影重疊，叫他無法不這麼想。因著不合理的命運在這裡無助佇立，忍受風雨，遭人棄置不顧，一點一滴消瘦衰弱的不只是建築物，更是香織的靈魂吧。這樣的感覺，令他心痛難忍。

由於心中浸染了太多悲哀與憤怒，小亘的眼睛看不到現實，他無法感受到近在眼前的事物。然後，當他察覺時，他以為那個東西是幻影。因為，如果眼前出現了不該有的東西，就算是小五生也明白啊這是在做夢是幻覺，不是真的……

掛著掛鎖的塑膠布，正有人從內側企圖掀開。

他看到手。

小亘茫然地張嘴，瞪著那隻手。手在動。

是一隻異常蒼白的手，可是那不是女人的手，皺紋更多更乾枯，和住在小田原的外公的手很像。

那隻手掀起塑膠布，縫隙擴大，有人正從那個縫隙盯視著小亘。

「哇！」

遲來的驚愕化為聲音衝口而出。在小亘大叫的同時，掀起塑膠布的手也縮了回去，縫隙合攏了，掛鎖晃動個不停。

有人，在大樓裡面。

小亘不加思索地彎腰抓住塑膠布邊緣，塑膠布重得超乎想像，但是用雙手一抬，還是露出大約三十公分的空隙，小亘從那裡鑽進去，由於動作太激烈，臉頰和下巴都沾到濕泥巴，但他毫不在意。

鑽進塑膠布內側打直膝蓋後，他才慢半拍地察覺到四周有多黑暗，塑膠布之間的接縫處透出細長的路燈餘光，只有那裡流洩出一絲光亮。水泥地基、鋼筋柱條、架設在右側的樓梯，全都因為有了這道微弱的光源，反而更加黝黑。

有某種聲音，在右邊，小亘迅速轉頭看。

樓梯；從一樓通往二樓、二樓通往三樓、三樓通往四樓，在每個轉角平台處蜿蜒而上。看樣子，只架設到三樓通往四樓的轉角平台就沒再往上搭建了。他定睛注視，那裡確實空無一物，樓梯懸在半空中。

那裡，有個人影正拾階而上。

跟剛才一樣，小亘目瞪口呆。他無法相信自己所看到的，只能拼命地眨眼。

在三樓通往四樓的轉角平台，如果再踏出一步就會墜落的邊緣處，站著那個人影。黑色的剪影，瘦削高眺，而且……

（那個，是頭罩。）

那個人影穿著下襬拖地的披風，頭上罩著帽子，左手放在轉角平台的扶手，右手拿著枴杖，一支長度應該超過兩公尺以上的枴杖。

那支枴杖的頂端有一個圓圓的東西正在發亮，熠熠生輝。

是魔導士。

在「復活邪神」系列中，敵方與我方各都會出現一名強力魔導士。在「復活邪神I」，我方的魔導士地位崇高，是敵方魔導士的老師，相對的，脾氣也特別古怪，是個愛生氣的老爺爺。

「復活邪神II」的魔導士搖身變成漂亮美眉，是敵方魔導士的分身。敵方魔導士也是個性感美女，已經活了好幾百年依然青春不老，原本該降臨在她身上的「衰老」，透過強力魔法變成了瘟疫，散播在不知情的大托瑪國人民身上。我方的美女魔導士明知打敗敵方的魔導士之後自己也會在瞬間衰老，變成老太婆，卻還是協助主角打仗。

至於「復活邪神III」，就目前雜誌披露的情報所見，出現的好像又是個老爺爺魔導士。此人受到某種古老咒語的詛咒，據說是為了破解詛咒才主動提議要與主角同行，從插圖上看來，好像比「I」的魔導士更慈祥，感覺很像聖誕老公公。

這些魔導士個性各有不同，服裝倒是有共通之處，都是穿著附有風帽的披風，手拿長杖。「II」的美女魔導士，雖然穿著幾乎快露出內褲的超短迷你裙，可是披風下襬長得拖地。換言之，這是規定的制服。

而現在，在幽靈大樓裡面的黑暗中，站在樓梯轉角平台的懸空處前，同樣也是如此裝扮的人物，是魔導士，絕不會錯。不然，還能想起哪個角色？

問題是，現實中根本不可能有什麼魔導士。

「呃，那個，那個……」小亘回過神時，已經仰頭脫口說話了。

「呃，那個，請問……」

樓梯轉角處的人影好像朝這邊轉過頭來，柺杖的角度有點改變。

「請問你，在那裡幹什麼？」

沉默降臨。即便如此，小亘在黑暗中依舊能清楚感受到戴帽人盯著他的視線。

「呃，那個……」他朝前跨出半步。「站在那麼高的地方，很危險喔。」

沒有回答。

人影動也不動。

不祥的預感彷彿升騰而起的蒸氣，籠罩著小亘全身。

說不定那根本不是什麼魔導士，而是……，該說是有點失常的人呢，還是有點變態的人，或許只是這樣的人闖進來而已吧。結果我居然跟這種人在黑暗中獨處，而且我還主動喊他引起他的注意。

基本上，要說有個喜歡變裝成魔導士的老人就住在附近，這也不是不可能。

戴帽人影往前邁出了一步。

小亘頓時冒出一身冷汗。喜歡變裝的老爺爺。這根本不可能嘛！

他慌忙蹲下，一把掀起塑膠布的下襬，由於太急躁了一時之間弄不好。這時，頭上響起雷鳴般的聲音。

「不用怕，少年！」

小亘頓時全身僵硬，就這麼僵了整整好幾秒。

然後，他戰戰兢兢地回頭看著上方。

戴帽人影還在原來的地方，那支枴杖又稍微傾斜了一點，映著從塑膠布縫隙間射入的路燈光線，枴杖頂端的珠子璀璨生輝。

從頭頂上，這次的聲音聽起來沉穩多了。

「你是從哪來的？」

對方在問他。小亘的雙手仍抓著塑膠布下襬，嚇得張嘴說不出話來。

因為對方說的是日語。

「叫什麼名字？」那聲音又拋出一個問題，顯然是老人的聲音，好像有那麼一點點沙啞，聽起來跟抽菸的小田原外公一樣。

「喂，能不能說句話？」

上方的人物一邊這麼問，一邊又往前跨出半步。

小亘的下巴開始喀搭喀搭作響。「呃，那個那個，那個……」

「怎麼，原來你叫那個啊，少年。」

不是不是。小亘拼命搖頭，可是發不出聲音。

「我說那個，我才要問你，來這種地方幹什麼？」

偷偷抬頭一看，戴帽人影倚在三樓通往四樓轉角平台處的扶手，正在俯瞰小亘，那支枴杖扛在肩上。

感覺上……，這人好像挺隨和的。

「我說那個，你也是聽朋友說才過來的嗎？」戴帽人影拿起枴杖砰砰地敲著肩膀。「這裡的事好像搞得人盡皆知了。」

這些話好不容易才傳進小亘狼狽失控的心裡。

朋友。聽朋友說才過來的。

人盡皆知。

「那個……那個……」

他才結結巴巴地開口，上頭那個人影就笑著打斷了他。

「我說那個啊，這裡不是米達斯（註）國王的晉見廳，發言時不用先報上名字。」

「那個……不，不是這樣。」

好不容易可以開口說話後，小亘就像魔咒解除般站了起來。

「我的名字不叫那個，我叫小亘。」

「小亘？」人影似乎傾著頭，帽子動了一下。「噢，這樣啊，還蠻像的。」

啊？小亘奇怪。「您是說像誰？」

「我沒說誰。」戴帽人影立刻回答。「至少，不像你朋友。」

人影把枴杖換到另一邊肩上，悠哉地倚著扶手，感覺好像會從懷裡掏出香菸或菸管吞雲吐霧般從容。

「我說小亘，你來這裡做什麼？」

「呃……您……剛才在塑膠布後面偷看吧？」

「噢噢。」

「那時，我在外面看到您的手，我很好奇才鑽進來的。」

「原來如此。」人影慢條斯理地說。「那，你來這裡做什麼？」

「我說過了，我看到您的手……」

頓時，從長袍的袖口伸出一隻手，豎起手指左右擺動，彷彿在說NO、NO、NO。

註：Midas，希臘神話中的人物。

「小亘啊，你沒把我的問題聽進去。好了嗎，聽好哦，你來這裡做什麼？」

小亘很困惑。「就跟您說……」

「你是在這棟建築前面散步？這種時間？貓頭鷹的早晨不是小朋友的夜晚嗎？」

啊，原來是這個意思。小亘總算理解了。「我來這裡本來是想見一個人。」

「見一個人。」戴帽人影以唱歌般的節奏複誦。「那個人在哪裡？」

這個問題即使沒遇上這麼破天荒的詭異狀況，他也難以回答。關於大松香織的事該怎麼說明？

「不在……這裡。」

「噢噢，不在啊。」

「對，可是，我以前在這遇過，所以我……」

「以前在這遇過啊。」

「是的，我知道聽起來很可笑，可是這是眞的……」

戴帽人影沒把小亘的話聽完，又打斷了他。「那個人是怎樣的人？」

「是一個……女孩子。」

「是少女啊，噢噢。」

戴帽人影又像唱歌般說完後，突然站直身體，咚地把枴杖往地上一撐。小亘嚇了一跳。

「好了，那我也該回去了。」

「那個，可是……」

「而且，看來你好像搞錯了。」

「您說我？搞錯什麼？」

「你不該來這裡。」

「可是……」

「所以，你也沒見到我。」

「可是我們不是已經在講話了……」

「放心！現在開始我會把你的時間倒轉，你不在這裡就什麼都不記得。」

「等…等一下……」

戴帽人影片刻也不願意等，對小亘的話充耳不聞，一手拿著枴杖，另一手伸向空中，跟剛開始一樣發出宏亮的聲音。

「偉大的時間之神克羅諾斯啊，您忠實的僕人，風與雲與彩虹的使者啊，我站在這裡祈求！」

是咒語。小亘再度目瞪口呆。

「請賜與恩寵，把流逝的時間暫停、倒流，用遺忘之泉湧出的水洗淨吧。」

枴杖猛然伸向空中。

「丹•戴拉姆•艾可諾•克羅斯，嘿呀！」

霎時，四周彷彿亮起無數閃光燈，小亘的眼前充滿銀色光芒，由於太刺眼了令他忍不住眨眼。

「奇怪？」

他跌坐在覆蓋塑膠布的幽靈大樓陰暗內側，連忙抬頭一看，三樓通往四樓的平台處已經空無一人。

無論是魔導士或是變裝老人，現場除了小亘沒有第二個人。可是……

（剛才是怎麼回事？）

他想。這表示……

（我全都記得。）

那個老爺爺說要讓時間倒轉，還說我會什麼都不記得，可是我明明記得。

小亘突然感到腦袋一陣暈眩。他用一隻手按住額頭，該不會是發燒了吧，或許在做夢，試著捏捏臉頰吧。要捏囉！好痛，眞的很痛。

小亘拉起塑膠布下襬，終於走到外面。他在路燈下看錶，很晚了，一定會被媽媽罵，該怎麼解釋呢……

他屏住呼吸。

電子錶的螢幕顯示著八點十九分三十二秒。

這怎麼可能，光是鑽進塑膠布再走出來，照理說就得花三十秒或一分鐘。

時間沒走。

（我要讓你的時間倒轉。）

像魔法一樣。

不，不是像，這就是魔法。

那句咒語——他拼命地回想，好像有提到什麼時間之神克羅諾斯。那個使者——是什麼來著，好像是風和什麼，大概是彩虹吧。還有最後，什麼拉姆又什麼艾可諾什麼的……，唉，早知道應該更注意聽。

那是眞正的魔導士。不是做夢也不是幻覺，更不是喜歡變裝的老爺爺，是如假包換，眞正的魔導士。

可是，他到底是從哪冒出來的？

小亘跳了起來，彷彿體內挨了一拳，再度鑽進塑膠布內側。眼睛一旦習慣了路燈的燈光，幽靈大樓內的黑暗遠比剛才更深更濃。即便如此，無論是樓梯轉角平台、鋼筋陰影處或樓梯下面，除了小亘之外沒有任何人，這一點顯而易見。

「聽起來還蠻好玩的……可是，好像跟以前的感覺不太一樣。」

阿克說著，把黃傘從右肩換到左肩，雨水滴滴答答地滑落。

「什麼感覺不一樣？」小亘問。

「跟I和II都不一樣，設定在現在的日本，你不覺得有點掃興？而且，照這樣聽來，如果不進展到第三張光碟，恐怕無法坐上海報裡的那艘飛天船吧。」

聽到這裡，才搞懂阿克的意思。小亘很失望。

「阿克，我剛才說的，你以爲是『復活邪神III』的預告嗎？」

阿克眼睛滴溜亂轉。「不是嗎？」

放學後，他們就待在學校的中庭。兩人從圖書室旁邊的後門走出去，坐在水泥台階的最上層。

從今天早上就一直下著綿綿細雨，看起來毫無停歇的意思，根據氣象預報說，有一個大型低氣壓正逐漸接近，西日本可能會下起大雨。

小亘把一切都告訴阿克了，包括自己房間裡那個甜美女生的聲音，還有在幽靈大樓對小亘施展魔法的魔導士。枉費他這麼熱切，努力挑選最正確的字眼描述，結果阿克這傢伙居然以爲他聊的是電玩。

不過，或許這也不能怪阿克。如果立場對調，小亘可能也會有同樣的反應吧。肉眼看不見的女孩及老爺爺魔導士，兩者都只有在虛擬故事中才會出現，即使他堅持自己確實看到了，還跟對方講過話，也沒有留下任何證據。

小亘感到筋疲力盡，腦袋一片空白，昨晚幾乎徹夜未眠，再加上幽靈大樓裡的那番折騰，說不定已經感冒了。

小亘在補習班下課後，晚了將近一個小時才回到家，結果被邦子臭罵一頓。雖然他用留下來問老師國語習題當作晚歸的藉口，可是媽媽的心情還是不見好轉。小亘本來提心吊膽，以爲這種藉口一眼就會被媽媽看穿，不過看樣子並非如此。昨晚的媽媽早在小亘回來之前就已經心情很差了，白天跟佐伯社長夫人聊了那麼久，照理說她應該很開心才對。

小亘跟阿克一樣把傘扛在肩上，茫然凝視著雨絲。說不定我也開始不正常了。

「喂，慢著。」

阿克沒喊他之前，他幾乎呈現恍神狀態。

「你快看，快呀。」

阿克扯著小亘的手肘，指指圖書室窗戶的方向，隔著大片玻璃窗可以看到圖書室的部分書架，不只如此，書架旁似乎有人，有人影正在動。

他們的位置比圖書室的窗戶還低，所以即使伸長了脖子，也只能勉強看到肩膀以上的部位。不過，小亘早在阿克指出之前，就已經發現書架旁的人影是誰了。

「是芦川。」

是那傢伙不會錯，穿著短袖白色POLO衫，這對芦川來說倒是挺稀奇的，每次在補習班看到他，總是穿得一身黑。

「不只是芦川。」阿克一邊縮著脖子躲在傘下以免被圖書室那邊發現，一邊說。「石岡他們也在。」

沒錯，芦川駐足在窗邊的書架，從架上抽出一本書攤開。此時石岡走近，開始騷擾芦川讓他無法看書。在石岡身後，按照慣例緊跟著他的手下——兩名小六生，眼看著已形成三人包圍芦川的場面。

小亘很驚訝，芦川和石岡傀兒這個組合未免太奇妙，石岡的確是學校的問題兒童，但跟小亘他們不同年級，在普通的校園生活中根本沒什麼機會接觸。可是芦川那傢伙怎麼會被石岡盯上呢？窗玻璃彼端的景象，很顯然是石岡和他的手下正在欺負芦川。

「感覺不太對勁耶。」小亘也壓低聲音，然後躡手躡腳地挨近窗邊。

這時，擋住視線的石岡朝旁邊移動了半步，這下子從小亘躲的地方也可以看到書架前芦川的側臉了。

芦川的臉上毫無恐懼之情，他甚至沒有面對石岡他們，他的視線落在手中那本書的扉頁上，或許是因爲這樣吧，筆直的鼻樑看起來更英挺，柔軟的瀏海垂落在眼睛上方。芦川的髮型很像女生的短髮，就男生的標準來說算是很長，現在還算好，等他上了國中八成過不了關吧。明明只有芦川才適合這種造型，可是補習班的男生卻有人開始學他把頭髮留長，隔壁班好像也有同樣情形。

（果眞是他的長髮惹禍。）

由於石岡向來惹人矚目，所以對於比自己搶眼的事物極爲敏感，芦川大概也觸犯到他的天線了。

這時，窗戶彼端的石岡伸出手，用力推芦川的肩膀，芦川腳步踉蹌，從小亘的視野中消失。

「哇－慘了啦。」阿克略帶興奮地說。「今天圖書室的老師不在嗎？」

想必不在吧。石岡他們在這方面向來小心謹愼，絕不會讓老師當場逮到他們欺負學弟妹的劣行。

「我們是不是該去叫人？」

大概是石岡的手下吧，隔著窗玻璃傳來一陣咯咯大笑，還發出咚地一聲悶響。

「快去辦公室……」

小亘用力拽住正想起身的阿克的袖子。

「噓！等一下。」

芦川又回到了視野中，這次他正面對著石岡，石岡背對著小亘他們，所以小亘可以清楚地看到芦川的表情。

芦川的個子比石岡小，看起來像是稍微仰望對方，不過氣勢倒是毫不遜色。

芦川跟剛才一樣面無表情，似乎是在抗拒對石岡流露出一丁點的情緒，可是又有一種壓迫感。大概是受到強悍的視線所迫吧，石岡後退了半步，他身上的花格子襯衫擋住了窗玻璃的一半。

小亘折起傘，少了累贅後，大膽地直接貼近窗下。

芦川說了些什麼。只見他嘴唇在動，可是聽不見聲音，勉強聽到的是：「喂，你把我當成什麼人了？」

只有石岡略顯驚訝的破鑼嗓音響起。

芦川又說了什麼，他的聲音相當低沉吧。小亘焦躁之下，不禁伸長了脖子。

霎時，他和窗戶彼端的芦川視線對個正著。

小亘連忙縮回脖子，緊貼著窗下牆壁，芦川既已發現窗外的小亘，石岡他們一定也會轉頭看這邊，這可是麻煩加糟糕再乘以十倍的天大危機。

雨絲打在臉上，頭髮都濕了。

可是他屏息貼在牆上老半天，什麼事也沒發生，阿克正在後門石階那邊乾瞪眼，似乎想說什麼，小亘連忙在嘴前豎起手指。

然後他數到十，接著保持貼牆的姿勢緩緩橫向移動，這才回到阿克身邊。

「沒事吧？」阿克悄聲說。

「被發現了。」小亘也壓低了嗓門說。

「進去吧，待在這裡不好啦。」

小亘拾起濕答答的傘，阿克一邊甩開雨滴一邊折起傘。

突然間，圖書室的窗戶喀拉打開，芦川美鶴探出臉來，小亘和阿克當場僵住。

芦川什麼也沒說，只是直盯著他們這邊，看著小亘的眼睛。

「哇、哇、哇……」阿克說。「你幹嘛？」

芦川瞧也不瞧阿克，只是一直凝視小亘，雖然搞不清狀況，但小亘感覺的確被對方看透了什麼，不禁毛骨悚然，可是偏偏又無法避開視線。

過了好幾秒，芦川淺淺一笑似乎滿意了，又唐突地縮回脖子，關上窗戶。

「那、那、那……」阿克喘息著。「那傢伙搞什麼？」

小亘緊握傘柄，手指在顫抖，很害怕，那傢伙太恐怖了。

站在原地調整了好一陣子呼吸，等到心情可以平靜下來了，他就不顧阿克的勸阻走向圖書室。可是看來好像遲了一步，石岡和手下，還有芦川美鶴都不見了。閱覽室只有幾個女學生正在安靜唸書。

「芦川那傢伙，到底跟石岡他們說了什麼……」

聽到小亘這樣自言自語地呢喃，阿克回答：「我想，可能是靈異照片的事吧。」

小亘大吃一驚地猛然轉身，由於動作太突然，阿克嚇得倒退三步。

「靈異照片？三橋神社的？」

「嗯，對呀，就是芦川拍的東西。」

「石岡他們幹嘛在意這種東西？」

「你不知道？啊，對喔。你最近滿腦子都在想暑假的事嘛。」

據說石岡健兒很想要芦川拍到的靈異照片，一直糾纏著他。

「站在石岡的立場，當然很想把那個拿去電視台。」

石岡之前曾經一度想把靈異照片推銷給電視台，結果失敗了。原來如此，所以他才會盯上芦川的照片啊。

「很卑鄙吧！不過，的確很像石岡的作風。」

當然很卑鄙，不過更重要的是，爲什麼不惜掠奪別人的親身經歷也要上電視，這種心態實在令人無法理解。

更何況……

「芦川也眞是的，既然不願被他糾纏，乾脆把照片給他不就好了。」

小亘不屑地說。和芦川在三橋神社的對話過程再度鮮明浮現，就好像傷疤又被剝開流出鮮血一樣。當時的芦川，那種輕蔑到極點的眼神令他不禁顫抖。

「那傢伙，壓根兒就不相信什麼靈異照片。既然這樣，送給石岡又有什麼關係。」

眼看小亘自顧自地開始生氣，摸不著頭緒的阿克很困惑，他一邊搔著髮際，一邊吞吞吐吐地說：「既然這樣，你何不這樣建議他？你們不是上同一家補習班嗎？」

「誰跟他一樣！」

阿克大驚失色。「你幹嘛啊，到底怎麼了？」

「阿克你很煩耶。我幹嘛什麼事都得一一跟你解釋？反正就算說了你也不懂。莫名其妙！」

明知是拿阿克出氣，小亘卻沒那個心情道歉，他匆匆走出圖書室，撇下阿克，獨自走向走廊。

阿克雖然遲疑著追了上來，但小亘像逃跑般加快腳步，於是阿克也就沒再追上來了。

「你要回家嗎？」阿克大聲問。「好吧，拜拜。」

小亘越跑越快，出了學校來到通往回家的路上，儘管腦袋已經冷靜下來，足以察覺自己的行爲太過任性又充滿惡意，可惜爲時已晚，他只能獨自垂頭喪氣地回家。

那晚，才剛吃完晚餐，千葉的魯伯伯就打電話來了。

起先電話響起時，正在收拾餐桌的邦子有點嚇到，從她扭頭望著電話的模樣，也能察覺似乎有什麼隱情，小亘下了椅子說：「我來接吧。」但邦子卻表示：「不用了，我來接。」說著迅速拿起話筒，等到發現對方是魯伯伯，表情頓時像冰塊融化般緩和下來。

「小亘，伯伯有話跟你說。」

小亘爲了圖書室的事正感到內疚，腦中一直盤旋著「明天見到阿克一定要道歉，該怎麼說才好呢，阿克會原諒我嗎，他應該沒那麼生氣吧」等等念頭。因此，連晚飯也吃得食不知味。

他也很渴望把跟芦川有關的種種事情說給別人聽。可是這種事，他不知道該跟誰說才好。

這時魯伯伯出現了。對了，在伯伯面前或許說得出口。

「喂，我是小亘。」

「嗨，吃過晚飯了嗎？」

伯伯還是一樣活力充沛嗓門宏亮。

「吃了什麼？漢堡肉排還是義大利麵、燉高麗菜卷？眞好，一定很好吃吧。」

這是伯伯慣用的開場白，以上三道菜是伯伯最愛吃的。附帶一提，燉高麗菜卷不能用奶油醬燴，蕃茄醬才合他的胃口。

才一開口叫「伯伯」，小亘就覺得喉嚨怪怪的好像哽住了，自己也嚇了一跳。因爲他根本不覺得自己困惑到想哭的地步。「我……」

「老實說，伯伯打電話給你是想請你幫忙出主意。」伯伯繼續說，似乎沒發現小亘的音調跟平常不太一樣。

「跟伯伯從小一起長大的老朋友結了婚住在你們東京，上星期聽說他的小孩出車禍住院了。是個小學四年級的男生，幸好沒有生命危險，不過右大腿骨折，可能需要長期住院。

「所以呢，伯伯這個星期六打算去探病，你覺得應該買什麼比較好？如果要買書或電玩遊戲，伯伯根本毫無概念。」

魯伯伯說另外還有幾件事情要辦，預定在星期五上午來東京。他說探病的禮物也要等來東京以後才買，因爲在千葉找不到東京小孩會喜歡的時髦玩意。

「那伯伯，你要住我們家嗎？」小亘的聲音很興奮。「既然星期六才去探病，那你要在東京住一晚吧？來我們家住嘛，好不好？」

小亘背對著廚房，所以沒發現邦子聽到他這麼一問臉色頓時一沉。她是看小亘喜歡三谷悟所以一直沒說，其實她最討厭這個沒教養又邋遢的大伯了。

而電話的彼端，對於小亘滿心歡喜的問題，魯伯伯是這麼回答的：「不，伯伯還有其他事情，晚上可能要弄到很晚，所以不去你家打擾了，下次吧。」

三谷悟其實是一個遠比弟媳婦想像中還要纖細敏感的男人。邦子不歡迎他，這一點他早就察覺了。

「真是的……下次下次，結果每次都沒來。」小亘很失望，頓時垂頭喪氣。「我小時候，每次你來東京辦公不是都住在我們家。」

「你現在還是很小呀，難不成一轉眼你就變得像酷斯拉一樣巨大了嗎？對喔，難怪最近千葉地震特別多，一定是你到處亂走，害我們這邊也跟著晃。你看，又晃起來了！」

小亘吃吃地笑。大概是兩年前吧，伯伯曾經帶他去看暑期檔的電影「酷斯拉」，那是好萊塢製作的大恐龍，伯伯從頭到尾都堅稱「這隻酷斯拉不是我喜歡的哥吉拉，那種洋味十足的大蜥蜴根本不是哥吉拉」，吵得令人受不了。即便如此，每次片中的酷斯拉從遠處走近，地面一晃動，許多計程車和私家轎車還有路上的行人就跟著被震得四處亂彈的那一幕，深得伯伯的青睞。電影看完跟爸媽會合，四人一起去餐廳吃飯時，還有回程在電車和計程車上，魯伯伯和小亘動不動就模仿那一幕，從椅子上和路邊跳起來鬧著玩。

說著說著，小亘突然迫不及待地想見魯伯伯，如果跟伯伯傾訴，就不用老是擔心會挨罵；被女生說「最討厭！」而深受傷害、半夜溜出家門、擅自使用即可拍相機、被芦川美鶴當面瞧不起、討厭自己動不動就拿阿克出氣……這些通通都能說出來。伯伯不只不會罵他，也不會嘲笑他或是覺得受不了他，更不會以一副說教的姿態叫他別鬧了清醒一點。

「唉，伯伯，我看我陪你去買禮物好了。」小亘說道。「反正現在一時之間也想不出該送什麼探病禮物，星期五我們只上五堂課又不用補習，我可以早點回來，然後看要去百貨公司還是玩具反斗城，我都可以陪你去。」

電話彼端的三谷悟有點遲疑。「嗯……，這個主意是不錯啦……」

「可以吧，好嗎？」

「那你先問問媽媽。星期五下午能不能跟伯伯出去兩個小時。當然，伯伯會趕在晚飯之前送你回來。」

萬歲！這樣的話，就可以跟伯伯慢慢聊了。小亘手摀著話筒，朝邦子那邊探出身子，大聲問：「欸，媽……」

可是，坐在餐桌邊正在喝茶的邦子還不等他問完，就斷然回答：「不行。」

「為什麼？有什麼關係，是這個星期五耶，是不用補習的星期五耶。」

「不行。不可以。」

「為什麼？」

「伯伯是來東京處理公事的，你會妨礙人家。」

「可是我是要幫伯伯的忙，陪他去買探病禮物……」

邦子把茶杯往餐桌一放，嘆了一口氣，然後露出更凶的表情。壞心眼的老太婆！小亘頓時冒出這個念頭。

「我說不行就不行，把電話給媽媽。」

「不，沒關係，小亘，你跟伯伯去吧。」

是三谷明的聲音。小亘和邦子都驚訝地朝聲音來源轉頭。明穿著整齊的西裝拎著公事包站在客廳門口，無框眼鏡從鼻樑上略微滑落，眼睛直盯著小亘。

「你很久沒跟悟伯伯見面了吧？既然伯伯說可以，那你就一起去吧。」明一邊把公事包交給一臉驚訝的邦子，一邊繼續說道。「反正暑假期間也要麻煩伯伯照顧，小亘在千葉該幫些什麼忙，先好好討論 下也好。來，讓爸爸聽電話。」

明從小亘手上一接過電話，就開始跟悟伯伯說：「喂，大哥你還好吧，媽還是老樣子？嗯，我們也都很好，對了關於剛才那件事……」

突然有貴人相救使得情勢出現大逆轉。小亘覺得此刻自己的眼睛一定閃閃發亮，足以照亮方圓一公尺以內的地方吧。縱使沒有酷斯拉出現，他還是高興得蹦蹦跳跳。

「好了，別這樣。」邦子抱著公事包，皺起眉頭。「吵死了。」

媽媽慘遭技術性擊敗所以生氣了，小亘心裡覺得很好笑，但還是拼命憋住不敢表現出來。

明講完事情，又把話筒還給小亘。「晚餐也跟伯伯一起吃完再回來。這樣子，比較有充裕的時間挑禮物。」

小亘跳起來。「謝啦！」

他立刻跟魯伯伯約定行程，伯伯說要來家裡接他。

約好之後掛上電話，明已經換好衣服，在餐桌前坐下，邦子正在擺放碗筷，小亘高興得幾乎想跳舞，可是邦子臭著臉，他只好勉強忍住。

「爸，謝啦。」

明一邊攤開晚報一邊說：「不能給伯伯惹麻煩喔。」

「嗯，我保證。」

「今晚怎麼這麼早就回來了。」邦子在餐桌和冰箱之間來回穿梭，一邊問道，由於正在氣頭上，她對小亘視若無睹。

「早知道你這麼快回來，我們就等你一起吃了。」

「有個會議臨時取消了。」

「要啤酒嗎？」

「不，不用了。」

就像邦子看也不看小亘一眼，明也毫不理會邦子逕自看著報紙。小亘在嘴裡咕噥著：「那我去寫功課了。」匆匆撤退回到自己房間。

雖然一般人常說獨生子沒有激烈競爭的兄弟姊妹，往往自私任性對別人的感受特別遲鈍，其實這是很片面的看法。如果說觀察父母臉色是孩子的宿命，那麼總是得獨自站在瞭望台拉起防衛線、沒有戰友共同堅守戰線的獨生子，反而會對當下的空氣與氛圍特別敏感，因爲平時在家就已身經百戰。

雖然乖乖地坐在書桌前攤開了習題本，可是想當然耳，腦袋一時之間還無法切換專心唸書，如果把最近發生的種種怪事說出來，魯伯伯會有什麼表情？想到這裡他突然有點開心起來。伯伯，我遇到了魔導士喔，那個魔導士還對我施展時光倒轉魔法術，是眞的！

不過，小亘還是勉強收斂起愉快的幻想，寫起算數和國語習題。後來，出去上廁所時，爸媽正坐在沙發上喝咖啡，邦子揚聲叫小亘去洗澡。

「好，我再寫兩頁就去洗。」

回來的時候，邦子正在說什麼，由於戒嚴令尚未解除，小亘擺出一副事不關己的表情走回自己房間，但還是聽到一些零星話語，聽起來今天白天似乎又接到好幾通無言電話。原來如此，難怪媽媽在確認電話是魯伯伯打來之前一直神色緊張，而媽媽之所以那樣惡意作梗，或許也是這個原因，眞是的！

那天晚上鑽進被窩時，小亘的心情已經完全平復了。

「新年見面之後，才過了半年而已。」魯伯伯把大手放在小亘頭上。「你又長高了耶，我看再過個半年，大概就到我肩膀了。」

「我哪有長那麼快啊。」小亘笑著說。

小亘現在的身高才勉強到魯伯伯左手臂接種卡介苗的疤痕。他會知道那個部位有疤痕，是因爲曾經多次跟伯伯一起游泳。

魯伯伯是個大塊頭，橫看豎看都頗有份量，長髮加落腮鬍，手腳也都毛茸茸的，而且今天又穿著花色鮮豔的短袖襯衫，就像是迪士尼樂園表演秀中的大熊，如果再抱著一把斑鳩琴戴上草帽，簡直是一模一樣。

「東京可眞熱。」魯伯伯用手抹著臉。「跟海邊的熱不一樣，都市的悶熱對身體不好。如果我一個人逛街，八成走到半路就受不了了，幸虧還有你陪。」

星期五下午四點。小亘早在兩個小時以前就已經回家，翹首等待伯伯出現。當然，他早已做好準備，外出穿的白襯衫是全新的。

「梅雨季應該還沒過，幸好今天沒下雨。」

邦子走到窗邊仰望天空，雖然從早一直陰沉沉的，過了中午倒是出現一點陽光。

「看來用不著帶傘了。」魯伯伯咧嘴一笑。「那，我們就出門吧，小亘。」

「嗯，媽我要走囉！」

「你要乖一點喔。麻煩你了，大哥。」

「小亘向來很乖，反而是我這當伯伯的該乖一點才行。」

伯伯一邊哈哈大笑，一邊率先走出玄關，邦子站在門前目送著，又添上一句「沒有好好招待」。媽媽眞的連一杯咖啡也沒端給伯伯，她向來很注重這種小細節的，這倒是很稀奇。說到這裡才想起，媽媽的表情好像也有點僵硬，或者該說是不自然，難道白天又有人打無言電話來嗎？

到今天這個時間爲止，小亘姑且算是跟阿克和好了。說得更正確一點，是他一說「昨天對不起」，阿克就瞪大了黑亮的眼睛說：「啊，什麼事？」結果就這麼不了了之，不過至少心情輕鬆多了。

魯伯伯來東京以前，又打聽到一些補充情報。據說那個住院的男孩最喜歡看機器人卡通，他跟小亘不同，幾乎完全不碰電玩遊戲，聽說是因爲他母親禁止。此外，最近他最想要的ＭＤ隨身聽，也因爲第一學期的成績不錯而已經到手了。

「不管怎樣，去探望小學生，我是絕對不會買ＭＤ隨身聽那麼昂貴的東西。」

小亘聽到新情報，於是提議，「我記得好像是神保町吧，不是有很多書店嗎？聽說那裡有一家今野書店專賣卡通相關書籍，去那裡買機器人卡通的書送他好了。」

「這個主意或許不錯。不過，你怎麼會知道這個？你也喜歡機器人卡通嗎？」

「我是沒那麼喜歡啦，不過補習班的朋友有人超愛卡通，只要跟卡通有關的什麼都知道。」

要去神保町書店街，據說只要搭JR線在御茶水站下車就到了，於是兩人走向車站。一路上，魯伯伯把過年至今在千葉發生的種種事情告訴小亘——天氣一變熱奶奶就肝火旺，講話顛三倒四不過還蠻好玩的；海水浴場附近新開一家大型電玩遊戲場；大約半個月前，有人在堤防邊夜釣時親眼目擊海妖出現引起一場騷動；千葉老家常叫外賣的那家拉麵店「蓬萊軒」的老闆跟不良少年打架，頭上縫了十針云云……

他們在御茶水車站下車，來到神保町的書店街，由於這裡的書店實在太多、佔地太廣，小亘開始擔心能否順利找到今野書店，因為他連地址都不知道。

「哪，沒問題！跟我來。」

伯伯走到十字路口對面的一棟大型書城，向收銀台的店員打聽。那是一名親切的年輕女店員，聽了伯伯的問題立刻給他一份書店街導覽地圖，並且，連他們要去的今野書店位置也指給他看。

「雖然最近新聞老是報導一些討厭的事件，不過這個社會上還是有很多好心人。」魯伯伯的心情很好。

這是小亘第一次逛書店街，簡直令他眼花撩亂，世上居然有這麼多書，到底是給誰看的。

「像我，就算耗上一輩子，也看不了這裡賣的書的萬分之一。」

「那伯伯我啊，連一億分之一都沒辦法。」

魯伯伯笑得連身體都在晃。

「到底是誰寫出這麼多書？我眞懷疑寫書的人腦袋裡到底是什麼構造，裡面可能沒有腦漿，只塞了一大堆文字吧。」

他們要找的今野書店位於一棟三層樓建築物，店門口擠滿了書本和客人，魯伯伯撥開人群，小亘跟在後面一一檢視書架，這裡同樣也有多得令人暈眩的書山書海，花了快一個小時，終於選好三本雜誌書，兩人都已經累垮了。

「哇塞，這還眞耗體力耶。」

魯伯伯已經滿身大汗。

走出擠滿客人的今野書店，小亘正在大口呼吸之際，突然被人從後面撞了一下，以至於完全失去重心，由於事出突然，還來不及思考就跌倒了，雙手雙膝猛然撞上地面。

他的手腳一陣痲痺，一時之間就算想起身，腳也不聽使喚。下一瞬間，小亘撐在水泥地上的右手掌被一隻骯髒的慢跑鞋用力踩住了。

「好痛！」小亘大叫。

魯伯伯伸出粗壯的手臂抄起小亘的身體，把他抱了起來。「小亘沒事吧？有沒有受傷？」那聲音好像在怒吼。手掌的疼痛令小亘無法開口，但他還是點點頭，在路上站穩。這時，伯伯仰起臉一邊大吼一邊狂奔。「喂，站住，我叫你站住！」

伯伯撲向一個背對著小亘正要走遠的路人，那是一名穿著灰色T恤及牛仔褲的男子，體型只有伯伯的一半，伯伯抓住那傢伙的肩膀把他扭過來，這才發現對方非常年輕。

「喂，你撞倒小孩還踩人，連句對不起都不說嗎？」

即使被伯伯揪住胸口，那名年輕人依然面無表情，像病人般毫無血色，下顎瘦削，眼神渙散混濁。原來那樣就叫作「死魚眼」啊，小亘一邊按著疼痛的手掌一邊想著。

「你說話呀！你知不知道自己做了什麼？喂！」伯伯越來越生氣，滿臉通紅，揪起年輕人的衣領。

可是年輕人既不怕也不慌，只是沉默地盯著伯伯。

「伯伯，我眞的不要緊啦。」小亘說道。於是魯伯伯瞄了小亘一眼，又對著年輕人怒吼：「喂，你剛才撞了那孩子，害他跌倒了，他在你面前跌倒，你不但不停下來還踩到他的手，這樣子就想走掉！你知道你這是什麼行爲嗎？你以爲這樣就沒事了嗎？」

年輕人面不改色。他的嘴角下垂，原本以爲他在生氣，結果不是，他只是嘴唇鬆弛而已。

「你還像個大人吧？你應該做小孩子的榜樣，快跟那孩子道歉！好好說聲對不起請問有沒有受傷！」

年輕人的嘴巴蠕動了，但從小亘的位置聽不清楚。

可是，伯伯卻臉色大變。「你說什麼？有種你再說一次！」

年輕人照他的話做了，他說：「你很煩耶。」

「你……你說誰煩？」

「我說你囉哩囉唆的煩不煩哪。」年輕人趁伯伯驚訝之餘一鬆手便掙脫了他，然後彷彿吐口水般不屑地放話：「那種小鬼，就算跌倒還是死掉都不關我的事，誰叫他擋路，活該！」

伯伯頓時瞠目結舌，臉色逐漸變白。啊，糟了！小亘感覺整顆心在翻攪。伯伯！伯伯！你要冷靜……

這時，那個熟悉的甜美聲音呼喚他：「危險，快阻止他！小亘，快阻止你伯伯！」

小亘嚇了一跳，反而不知該怎麼辦。又是那個女孩！這次她是從哪裡冒出來的？

「你說他擋路？」伯伯咬牙切齒地擠出聲音。「所以你就可以把小孩推開？這裡是你一個人的馬路嗎？啊？」

「至少不是你家的路吧。」年輕人嗤之以鼻，冷冷一笑。「沒水準的傢伙，少在這鬼吼鬼叫。」

伯伯猛然聳起雙肩。他打算揍人了！啊怎麼辦怎麼辦才好怎麼辦……

小亘索性往地上一躺，放聲大叫：「好痛，好痛喲！」

效果果然一流。原本像狂牛般正要開打的魯伯伯，頓時好像撞牆般弓身駐足，然後朝小亘奔來。

「怎麼了！」

那個年輕人一看伯伯衝向小亘，便立刻開溜，轉眼間就消失在人潮中。

「太好了，你真有一套，小亘！」是那個女生的聲音，欣喜地歡呼著。「剛才那個人身上有刀子，如果弄不好真的會惹出大麻煩，小亘你的反應真快。」

小亘正專心聽那個女生說話，沒來得及回應伯伯的呼喚，這下子伯伯可能更緊張吧。等他猛然回過神時，伯伯正抓著他的肩膀一直搖晃他。

「小亘，你沒事吧？聽得見伯伯嗎？喂，你倒是說話呀，你看得到伯伯嗎？快回答我啊小亘！」

「伯⋯伯⋯⋯伯伯⋯⋯」小亘這次眞的快頭暈了。「伯⋯伯，我聽得見⋯⋯」

「噢，你沒事啊！」伯伯好像快哭出來了。

「我⋯我沒事。所以⋯你⋯你⋯你不要搖⋯⋯我了。」

「噢，抱歉。」伯伯總算放開小亘，然後抱著頭說，「眞是的，你爸媽才把你交給我就變成這樣，居然還讓你受傷⋯⋯」

「這點傷算不了什麼啦。」小亘連忙在伯伯面前晃動那隻被踩傷的手。

「你看，還是會動啦，也沒有骨折，雖然很痛，不過已經不要緊了。」

努力表現出沒事的樣子後，伯伯總算冷靜下來。即便如此，伯伯那張像鞣製皮革般曬黑的臉龐仍殘留一抹紅潮。

「眞是的⋯⋯，那種人到底在搞什麼？」伯伯把小亘扶起來，深深地嘆了一口氣。「他以爲世界是繞著他轉的嗎！一點也沒想過會不會造成別人困擾，對別人也沒有絲毫關心。可惡，他以爲他是誰啊！」

小亘默然望著路過的行人，剛才還有人不停地瞄著他們，可是現在大家都若無其事地匆匆走過。

那個女生的聲音也不見了。

「走吧。」小亘拉著伯伯的袖子。「在人群裡擠來擠去好累。伯伯，走吧！」

雖然傷勢好像沒有嚴重到必須看醫生，但小亘被踩的右手還是有點腫。

「我帶了醫藥包，裡面有藥用貼布、繃帶和ＯＫ繃，而且飯店還有冰塊可以冰敷一下。」

伯伯說著，就把小亘帶到他投宿的旅館。那是一家位於飯田橋車站附近的商務旅館，外觀看起來雖然很廉價，室內倒是出乎意料的整潔，而且還是雙人房。這讓小亘想起前年的新年，跟小田原的外公外婆一起去東京迪士尼樂園遊玩時，在附近飯店住了一晚的情景。

「呀呼！」小亘蹦蹦跳跳地跳上其中一張床。「這樣子，我也可以留下來住耶，對吧！」

「那你明天怎麼上學？」伯伯笑著勸阻他，不過好像還蠻高興的。「一個人住雙人房是我唯一的奢侈享受。如果住單人房，我會覺得好像被塞進火柴盒裡。」

伯伯除了帶來一只小帆布包，還有一個公事包。他說來東京辦公，原來是眞的。

「伯伯，你來辦什麼事？已經辦好了嗎？」小亘一邊讓伯伯替他貼藥用貼布一邊問。「如果事情還沒辦完，我可以在這裡等你。」

說到伯伯急救包紮的動作，那可是漂亮又俐落。他不但接受過正統的救生訓練，在海水浴場擔任救生員的經驗也很豐富，伯伯不是那種會大聲炫耀的人，所以鮮少人知，其實到目前爲止，他救過的人數應該早就超過十根手指以上了。

「事情早就辦好了。好了，這樣就行了。」伯伯在小亘的右手上纏好繃帶。「可是這樣子，晚餐就不能吃螃蟹或牛排了，只能拿叉子。」

「我啊，想吃起司焗烤通心麵。咱們去丹尼斯速食餐廳就行了。」

「你這孩子眞好打發耶。」伯伯打趣地笑了。「好，等我先抽根菸，咱們就在附近找一家好吃的店吧。首先，我得喝點啤酒。」

伯伯從冰箱拿了柳橙汁給小亘，小亘靠著床頭壁伸直了腿，這樣感覺好像跟伯伯出來旅行，而且不是去近郊，是去更遠的地方。對於傾訴秘密，應該是再適合不過了。

「欸，伯伯。」小亘開口說。「你知道嗎，我有事想跟你說。」

要把自己的遭遇按照事情發生的先後順序，一邊說明一邊夾雜著當時的心情與波動情緒，是一件很困難的事，遠比站在教室黑板旁，面對班上三十幾名同學發表自己的暑期報告還要難上一百倍。

即便如此，魯伯伯並未干擾或打斷小亘。雖然有時候會插科打諢，但始終聽得津津有味，所以他總算是說完了。聲音甜美的隱形女孩、幽靈大樓的魔導士、三橋神社的靈異照片……，他全都說了，想得起來的全說了。

小亘講累了陷入沉默之際，伯伯已經把小冰箱裡的罐裝啤酒全都喝光了，然後他把喝完的最後一罐輕鬆捏扁，凝視了好一陣子，才說：「那棟幽靈大樓就在你家附近嗎？」

「嗯，上學途中會經過。」

「那好，待會兒吃完飯，送你回家再順便去那棟大樓看看應該不麻煩吧？」

小亘吃了一驚。「要進去大樓？」

「呃，不然你不是很在意那個什麼魔導士之類的玩意兒。」

他沒想到伯伯會有這種反應。

「伯伯，你不認爲這是我捏造的？」

魯伯伯眨著眼。「怎麼，是你捏造的？」

「才……才不是，是眞的。」

「就是嘛！那就不能不管了。」

伯伯從床上站起來，他喝得滿臉通紅，可是一點也不像喝醉的樣子。魯伯伯的酒量向來超強。

「魔導士是什麼東西，這伯伯是不知道啦，因爲只有你來玩的時候，伯伯才會碰什麼電玩遊戲。不過，如果有什麼怪老頭在那棟大樓出沒，對小朋友們做出奇怪的事情，那伯伯可不能坐視不管。」

小亘咕噥著，不過到底想說什麼自己也不清楚。伯伯並沒把小亘的話當成開玩笑，但是他的詮釋方式似乎跟小亘的期望差了十萬八千里。

「小朋友『們』？看過魔導士的，目前爲止應該只有我一個。」

「誰說的，一定還有別人。那個老頭自己不也這麼說了嗎？」

魔導士曾經問小亘：「你也是聽朋友提起才過來的嗎？」魯伯伯指的就是這一點。

「啊，對喔。」被伯伯這麼一說還眞是沒錯，而且魔導士還說：「這裡的事好像弄得人盡皆知了。」

「幽靈大樓出現的鬼魂，還有那個怪怪美少年轉學生拍到的靈異照片，我看八成都是那個老頭。那個姓芦川的小子之所以瞧不起你，不給你看照片，即使被石岡那個高年級小渾蛋追著跑也不肯把照片交出來，一定是這個原因，我想。」

然後伯伯做了一個誇張的表情啪地兩手一拍。「我突然想到了，搞不好你看到的魔導士就是芦川那傢伙的爺爺。」

芦川的家族成員小亘毫無所知，也不知道他是否跟爺爺住在一起。不過，對方施展的魔法卻是眞的。所以對小亘來說，伯伯的推論一點也不好笑。魯伯伯一個人在那邊捧腹大笑。

「如果是這樣就好玩了，不過這很有可能，像這種唯恐天下不亂、什麼事都敢做的人，這年頭到處都是。」

被小亘說的事情一耽擱，時間已經過了傍晚六點半，由於伯伯提議在小亘目擊魔導士的相同時間造訪幽靈大樓，於是兩人就在旅館附近匆匆吃過晚餐。原本的計畫應該是小亘先吐露心事，然後盡情享用焗烤通心麵和薯條還有巧克力聖代冰淇淋，可是現實總是跟預期的有所出入。魯伯伯窺探著小亘，就好像眼前放了一個非常精細的手工藝品，雖然自己笨拙的手指不知該如何處理，可是那個手工藝品顯然有什麼不對勁，所以正在思考該怎麼解決。他就是帶著那種表情不時地觀察小亘，然後說了些「暑假期間你要好好加油學會用蛙式游完兩百公尺，要在海邊民宿打工那可是粗活喔，早上天還沒亮就得起床，晚上七點新聞播完時已經累到快睡著了，所以待在千葉暫時不能玩電玩遊戲」之類的話。

魯伯伯不認爲小亘在捏造故事，就這個角度而言，他或許相信小亘。可是伯伯認爲小亘吐露的大部分內容，除了怪老頭之外，其他都只是幻想。

那麼，爲什麼小亘會有這種幻想？很簡單，因爲他整天打電動沒有出去玩，這就是伯伯的答案，這些伯伯罵他一頓叫他不要胡扯更糟。

本來不該是這樣的。小亘一邊機械性地把湯匙和叉子往嘴裡送，一邊咀嚼著苦澀的心情。我還以爲魯伯伯一定能夠瞭解我。

吃完飯，伯伯卯足了勁說要立刻出發，就時間來說，現在過去剛剛好，所以小亘默默地跟隨在後。

「你幹嘛垂頭喪氣的，你怕嗎？放心啦，有伯伯在。」

魯伯伯說著，用巨大厚實的手掌往小亘背上一拍。如果是平常，這麼做通常可以讓小亘立刻打起精神，可是今晚截然不同，今晚的魯伯伯不是小亘喜歡的魯伯伯，更糟的是，小亘有一種預感，接下來發生的事將會使他和魯伯伯的關係變得跟過去徹底不同。

早知道就不說了，我應該把秘密藏在心裡，根本不該跟大人坦白。

伯伯在餐廳附近的便利商店買了兩支手電筒，付錢的時候，一直背對著小亘，小亘突然想到，如果我現在逃走不曉得會怎樣。這當然是不可能的。

兩人搭計程車來到幽靈大樓附近。伯伯向來節儉，總是說人應該靠自己的雙腳走路，尤其是小孩子更不應該坐車，即使利用大眾交通工具也只付半價，根本不該佔位子坐，所以這對伯伯來說算是很稀奇。由此可見，他有多麼急著想看看幽靈大樓。

事實上，伯伯的確興奮得像個小孩，當他低聲說著「就是這兒嗎」，然後仰望著那棟被塑膠布包覆的廢棄大樓時，他的眼神看起來好像被怪獸電影的主角附身，又或者是刑警連續劇的主角，演的是在廢棄大樓危害小孩的變態遭到他逮捕的這段情節。

伯伯環顧四周，確認四下無人之後，掀起塑膠布下襬。

「就是從這裡潛入的吧？」

「嗯，對。」

「好。」伯伯把另一支手電筒遞給他。「小心一點喔。」

小亘握緊手電筒，鑽過塑膠布。

魯伯伯讓小亘站在樓梯下，一邊晃動著手電筒，一邊四處搜尋。伯伯塊頭雖大，動作卻靈敏俐落，沒有絆倒或撞到東西。把一樓大致搜過一遍後，他的表情極爲認眞，也沒說出開玩笑的話。

「好，那就上樓吧。」

伯伯說著，一邊確認腳下，一邊緩緩地爬上樓梯，每走一步都用手電筒照亮階梯，小心翼翼地一邊觀察一邊前進。

「如果有人出入，起碼會掉落什麼紙屑或垃圾。」

伯伯在二樓和三樓之間的轉角平台處駐足，抓著頭說：「這些灰塵上面也沒留下腳印……」

聽伯伯這麼一說，小亘也俯視腳下並用手電筒照亮。粗胚成形的水泥、地面上裸露的粗胚、鋪著三夾板的部分，全都覆蓋著顆粒粗糙的塵土和水泥灰。可是每一級樓梯都很乾淨，頂多邊緣殘留著少許塵埃與泥灰。伯伯說的沒錯，根本不可能留下腳印。

可是反過來想，樓梯這麼乾淨，不就證明了有人頻頻走過這裡嗎？也許是某人怕上下樓時弄髒鞋子，所以拿掃把或什麼工具掃乾淨了吧？

這個「某人」，想必就是魔導士說的「朋友」。

（會是……芦川嗎？）

「喂，小亘，樓梯到這裡就沒了。」

伯伯從上方喊他。他就站在三樓通往四樓的轉角平台處。

「你看到的老頭，眞的站在這種地方嗎？」

「嗯……」

「這裡還蠻恐怖的。」伯伯抓著扶手，緩緩地環顧四周。「老人和小孩子在這種地方出入，遲早會出問題的，更應該嚴格禁止外人進入。喂，小亘，你應該勸勸那個姓芦川的小孩，在這種沒蓋好的大樓玩耍太危險了。」

「芦川又不一定會來這裡。」

「一定有。你想想看靈異照片的事。」

「我不喜歡沒有證據就隨便推測。」

那樣只會再度遭到芦川的輕視。

「看來，等你回家以後，我應該跟你爸媽好好談一談。然後，請社區自治會出面……」

這時，伯伯襯衫的口袋響起手機鈴聲。

「喂，嗯！是你啊阿明。不，這裡有點收訊不良，你先等一下。」

伯伯一手拿著手機，一手握著手電筒靈活地下樓。一來到小亘身邊，就稍微抬高手機說：「是你爸，你爸。」

「喂，奇怪，這裡也有雜音……啊？聽不見嗎？喂！」

伯伯尋找收訊良好的地點，最後只好鑽出塑膠布。小亘心想，可能是因爲這裡都是光禿禿的鋼筋所以很容易受到干擾吧，他同時也走近塑膠布，關掉手電筒，塞到褲子後面的口袋裡，蹲下來正打算掀起塑膠布之際，赫然發現周遭變得異常明亮。

眼前塑膠布的縫隙清晰可見。

小亘維持蹲姿回頭仰望大樓上方。然後……

他目瞪口呆。

伯伯剛才站的地方，也就是上次那個魔導士站的地方；三樓通往四樓的轉角平台處……

（是門。）

兩扇對開的大門。

（到底是什麼時候出現的？）

上端有精雕細琢的裝飾，整體呈現古典的弧形。

門緊閉著，但是它的輪廓、中央的門縫，透出一線亮白炫目的光芒。出現在半空中的那扇大門後面一定充斥著這種白光，而那種光……

（門關著。）

（從縫隙透出。）

微明的光線映照著幽靈大樓的室內。

小亘搖搖晃晃地站起來，走向樓梯，開始一步步上樓。每踩一級樓梯，從門縫中透出的光芒就變得更強烈。小亘的視線無法離開那扇門，好幾次差點踩空摔下去，但他好像被一股力量拉扯般走向那扇門，自己也停不下來，抵達三樓時，他已經變成用爬的。

一靠近那裡，便清楚感受到那扇門周圍和中央透光的熱氣。小亘無意識地浮現笑容，他把手往上一伸，手掌接觸到明亮的光線，卻又彷彿聽到如同春雨般的淅瀝雨聲。

怎麼會有這麼聖潔、這麼明亮、這麼溫柔的光。

小亘抵達了轉角平台處，他好不容易才在那兒站直身子，對著那扇門伸出雙手。

第七章 門的彼端

從那扇門中央透出來的光芒更強更耀眼了。彷彿在歡迎著小亘。那扇門……

（要開了。）

從門的彼端，從彼端那光芒萬丈的世界，朝著這邊正要被推開。就在下一秒，就在下一秒……

（開了！）

宛如巨浪席捲而來的耀眼光芒，令小亘忍不住伸手遮擋，炫目的光線令他無法直視，只能任憑溫暖的光芒籠罩著全身，同時也好像站在急流中彎著腰壓低重心，勉強支撐著。

有人在光芒中筆直地朝這邊跑過來，小小人影即使在白光中也顯得份外明亮。那人正朝著打開的這扇門一直跑、一直跑、一直跑……

然後衝出了白光，驟然停在小亘眼前，是一名少年。接著對方大叫：「你怎麼會在這裡？」

芦川美鶴就在眼前，近得幾乎能感受到他的鼻息，他瞪大了雙眼，雙腳岔開站穩，指著小亘好像在斥責。

「你在這裡幹什麼？」

芦川語帶責難地大叫，可是小亘還沒開口，他就猛然轉身，又朝著門內，跑向那道珍珠色的光芒。芦川的身影被光芒吞噬，一眨眼就消失無蹤。

小亘根本無暇思索，也沒時間遲疑或害怕，等自己回過神時，已經朝著門內，朝著那道光，緊跟在芦川身後跑了進去。

跨過門檻時，在無意識中他跳得很高……

然後，撞進一片純白的虛空中。

一片光海，溫暖的氣流。

是天空。

彷彿從飛機窗口眺望雲海，那種景象逐漸擴大。小亘在雲海中游泳，往下，往下，再往下，他在墜落，耳畔有風聲呼嘯，他正劃過天際往下掉，可是速度很慢，就像泅泳在南方海洋的老海龜。手腳一伸展，手指周圍及指尖就被一圈白光包圍，小亘一變換姿勢，光圈也跟著改變，好像正在與細微的光粒子圍成圓圈跳舞。小亘緩緩地伸展身體，一邊微笑，一邊不停地翻滾，仰望上方，是光的天空，往下俯瞰，是光芒萬丈的雲海。

這時，雲海陡然裂開，出現了蔚藍晴空，和底下一望無際的青青草原。

「哇！」

小亘伴隨著叫聲往下掉。

（要掉下去了！）

他就像小石頭般筆直地墜落地面，由於速度實在太快了，眼前掠過的風景只看得到模糊的影子，感覺很亮，接著速度變得更快。毫不留情地加速。墜落，墜落，一路墜落……

咚！他的背部先著地。

腦筋一片空白，背部緊貼著地面，兩腳高舉，朝天仰臥。眞是尷尬的姿勢，說有多糗就有多糗。

可是還能夠這樣想，那表示他還活著。

上方是一望無際的朗朗晴空，有生以來看到這麼美的藍天，見是見過啦，可是那都是放在旅行社櫃檯上宣傳夏威夷或關島之旅的廣告傳單。爸爸說過那種廣告傳單的照片都是用電腦修飾、增色過的，靠不住。他還說，夏威夷和關島、塞班現在都沒有那樣的藍天了。

可是，這裡卻有。眞實的，一塵不染的藍天。

這裡是哪裡？

小亘用手撐起上半身，他感覺還有點頭暈，不過似乎毫髮無傷，沒有流血，手腳也能動。他明明從那麼高的地方摔下來哩。

放眼望去是整片沙漠。

屁股下的沙石又鬆又乾、顆粒很粗，即使用手掌掬起，轉眼間就從指縫間洩下，也許是這片沙石緩和了衝擊力，所以才能毫髮無傷吧。

太陽在頭頂正上方亮晃晃的，陽光照在脖子和臉頰上，感覺有點刺痛。剛才從天空墜落時驚鴻一瞥的明明是平原，可是這裡卻是沙漠，怎麼搞的？是隨著氣流飄遠了嗎？

總之，這是沙漠，可是這裡又是哪裡？

只知道這裡是那扇門的另一頭。

芦川在哪裡？那傢伙也在這片沙漠裡四處打轉嗎？得離開這裡，姑且找一個比較舒適的地方，該往哪裡走才好呢？那個平原不知道在哪裡。

小亘踉蹌著一站起來，沙漠的風就席捲而來，掀起一股小小的沙塵暴。他揮去臉上的沙子，嗆得差點咳嗽。

這時，小亘身後的沙地上出現了一個狀似蟻獅修築的小小漩渦，無聲無息，可是越來越大。小亘忙著撢落襯衫和長褲上的沙子，漩渦越變越大，中央也越來越深，最後發出咻咻咻的聲音。

小亘回頭一看，嚇得倒退三步，沙地上出現的漩渦馬上就要擴及他的腳踝了，如果他沒有及時發現，一定會掉進那個漩渦中。

「這……這是什麼？」

就在小亘不加思索地大叫的那一瞬間，漩渦中突然衝出一隻看起來全身漆黑的動物，捲起滿天沙塵，當牠跳到半空中時，可以看到四條腿和長長的尾巴，小亘以爲那是一隻狗。

牠輕盈地躍過小亘頭頂在另一邊著地，揚起一陣沙塵，那隻像狗一樣的動物站在另一端吠叫了一聲。小亘一邊躲避迎面而來的飛沙一邊看著那玩意兒，嚇得兩腿發軟。

那動物的身軀是狗，唯獨頭部不是狗，體型看起來像黑色杜賓狗那樣瘦長，可是頭部的形狀卻很奇怪……，那個，叫什麼來著，就是放在廚房，媽媽偶爾……，眞的是偶爾要開葡萄酒時才會使用的…！

對，是開酒器！螺旋形的開酒器。這傢伙的頭部，就是長成那樣！

螺旋頭朝著小亘的方向一扭，那隻怪犬又吠了起來。嘰嘰嘰嘰嘰嘰嘎——！一種不協調的咆哮讓整顆螺旋頭產生共鳴，這傢伙連喉嚨和嘴巴都沒有，到底是怎麼叫的？

「而且，」小亘朝怪犬擺出客套的笑臉。「喂，你看起來好像想吃我，可是到底要怎麼吃？你連嘴巴都沒有。」

螺旋怪犬開口了，彷彿在回答小亘的問題。應該說，整顆螺旋頭一邊膨脹，一邊朝著小亘露出頭頂，於是內壁的結構一覽無遺，令人噁心的黏稠紅色，黏答答的黏膜正在蠕動，邊緣密密麻麻地長滿了牙齒。

小亘大叫一聲，拔腳就跑。他往右跑，卻發現三步之外有一個新的漩渦逐漸成形；往左跑，那裡的漩渦中又衝出了新的螺旋頭。

前方的螺旋頭又發出吠叫聲，一口氣衝了過來近在咫尺。啊怎麼辦上帝啊菩薩啊，我被螺旋頭包圍了……

小亘用雙手蒙著臉，感覺脖子好像有什麼東西卡著，身體浮了起來。

他回過神才發現自己又飛了起來。

這次沒那麼高，就像在滑雪場搭纜車一樣，但跟搭纜車不同的是，小亘的手腳在空中晃蕩著。

那群螺旋怪犬增加到五隻了，牠們不停地狂吠、跳躍，試圖咬小亘的腳。在這段期間，沙漠中仍然不斷地出現新的漩渦，看來螺旋怪犬平時棲息在地底，一旦有獵物經過，就會製造流沙把獵物拖下去，或是衝出來攻擊吧。

「你居然會闖進螺絲野狼群，八成是瘋了！」

小亘頭上響起一個高亢的聲音。

「要不是大爺我正好飛過，你現在已經進了螺絲野狼的胃裡，變成黏答答爛糊糊的肉汁啦！」

看樣了，這個高亢聲音的主人現在正拎著小亘在飛翔；也就是他的救命恩人，至少目前算是。

「謝謝你。」

由於對方抓著小亘的後衣領，他無法往上看，儘管一開口就會灌入滿嘴風沙，但他還是盡可能大聲道謝。

「多虧你救了我！」

「是啊，是啊！」高亢的聲音變得更尖銳了，大概是很得意吧。

「眞的好險，幸虧大爺我正好飛過。」

小亘被這隻來路不明，總之有翅膀的生物拎著飛越沙漠，但遺傳自父親的一絲不苟還是讓他提出疑問，「請問，你剛才說『飛過』，那是『路過』的意思吧！」

那隻有翅膀的生物哼地噴出鼻息，「開什麼玩笑！大爺我才不會在骯髒的地面上爬行呢，不管什麼時候，大爺我都要飛，無論在什麼地方，都絕對不會做出『路過』那種卑賤的動作，一定是『飛過』。你懂嗎？小鬼頭！」

如果把對方惹惱被扔下去就糟了，所以小亘乖乖稱是。

小亘就像在兩層樓高的屋頂，以騎腳踏車的速度被拎著緩緩前進，周遭依然只有沙漠，不過左前方出現了一塊崎嶇不平、略高的岩石。

「小鬼頭，你從哪來的？」頭頂上那個高亢的聲音問道。「該不會是逃犯吧？」

這個問題本來就很難回答了，再加上「逃犯」這個強烈的字眼，更讓小亘不知如何回答。

「不過你還真重耶！」

實際上，「大爺我」的拍翅聲已經有點凌亂，也許對方並不是大鳥。

「我要在那塊岩石降落囉。」

話聲方落，「大爺我」就朝著左邊的岩石飛去，一靠近岩石，猛然降低了高度，把小亘用力拋了出去。

「哇，危險！」

被拋下的一方衝力過猛，差點從岩石旁邊掉下去。在千鈞一髮之際，他的後衣領又被抓住。

「小鬼頭，你真遲鈍。」

一隻巨大的朱紅色鳥，拍動著翅膀翩然降落在跌個狗吃屎的小亘面前，鳥身的朱紅色彷彿用染料染出來，沒有一絲雜色，翅膀張開全長約有一公尺，身軀纖細，三根鳥爪卻堅硬又銳利，要一把攫住小亘腦袋，想必是輕而易舉。小亘一想到剛才被這鳥爪抓住領口，感到一陣毛骨悚然。

收起翅膀的朱鳥傾著頭俯視小亘，牠有著老鷹般的臉孔，卻有一頭像森巴舞者羽飾般的金色細羽，那些羽毛在沙漠之風的吹拂下優雅地搖曳著。

「眞……眞是謝謝你。」

小亘感覺喉嚨有點乾，只能發出嘶啞的聲音。這傢伙……是隻鳥耶，不管怎麼看都是隻鳥，可是牠會說話。

「用不著道謝，不過你得回答大爺我的問題。這一帶是大爺我卡魯拉族的地盤，其他種族擅自進入是自找麻煩。」朱鳥一口氣說完後，喔地叫了一聲，才後知後覺地嚇一跳。「怎麼，原來你是人類的小孩！」

「呃，對，沒錯。」

「人類的小孩怎會在這裡？你在這裡做什麼？你是怎麼來的？」

朱鳥一邊拋出一連串的問題，一邊拼命拍動翅膀，小亘連眼睛都睜不開。

「請……請……等一下，我馬上解釋，請不要再拍了。」

朱鳥說聲「是嗎」便收起翅膀，小亘深深吸一口氣，調整好呼吸，心臟正撲通亂跳。

「我……我……我是從某個雲層上方的某扇門掉下來的。」

小亘把自己的遭遇一一說明，朱鳥用牠的大眼睛仰望藍天。

「原來如此……是喔。要御門開啦。」

「要御門？」

「沒錯，那是一扇很大的門，分隔這個世界和另一個世界。從下面往上仰望時是看不見頂端的，它隱藏在雲層中，就連大爺我的夥伴們至今也沒人看過。無論是這個世界或另一個世界，並沒有人像我們卡魯拉族這樣擁有一雙強壯的翅膀，所以簡言之，目前為止還沒有人看過門的頂端。」

朱鳥流利地說著，挺起胸膛，長長的羽毛迎風搖曳。

「要御門，按照另一個世界的計時單位，十年才開一次，每次只開九十天，現在正好是那個時期吧，我差點忘了。」

「喔……」

「這麼說來，你是無意中穿過要御門，從另一個世界闖進這個世界，所以才會墜落在螺絲沙漠中。原來如此，原來如此！」

所謂的這個世界就是目前的所在之處，而另一個世界應該就是小亘過著日常生活的現實世界吧。可是，小亘說那扇對開大門很氣派歸氣派，但也不過是普通大門，並沒有那麼巨大。他這麼一說，朱鳥又再次耀武揚威：「那是當然囉。如果不從這一頭觀看，根本無法瞭解要御門眞正的廣闊與巨大。」

「是嗎……」

胸口的悸動總算平息，小亘癱坐在岩石上仔細環顧四周，以三百六十度的視野繞了一圈，可是放眼皆是沙漠，不時可以看到線條銳利、凹凸不平，想必跟現在坐的地方一樣的岩石吧，地平線上蒸騰起一層淺黃色熱氣，所以看不清楚，那可能是沙塵暴吧。

「看你的表情好像很驚訝。」朱鳥一邊不安分地晃動著翅膀一邊說道，牠好像在笑。「唉，這也難怪。因爲你什麼都不知道嘛，大爺我雖然頭一次撿到迷路的小孩，不過我聽說到目前爲止，在要御門開放時期，已經有好幾個人類小孩誤闖進來。換言之，犯這種錯的不只你一個，或許你有點笨，不過也不算是特別笨啦！」

牠是在安慰我，剛才也救了我一命，看來應該是個親切的好人……，不，是好鳥。

「所以這個……請問這裡是哪裡？」儘管現在問有點晚，但小亘還是問了。「這個地方應該有名字吧？叫作什麼世界？」

朱鳥立刻回答：「幻界。」

「幻界（Vision）……」

就小豆記憶所及，在「復活邪神II」應該也有「Vision Strike」這種魔法，那是只有高級魔導士才能使用的招數，用魔法製造幻象迷惑敵人，使其自相殘殺。

Vision，也就是幻影。

「那這裡是幻影之國嗎？」

「對你這種人類小孩來說，應該算是吧。」

「那我現在在幻影中嗎？」

小豆試著張開雙手，夾雜著沙塵的熱風襲來，刺痛了眼睛。

「像這樣的風、曬在脖子上的酷熱，還有飛進嘴裡的沙塵，全都是幻覺嗎？」

「對你來說是啦！人類小孩啊，迷途者啊！」

小豆試著在岩石上站起來，石塊凹凸不平，以至於有點站不穩。

「就連放眼望去的沙漠，這一切都是幻覺嗎？都不是真的？」

「大爺我是沒去過現實世界所以不太清楚啦……」朱鳥頻頻轉動脖子。「幻覺和現實是相反的嗎？」

「對，沒錯。」

「那麼，如果這裡是幻界，和這裡相反的另一個地方就是現實世界了。如此說來，這裡並不是現實。不過，人類的小孩啊，你馬上就要回到現實世界了，所以不用在意這裡的事。」

「我要回去了嗎？」

「總不能把迷途者扔在這裡吧，這是規定。」

「可是，我是追著朋友進來的，不能自己一個人回去。」
「從你的描述來判斷，你那個朋友應該跟你不同，並不是迷途者，他既然可以自由進出要御門，那表示他是要御門的守門人認可的『旅人』，所以你不用替他擔心。」
「可是！」
朱鳥展翅飛起來，又拎仕小亘的後衣領。
「等一下！我還不想回去！」
小亘縮著脖子躲開，從凌空而降的鳥爪下鑽出，躲到岩石邊緣。此時，踩著崎嶇岩塊的左腳沒踏穩，腳踝閃過一陣疼痛，小亘「哇！」地一聲失去重心從岩石邊緣摔落。頓時，眼角掠過藍天殘影，下一瞬間以背部著地之姿跌在另一塊岩石上。看樣子，剛才那塊岩石頂的正下方有一塊突起，幸虧卡在那裡，才不至於倒栽蔥墜落。
得救了！小亘扶著岩塊邊緣一爬起來，頭上倏地閃過一個黑影，是朱鳥在盤旋。如果再磨蹭下去，肯定又會被抓到。
怎麼辦，無論如何得往岩塊的內側緊貼著才行，他一邊謹慎地望著上空，一邊摸索著往後退。此時，右手的指尖碰到了什麼，跟岩石的觸感不一樣，他一邊後退一邊不經意地往後看，映入眼簾的竟然是一顆螺旋頭。小亘大叫一聲，差點從突起的岩塊邊緣衝出去，頓時朱鳥的黑影立刻降落。前有虎後有狼，想必就是在形容這種場面吧。
可是，螺絲野狼只是躺在那邊，即使小亘大叫著兩腳亂踢也文風不動，再仔細一看，躺在那裡的只有那顆怪異的螺旋頭，並沒有身體。

（死掉」嗎？）

定睛，看，是的，那裡的確只有頭，而且好像還不只一顆頭，看似碎片或殘骸的東西卡在岩縫間比比皆是，四處散落，不只如此，小亘仔細一看，才發現自己身上的襯衫和長褲也都沾滿了細碎的骨肉化石殘屑。

「這是怎麼回事！」

他連忙拍打身體，企圖撣落那些殘渣，當然也就疏於防備上空，才正感到不對勁之際，已經被鳥爪抓住後衣領，整個人再度懸空。

「好了，你該回家了。」朱鳥用老師的嚴厲口吻說。「大人應該告訴過你，要遵守法規吧？」到了這個地步再抵抗也沒用了，更何況小亘正忙著拼命拍落身上沾的螺絲野狼殘骸。

「這……這個……這個到底是什麼？」

頭頂上傳來回答。「是螺絲野狼的殘渣。」

「那裡怎麼會堆那麼多那種東西？」

「螺絲野狼的肉很好吃，可是腦袋不能吃，而且牠們生性凶殘，所以大爺我們只要一逮到，就把牠們的腦袋往岩石一撞，這樣既可以輕鬆殺死牠們，又能摘掉難吃的腦袋，可說是一舉兩得。」

「你們把螺絲野狼當成食物嗎？」

「對呀，所以這片沙漠是我們的地盤。」

朱鳥說地盤就是這樣決定的，然後不慌不忙地拍動翅膀往上飛，小亘突然覺得力氣用盡，也失去了抵抗的意志力，只能任憑擺佈。

飛了一會兒，進入厚重的雲層，柔軟的雲朵輕輕撫過小亘的臉頰，隱約聞到一股薄荷的香氣。原來雲也有味道啊……，現實世界也是如此嗎？抑或，還是身在幻界的關係呢？

「好了，到囉。」

朱鳥一邊大聲說著，一邊更用力拍動翅膀。小亘快速穿越雲間，被輕輕拋了出去，屁股著地落在雲層上，眼前聳立著銀光閃爍的巨大牆壁，如果剛才沒聽朱鳥說明，他一定無法立刻明白這就是大門。好大，眞的好大，他好像變成一隻小螞蟻，仰望著大飯店的正面玄關。

「這就是要御門。」朱鳥在小亘身旁輕巧地降落。「有沒有看到對開的門扉中央有一道耀眼的白光？那個，就是要御門開放的標記，關閉期是完全看不見那道光的。」

門的形狀和他之前進來的那扇對開大門似乎極爲相像，但他找不到門把。

「你只要一走近，要御門自然會開啓。」

小亘有點遲疑，仰望著朱鳥。朱鳥的大眼睛映著要御門的耀眼光輝，閃閃發亮。

「我非回去不可嗎？」

「你非回去不可。」

「那，我還能再來嗎？我想再來。」

「你不能回到這裡。」朱鳥乾脆地駁回小亘的要求。「不是要御門認可的旅人，就不能再來，因爲你是另一個世界的小孩，是人類的小孩。」

「那麼，怎樣才能成爲被認可的旅人呢？」

「這個嘛，就不關大爺我的事了。」

「那誰知道？是你剛才說的要御門守門人嗎？」

朱鳥張開雙翼，緩緩拍動。「你是想被大爺我踢出去？」

小亘頓覺無力感，有點想哭，朱鳥的眼神炯炯發亮，不過可能是有點同情小亘吧，牠的聲音變得比較柔和：「別難過！等你回到現實世界，望著日昇日落，你就會漸漸淡忘這裡了，因爲從這裡回到現實，不能帶走任何東西，就連回憶、記憶也一樣。」

小亘沮喪地垂著頭，緩緩地走向要御門，朱鳥說的沒錯，要御門彷彿爲他無聲無息地打開了，大門本身似乎變成光源，由於實在太耀眼了，他連頭都抬不起來。即便如此，小亘仍像被那扇打開的門吸引，不由自主地靠近。

「人類的孩子啊，你要多保重。」朱鳥的聲音隱約從遠處傳來。「我是卡魯拉族的嘰嘎，在另一個世界的夜晚，我們或許會在夢裡重逢。」

小亘的眼睛明明睜著卻什麼也看不見，或是因爲看著光？光源的本身、光芒的本身。就連是走是停、前進或後退都分不清楚，彷彿輕飄飄地飄浮著，又好像被水流緩緩地推送著。然後，宛如被耀眼的光芒吞噬，倏地失去意識。

幻界——

要御門。

你在這裡做什麼？

你怎麼會在這裡？

沙漠的熱風和嘰嘎的朱紅色羽毛。

那片蔚藍晴空和綠色草原。

是誰在叫我？小亘，小亘……

有人正在拍我的臉。

我……在哪裡？

睜眼一看，看到魯伯伯的臉。

第八章
現實問題

「小亘！你醒了嗎？小亘！」

魯伯伯弓身護著小亘，手放在他的額頭上，神色緊張，嘴角下垂。

「伯伯……」

小亘低語，伯伯的表情頓時放鬆。「啊，太好了。你認得出我吧？有沒有哪裡會痛？會不會難受？我……我已經……」

「伯伯眞是的……我……沒事啦。」

小亘試著起身，一旁馬上有人輕輕按住他的肩膀。

「你最好不要急著起來，眞的沒有不舒服嗎？」

令人驚訝的，竟然是大松社長。他正嘻嘻笑著。

「大松先生……」

感覺好像有點茫然，自己的聲音聽起來似乎悶在耳中，小亘試著眨眼睛。他正在一個陌生的房間裡，這裡的天花板比三谷家的公寓高出許多，室內燈是正方形的，還鑲著時髦的金邊。

「這裡是我家。」大概是看穿了小亘的表情吧，大松社長主動解釋。「這間是客房，床可能比較硬吧。」

伯伯那張哭臉出現在大松社長旁。「你啊，在那棟大樓昏倒了，你還記得嗎？伯伯講完電話回去一看，發現你已經倒在樓梯下……」

說到這裡他又哭了起來，大松社長笑著拍拍他的肩膀。

「你伯伯好擔心你，擔心到好像快活不下去了。」

「因為……」

伴隨著伯伯的哭聲，大松社長繼續說：「伯伯發現你昏倒，衝出塑膠布正要送你去醫院時，我剛好經過，就把伯伯和你帶來我家了。」

「我當時已經慌了手腳。」魯伯伯一邊搓著人中一邊說。「可是社長說你看起來不像生病，臉色紅潤呼吸也很正常，小孩往往睡得很熟，不如先把你帶回家觀察一下再說。」

「因為在我看來，你分明只是睡得很舒服嘛，也許是做了什麼美夢吧，嘴角還掛著笑咧。」大松社長補充說道。小亘明白了，在前往「幻界」的這段時間，我留在這個世界的身體原來是睡著了啊。

「我沒事了，大松先生對不起，我隨便闖入大樓……」

小亘的話總算讓魯伯伯恢復了大人該有的理智，他臉色凝重地向大松社長鞠躬。

「我真的無話可說，我不該擅自闖入別人的建築物。」

大松社長哈哈大笑。「哪裡，我說過了，關於這點請不用在意。三谷小弟，你伯伯把事情都告訴我了，不管那個人是誰，既然有人潛入那棟大樓嚇唬小孩，那我就不能不管，我今後一定會好好管理，你放心吧。」

社長抬起看似粗壯的手搔著腦袋。「目前爲止，雖然有很多幽靈傳聞，但我沒有當眞，是我想得太單純了，以爲只要三不五時去巡視一下就不會有問題。」

「聽說社長今晚也打算過去巡視的。」魯伯伯一臉羞愧地蜷縮著巨大的身軀。「多虧有社長幫忙。否則我一個人嚇都嚇壞了，根本不知道該怎麼辦。」

大松社長和魯伯伯好像很投緣地說說笑笑，不過小亘還是有點無法理解。魯伯伯是個經驗豐富的救生員，曾經多次救過性命垂危的人，可是一碰上我出事，居然慌了手腳，哪有這種事呢？

「好了小亘，既然你沒事了，那我們就回去吧。」

小亘聽了伯伯的話點點頭。大松社長說要開車送他們回去，但伯伯再三婉拒。

「眞的很近，我們不能再厚臉皮接受您的好意了，實在很不好意思。」

「這樣嗎！不過，你也用不著放在心上。那三谷小弟你就多保重囉，那棟大樓的事，你眞的不用再擔心了。」

對於大松社長的話，小亘嘴裡說好，心情卻很複雜。如果社長眞的嚴格監控那棟大樓，那他就很難再接近要御門，這樣子會非常不方便。

（到了這個地步，我得趕快去找芦川。）

一定要見到他，跟他說清楚。我不會再逃避了，也不容許那傢伙這樣做，既然都在要御門前碰到他，情況就跟之前完全不同了，縱使被嘲笑，我也絕不再退縮。

芦川眞的是「旅人」嗎？果眞如此，爲什麼他能成爲旅人？他是怎麼獲得要御門守門人的認可？最重要的是，芦川成爲「旅人」，往來於幻界和現實世界之間，到底在做什麼？他有太多疑問需要解答。

一離開大松家走在夜路上，魯伯伯就牽起小亘的手，這樣很孩子氣，小亘有點尷尬。

「伯伯眞是的，我已經沒事了，所以用不著牽什麼手啦。」

魯伯伯一臉苦惱地俯視著小亘，雙眼似乎還殘留著淚痕。

小亘想起自己還沒好好向伯伯道歉，這次眞的讓伯伯太操心了。

「伯伯對不起，我太睏了，不是身體不舒服。大松先生說的沒錯，我只是睏了，不知不覺就睡著了，結果睡得太熟了。」

魯伯伯點點頭。「嗯，是啊，是伯伯太緊張了。」

說著說著，伯伯走在前面，小亘發覺不太對勁，伯伯正朝著三谷家公寓的反方向走去。

「伯伯，走錯啦，我家不在那一頭。」

伯伯被他這麼一喊，停下腳步，背對著他低著頭。

「這是因爲……不，沒事，走這邊沒錯。」

「爲什麼？」

「你今晚要跟伯伯睡在飯店，我們到馬路上攔計程車吧。」

小亘追上伯伯仰臉看著他。伯伯的表情很奇怪，即使路上只有路燈也看得很清楚，可是伯伯卻用格外開朗的聲音說：「那通電話是你爸打來的。」

就是他們在幽靈大樓時，伯伯用手機接聽的那通電話。

「你爸叫我今晚照顧你。」

小亘腦中浮現一個單純的疑問，脫口而出：「可是，明天又不是假日，我還要上學耶。」

「早點起床，伯伯會送你回來。」

「可是，也沒帶換洗衣物……」

小亘低頭看著自己的襯衫和褲子，想起了剛才忘得精光的經歷。螺絲野狼！那些傢伙的屍骸沾得我滿身都是，現在該不會還留著吧？

「伯伯，我會不會臭臭的？有沒有怪味？」

伯伯默然地看著小亘猛拍襯衫和褲子，小亘滿腦子只想著自己的遭遇，在大致檢查過一遍，確認自己身上沒沾到任何東西之前，根本沒發覺伯伯的樣子怪怪的……

「伯伯？」

回過神來時，才發現伯伯用一隻手摀著臉。

「伯伯你怎麼了，這次換你不舒服了嗎？」

魯伯伯從摀著臉的指縫間擠出聲音，「啊，眞討厭。我最討厭這種事了。」

「……？」

「我沒辦法騙你，伯伯不想扮演這種角色。」

「伯伯……」

伯伯猛然仰著臉，突然抓住小亘的手，然後粗魯地一扯，把他拖往三谷家的方向走去。

「走吧，小亘。你有權回你家，也有權問清楚，至少伯伯這麼認爲。」

「咦？等……等一下啦，伯伯。」

「沒事，跟我走就對了。回家吧。」

小亘被伯伯拽著走，伯伯走路的速度快得嚇人，小亘幾乎是用跑的才勉強跟上。

可是伯伯一走到正面玄關卻突然放慢腳步，明顯地露出猶豫的表情，似乎好不容易才下定決心走向電梯，快步進入，在電梯抵達三谷家那一層樓之後，又開始猶豫了。感覺上，伯伯好像正在和小亘看不見的怪物搏鬥，一邊擊退怪物一邊前進。

小亘開始害怕，突然不想回家了，某種預感湧上心頭。剛才伯伯說要在飯店過夜時，早知道就不要拖拖拉拉地扯什麼明天要上學和換洗衣物，應該乖乖答應。

伯伯按下三谷家的門鈴，寧靜的公共走廊上響起了高亢的門鈴聲，小亘瞄了一眼手錶，已經過了午夜十二點。

一陣穿著拖鞋的腳步聲朝門口逼近，喀嚓一聲，門開了，門上仍掛著鎖鏈，從門縫間露出三谷明的臉，小亘愣了一下，爸爸的臉色鐵青，異常疲憊，甚至看起來好像突然變老了。

「大哥……」明低語著，旋即發現小亘也在一旁，嘴唇頓時抿緊。

「太好了，幸好趕上了，你還在啊！」伯伯低聲說。「我把小亘帶回來了，讓我們進去吧。」明先關上門，喀嚓喀嚓笨拙地解開鎖鏈後，默默地讓他們進屋，然後一個轉身又朝客廳走去，小亘看不到爸爸臉上的表情。

客廳的燈還亮著，但廚房和洗手間一片漆黑，沒看到邦子，爸媽臥室的房門關得緊緊的。

「媽睡了嗎？」

小亘問，明卻沒回答。這時，小亘才發現爸爸雖然拿掉了領帶，身上卻仍然穿著西裝。
「爸，你很晚才回來喔？」
桌上空無一物，碗盤都洗好了。明沒有回答，只從西裝內袋取出香菸點燃。
一直默默站在小亘身後的魯伯伯發出冷冷的聲音問：「邦子呢？」
明簡短地回答：「睡了。」
情況不對勁，一切都不對勁，簡直像是媽媽生病了，又好像有誰死掉了。
「小亘。」明喊著小亘。「你過來一下，坐著。」
說著，明也在沙發坐下，他把還很長的香菸往菸灰缸一塞，胡亂摁熄，這不像是爸爸會做的動作。
「阿明！」魯伯伯的聲音語帶威脅。「小亘已經回來了，難道你還是……」
明冷靜地打斷哥哥的話。「大哥你別說話。」
「可是……」
「是你逼我這樣做的，我也沒辦法。」
小亘走近沙發坐下，膝蓋抖個不停。雖然剛才……在幻界被一群螺絲野狼攻擊時才經歷過那麼可怕的滋味，可是現在他更害怕。
魯伯伯站在小亘身後，不發一語。
「我本來不想讓你知道。」明說道，聲音微微顫抖。「我希望事後再由你媽告訴你，所以我才請伯伯照顧你一晚。」

魯伯伯立刻說：「可是這樣太不公平了，也要跟這孩子解釋……」

明猛然抬起下巴看著哥哥，微微笑了。「就是因爲這種事沒辦法跟小孩子當面解釋，我才會拜託大哥呀。」

魯伯伯頓時啞口無言。

「小亘，你聽好。」明看著小亘的臉，小亘也回看著爸爸。他覺得在心中某個角落，有一種預感正小聲地吶喊著，我不想聽，什麼都別告訴我。

三谷明緩緩地說：「爸爸要離開這個家。」

要離開這個家。

「我要和你媽離婚，爸爸說的意思你懂吧？」

要離婚。

「對你媽跟你，我眞的覺得很抱歉。可是，爸爸已經下定決心了，這是爸爸再三考慮之後才做的決定，所以我打算堅持到底。」

覺得很抱歉。

「關於這件事，我也是今晚才跟你媽講的，我們談了很久，你媽非常震驚……，好像打擊很大。」

小亘張嘴，本以爲可以正常說話，卻只發出微弱得嚇人的聲音。「媽睡了嗎？」

「也許吧，我剛才去看她時，她正在睡覺。」明回答。「從今以後，大概還要跟你媽討論很多次吧，關於這個家的事情……，像是你跟你媽今後的生活等細節，還有很多事情必須決定。」

小亘慢吞吞地眨眼，眨了一次又一次，眼中的景象依然不變，沒有變換頻道，這不是錯覺也不是做夢，是現實，我現在不在幻界。

可是，爸爸宣告要離家的身影，看起來比幻界沙漠的螺絲野狼還要超現實。

現在非問不可的事、有權過問的事，照理說應該堆積如山，可是小亘無法掌握，就像沙漠的沙子從指縫滑落，所有的思緒都漏光了，好像心底破了一個大洞。

終於，小亘問：「爸，你以後要去哪裡？」

「等我安頓好了再通知你，我的手機會開著，你可以跟我聯絡。」

明說完這些就站了起來，小亘呆然地仰望著父親，這樣就說完了嗎？就到此爲止了嗎？

明彎下腰，從沙發後面拉出什麼。

是一個旅行用的波士頓包，爸爸每次出差都會用的、早已看慣的包包。可是他第一次看到這個包包塞得這麼滿、擠得鼓鼓的。

「阿明……」魯伯伯啞著聲音叫喚。「你沒別的話要說了嗎？難道你沒話跟小亘說？這樣就算了嗎？」

明看著哥哥而非兒子的眼睛回答。「對於小亘，不管說什麼都會變成藉口。」

「就算這樣……」

「哥你是不會懂的。」

魯伯伯頓時臉色發青，嘴角顫抖。

明拎起波士頓包，小亘不自覺地看著那幅景象，看著爸爸提著握把的那隻手，看著爸爸朝玄關走去的腳尖。

「大哥，小亘拜託你了。」明說。他的聲音已經不再顫抖。

「我可沒答應你的要求。」魯伯伯頑固地別開視線斷然表示。「哪有這麼自私的，我才不會答應你的請求。」

三谷明靜靜地看著小亘，用同樣平靜的語氣說：「小亘，你媽就拜託你了。」然後邁步走出。拖鞋發出聲音，啪答啪答、啪答啪答。

我爲什麼沒有阻止爸爸？小亘茫然地思索著。我爲什麼沒有跑過去抱住他？我爲什麼沒有哭著叫他別走？

因爲他知道縱使那樣做也沒有用，每次都是這樣，爸爸是個堅守決定的人。在三谷家，爸爸決定的事就是聖旨，爸爸做出的結論就是判決，即使再怎麼哭鬧也推翻不了。小亘已習慣這種教育，任性撒嬌是沒用的。

任性撒嬌？可是，這算是任性撒嬌嗎？

小亘從沙發站起來衝向玄關，明正背對著他在穿鞋。

「爸！」

小亘的聲音讓明的身體一顫。

「爸，你要拋棄媽跟我？」

一瞬間，明的動作停止了，握著鞋拔的手好像變蒼白了。可是，他立刻又恢復穿鞋動作，把鞋拔往旁邊的拖鞋架上一放，依舊背對著小亘說：「就算跟你媽離婚了，我還是小亘的爸爸，不管在哪裡，永遠也改變不了我是你爸這個事實。」

「可是你要拋棄我們了吧？」

小亘說。爲什麼只能發出這麼窩囊的聲音呢？爲什麼不能大聲一點？要怎樣才能擠出更有說服力的話？

「你要拋棄我們了吧？」

三谷明開門。

「對不起，小亘。」

然後，他走了。

小亘呆立在原地，眼看著門關上了。他茫然地張嘴，雙眼乾澀，感覺下腹部隱隱作痛，就像憋尿的時候一樣。

魯伯伯默默走近，從背後把雙手放在小亘肩上。

「對不起。」

魯伯伯的聲音在哭。

「還是……，不該帶你回來的，早知道就讓你跟伯伯一起待在飯店，伯伯錯了，對不起、對不起。」

我還在睡覺。小亘如此想，這是夢中發生的情節，我還在幽靈大樓，在那座沒蓋好的樓梯下，癱坐在水泥屑和塵埃上，倚著扶手睡覺，伯伯發現後連忙把我帶出去，這時正好大松社長出現，伯伯正要把我帶去大松先生家。

我正在睡覺。等我醒來時，一切應該都會恢復原狀。小亘在心中，像唸咒般不停地複誦這句話，打倒怪物的咒語，趕走怪物的咒語，讓怪物消失的咒語。

不，不對，咒語根本不管用，因爲我沒有在睡覺，這是現實，是眼前正在發生的事。

一陣痛楚從心底湧起，那個魔導士曾經唸過讓時間倒轉的咒語，那是什麼咒語來著的，要是還記得就好了，現在正派得上用場。

「伯伯。」

小亘的背部感受著魯伯伯的體溫，小聲問道：「伯伯知道了吧?爸爸今晚要走的事，你早就知道了?」

伯伯好像要調整呼吸，喘氣之後才回答：「接到那通電話之前，我也不知道。」

「那伯伯也嚇了一跳囉。」

所以伯伯光看到我睡著就慌成那個樣子。

「太過分了。」伯伯低聲說。「哪有這種事，這要叫你怎麼辦。」

小亘默然轉身抱住伯伯，用盡全力抱緊，放聲大哭。

雖然如此混亂、疲憊、傷心，黎明依舊來臨，小亘被照在臉上的陽光刺痛眼睛，醒了過來。

他跟伯伯躺在客廳睡著了，魯伯伯龐大的身軀睡不下沙發，乾脆躺在地上。小亘在長沙發的角落像要避難似地縮成一小團，以至於一站起來全身的骨頭都在響。

窗外晴空萬里，梅雨季已經結束了嗎?昨天並沒有下雨，但是今天的天空特別不一樣，沒有半朵雲。

一看時鐘，已經快八點了，伯伯背對著陽光仍在熟睡。小亘依稀記得他們好像是幾個小時以前睡著的，如果不勉強叫醒他，伯伯一定還會繼續睡吧。

爸媽的臥室也毫無動靜，媽不知道怎樣了，是還在睡呢，還是裝睡，抑或只是不想起來。不管哪一種，總之邦子還不知道小亘昨晚就回來了。

有那麼一會兒工夫，他有股衝動想去喊媽媽，但最後還是打消念頭。今天早上他不想跟任何人說話，甚至不願被任何人看到，就這樣悄悄地憋著，直接去上學吧，再不快點就要遲到了。

洗臉、刷牙、梳頭、把皺巴巴的衣服換掉，正把一疊課本和筆記本塞進書包時，他忽然心生一念，其實不去上學也無所謂，縱使跑去別的地方，就這樣不回來也沒關係。

幻界——再去那裡，忘記一切該有多好。

不不不，不行，到時候肯定又會被卡魯拉族趕回來，這樣還算是幸運的，弄不好還會淪爲螺絲野狼的大餐。

對小孩子來說，到頭來只有學校可去，在失去家庭之後。

上學的路隊早就走掉了，沒趕上集合時間的學生，照規矩被放鴿子也是活該。小亘獨自走到學校，才看到校舍，上課前五分鐘的預備鐘就響了，他拔腳就跑，衝向正門。這麼做好像跟昨天一樣，他只是睡過頭來不及吃早餐，彷彿什麼也沒發生。

令他不敢相信的是，教室裡依然正常上課，級任老師甚至比平常還要高興，還說什麼「梅雨季終於要結束眞是舒服多了」。

縱使三谷家分崩離析，這個社會依然不會改變，世界本來就是如此。

不久之前，有一本叫什麼某某預言的書曾經引起話題，電視節目也報導過。那是根據超古文明遺跡中發現的石版文字在解讀之後所得到的預言，據說上面寫著人類將會在西元二〇二四年滅亡。上那個節目的來賓當中，有一位小亘很喜歡的金字塔專家表示，這種預言或古文明的相關話題當成故事聽聽來解悶是很好，但是不能認眞相信，這令節目主持人頗爲尷尬。他還說，這個世界將來是否會在某時某地滅亡，和這個預言成眞與否根本是層次不同的兩碼子事，他的說法非常合理，小亘便安心地關掉電視，逕自洗澡呼呼大睡。

即便如此，個人終究會滅亡，這個道理簡單得令人發笑，可是世界還是會繼續，至少目前是如此。

第一堂課上完之後，小亘被級任老師叫去。

「三谷同學，剛才你媽打電話來，問你有沒有乖乖上學，我跟她說你已經在教室啦……」老師訝異地眯起眼睛說道。

小亘回答：「我媽感冒了在睡覺，所以早上我趁我媽還在睡時出門，並沒有叫醒她。」

「啊，這樣。難怪你媽會擔心，不過你眞了不起，小小年紀這麼能幹，放學以後要趕快回家，讓你媽放心。」

好我知道了，小亘如此回答，然後回座。那天接下來的課對他來說，就像在傾聽著風聲呼嘯吹過三谷亘滅亡的世界。

過了中午，走出校門時已經熱得令人冒汗。小亘一邊晃著書包一邊走著走著，後方突然傳來刺耳的喊叫聲，震得他耳朵嗡嗡作響。

「喂，我在叫你啦，搞什麼，裝什麼假正經啊？還沒睡醒嗎？」

是阿克。小亘有點茫然，好久不見了，彷彿已經睽違了十幾二十年。

「奇怪，你今天怎麼一直發呆，是不是已經拿到『復活邪神III』體驗版了？」

「沒，不是啦。」

「哼，我還以為是這樣咧。對了，吃完中飯要不要來我家？我爸打柏青哥贏了獎品，也不知道為什麼換了一個足球電玩遊戲回來，這玩意兒超容易上癮的，要玩嗎？」

小亘默然，定定地看著阿克那張開朗的臉孔，想說些什麼卻又毫無頭緒，只覺得好羡慕阿克，好想像阿克一樣。

「你幹嘛，幹嘛一直盯著我？我臉上沾了什麼嗎？」

「不是。」小亘搖頭。「我今天不能玩，抱歉。」

阿克似乎也察覺有點不對勁，平常總是滴溜溜轉個不停的眼睛有點發直。

「三谷……你怎麼了？」

「沒什麼。謝謝。」

「你感冒了嗎？還是拉肚子？」

「我好得很。」

阿克湊近仔細打量著小亘的臉。「可是你怪怪的。」

「我一點也不怪。」

小亘淺淺一笑，阿克稍微縮回身子。

「那好吧，我回去了。」

「嗯。」

「嗯……呃，如果有什麼事，打電話給我。」

「嗯。」

「我會一直在家裡。」

「嗯，我知道。」

「那我走囉。」

阿克回顧再三才遲疑離去，小亘等到看不見他的身影，才邁步往前走，許多同路的低年級學生和同學們陸續追過小亘，即便如此他依然走得很慢很慢，回過神才發現，又跟今早一樣只剩下自己一個人了。

走到大松先生的那棟幽靈大樓前，小亘駐足，大樓的模樣毫無變化，只有塑膠布反射著陽光漠然發亮，雖然社長說要設法解決，不過今天看來還是毫無動靜。

他又想起了幻界。奇妙的是，比起早上的印象已經淡薄多了，那隻巨大的朱鳥……，叫什麼名字來著？腦海中浮現的如同褪色的照片，似乎逐漸失去了鮮明色彩，這是爲什麼？

「三谷。」

有人喊他，小亘回過神來，是誰？

是芦川美鶴。他倚在三橋神社的鳥居柱子上，一直看著小亘的臉。

芦川比個手勢叫小亘跟上來，旋即走入三橋神社境內。昨天發生的事雖然讓小亘身心俱疲，但這一瞬間……

（你在這裡做什麼？）

那扇門前面的景象宛如電影清晰重現，小亘就像當時追趕芦川般一口氣衝上去。

即使小亘追了上來，芦川依然頭也不回，他心事重重地收緊下顎，鼻樑挺直的線條看起來更鮮明了。「坐吧。」芦川指著境內的一張長椅簡短地說道，小亘聽命行事。那是以前在這遇到芦川時，芦川坐的位置。

小亘坐下來才發現神社裡面跟他原本熟悉的三橋神社截然不同，每次經過鳥居前面或橫越神社境內時，從不曾看過這樣的景色，感覺好像特別遼闊靜謐，四周充滿了盎然綠意，就連神社古老的屋瓦破損後用石灰修補過的地方，都別有一番逸趣，平常看到這片屋瓦只是覺得很寒酸而已。

他有一種錯覺，彷彿來到遙遠土地的某個陌生場所。

「景色不錯吧？」芦川杵在小亘的斜前方雙臂交抱地說道。「這裡是神域。」

「神域？」

小亘這麼一反問，芦川看似無趣地回答：「就是神的御居之所。」

芦川回答得很嚴肅，表情也很嚴肅，就連這座神社偶爾才能撞見一次的神主恐怕也不曾露出如此令人敬畏的表情吧。這裡的神主是個身材矮小總是笑咪咪的老爺爺，學校的低年級學生放學時，他還會站在不遠處的斑馬線拿著黃旗指揮交通。「御居之所」這種字眼大概是「待在這裡」比較複雜的說法，不過神主一定不會這樣咬文嚼字吧。

芦川看著社務所那邊，沉默不語好像在生氣，小亘正覺得尷尬之際，芦川終於開口了。

「你去過了吧？」

問得毫不客氣。

「去哪裡？」小亘問。他當然是故意問的，他清楚得很，他是問那個……，那個地方的事……

呃，那裡叫什麼來著的？

小亘竟然想不起來，他大吃一驚，剛才明明還記得的。

芦川轉身，終於正面看著小亘。

「你去過幻界了吧？就是門的另一頭，你知道的。」

小亘張嘴。幻界？所謂的幻界，就是那個、那個……，對，沙漠，好像有什麼可怕的怪獸攻擊他，可是那不是在做夢嗎？

芦川一直盯著小亘，朝他走近一步，芦川的瞳孔縮小、兩手彷彿冷得發僵。

「我……去了隔壁的幽靈大樓。」小亘結結巴巴地說。「跟我伯伯一起去的。」

「我們不就是在那遇到的嗎？」芦川確認似地問道。「那不是昨天才發生的事嗎？」

「是沒錯啦……」

芦川別開臉，不屑地說：「真是不乾不脆的傢伙。」小亘想，爲什麼每次碰到這傢伙都得被他當成傻瓜呢？可是心中的一隅卻傳來低語，這件事之所以會雞同鴨講，都是我自己造成的。這是小亘心中的小小亘正在手舞足蹈地試圖引起小亘的注意，可是這樣的感覺卻在過程中逐漸減弱。然後最後終於消失無形。好小好小的小亘，在瀕臨消失之際，還在努力大聲說……

「望著日昇日落，就會逐漸忘記這個世界的事。」

同樣的話也從小亘嘴裡冒出，可是那不是小亘的聲音，聽起來更低沉更有威嚴，隱含著宣告的意味。原本把臉別向一旁的芦川頓時回過頭瞠目以對，小亘自己也好不到哪去，突然冒出來的怪聲音令他很狼狽，連忙像女生一樣用手摀著嘴。

「我懂了……」芦川嘴角露出笑意。「你被卡魯拉族抓到了吧？」

小亘依然摀著嘴，朝著芦川翻白眼。這位美少年心情大好，幾乎當場跳起舞來。

「魔導士果然沒騙人。對喔，你沒有資格，所以回到這裡以後再過一天，幻界的記憶就會全部消失了。」

芦川笑道。小亘如墜入五里霧中摸不著頭緒，可是芦川卻繼續自言自語。

「回來以後，記憶不會立刻消失，因爲這樣就會出現一段空白。不過，殘留一天的記憶，倘若是小孩子，別人一定會說是在做夢；如果是大人，頂多被說成在嗑藥。」

對喔對喔，芦川說著猛拍手，仰天而笑。小亘頻頻眨眼看著他，這傢伙是不是有毛病啊？眞令人火大。

「找我有什麼事？」小亘問。「又想把我當白痴耍嗎？」

芦川吃吃地笑著，又交抱起雙臂，頻頻搖頭。「本來就沒人把你當白痴耍。」

「你明明有。」

「哪時候？」

「就是上次，我跟你說靈異照片的時候。」

「喔，那個啊。」芦川點頭。「那是因爲你自己說話語無倫次。之前我聽宮原說過你並不笨，可是實際一聊才發現你太幼稚了，所以我才覺得好笑。」

不過，宮原當然也很幼稚啦！他又毫不在乎地補上一句。

這令小亘很氣憤，不由得從長椅站起。

「宮原是個好人耶！」

芦川又露出笑容。「我又沒說他是壞人。」

「你剛才明明說他幼稚！」

「因爲這是事實，更何況幼稚並不是壞事，不然幼稚園裡的小孩豈不都很邪惡。」

「你這種說法……，根本是強詞奪理。」

「喔！三谷，原來你爹地媽咪都是這樣罵你啊。」

爹地媽咪這種說法，不知爲什麼聽起來好像有點諷刺，就算沒這個意思，對於現在的小亘來說，本來就是他最不想聽到的名詞了，這種諷刺的語氣更令他感到不是滋味。

「我爸我媽礙著你了嗎？」

小亘撲向芦川。他掄起拳頭打算用盡全力狠揍芦川一頓，卻輕易撲了個空，結果整個人跌倒了。

芦川腳上的運動鞋就在他跟前，距離這麼近仔細一看，原來是一雙很破舊的鞋子。他的腦中頓時閃過一個疑問，這傢伙怎麼會穿這麼破舊的鞋子？虧他還有心情想到這個。

肚子受到猛烈撞擊，小亘無法立刻站起來，他勉強扭頭仰望芦川，對方已經收起笑容。

「你很煩，不要再纏著我。」芦川又恢復當初毫不客氣的口吻說道。「我可沒有閒工夫陪你這種幸福的小孩。」

幸福的小孩？誰？

如果沒有這句話，如果這句話沒竄進耳朵，小亘大概什麼都不會說，芦川不是他的好友，不像阿克那樣的死黨，也不是宮原那種直爽的好人。要我跟這種傢伙吐露心事，我死都不幹。

可是他不能不說。小亘仰起沾滿塵土的臉忿忿地說：「這句話該我說才對。我可沒那麼無憂無慮，還要陪你這種幸福的小孩。」

芦川故意睜大了雙眼。「喔！我還以爲你要說什麼咧。」

「少囉唆！」小亘雙手撐著地面，勉強爬起來一屁股坐下，嘴角大概破了，有點刺痛。「你自以爲了不起地說大話，其實根本什麼都不懂，像你這種人……像你這種人怎麼可能懂。我爸，昨晚離家了，所以我……所以我……根本不是……無憂無慮的……小孩……」

累積的疲憊和挫敗感令小亘哽咽。

芦川的語氣絲毫不變。「離家？意思是說要跟你媽離婚？」

「對呀，不然還有別的意思嗎？」

「那又怎樣。」

小亘還癱坐在地上，芦川俯視著他。因爲他還癱坐著，這句話給了他當頭棒喝的衝擊。

「你……」

「我是在問你那又怎樣，也不過是離婚。」

眞不敢相信。

「我媽跟我……被拋棄了。」

「所以呢？爲了趕快被別人撿去，這樣哭哭啼啼就比較管用嗎？不過，就策略來說或許這招確實有效吧。」

他無話可說。

「這種程度的策略比較適合你跟你媽。」芦川不當一回事地繼續說。「這樣比較能贏得社會的同情嘛，嗯，肯定效果十足，博取到的同情多得連壁櫥都塞不下。不過，我可不會給你半點同情喔。」

小亘呆然，腦中一片空白，無法做任何反擊。

芦川看了小亘一眼，頓時又別開視線，睨視著地面說：「別再接近隔壁大樓了。聽你剛才說的，現在應該沒空管這個吧，管好你自己的事就行了，我就住在這附近，如果你在這打轉我立刻就會發現，聽懂沒？」

芦川離去後，小亘還在境內呆坐了好一陣子，感覺肩上好像有什麼東西壓著讓他無法起身，或許是驚人的垃圾、整個世界瓦解後的殘骸。世界雖大，一旦瓦解了，也得有人收拾善後。我得去叫工業廢棄物處理公司派卡車來。可是，他們一定不會理我。

「小弟，小弟。」

一個老爺爺的聲音在呼喚他。小亘漫不經心地一看，原來是神主。神主正逐漸走近，那身打扮跟新年參拜時看到的一樣，白色和服配淺綠色罩裙，頭髮也是白的。

「你怎麼了？跌倒了嗎？」

小亘全身都是塵土。

「你看你都流血了，才剛放學吧？是不是跟誰打架了？」

神主走到小亘身邊蹲下，親切地對他說：「就你一個人嗎？呃……三谷，三谷同學啊？」神主唸出小亘的名牌。

「爺爺。」小亘說。

「什麼事？」

「這裡，是神社吧？」

「對，沒錯。」

「神社是神明待的地方吧？」

「對呀。」

「爺爺你有在拜神吧？」

「拜呀，還要祭祀呢。」

「神接受祭拜後會做什麼？」

這個問題的答案顯而易見，可是神主湊近小亘的臉，彷彿不知道他幹嘛這麼問。

「三谷小弟，你爲什麼想知道這種事呢？」

「我只是突然很想知道。」小亘毫不客氣地說道。「因爲神實在太笨太懶了。」

神主驚愕之餘陷入沉默。小亘站起來，膝蓋雖痛，不過這種小事已經無所謂了。

「沒做壞事的人之所以會不幸，都是因爲神太笨太懶了，對吧？拜這種神，爺爺不覺得很無聊嗎？」

小亘抓起書包拔腿就跑，三橋神社的神主一臉擔心地目送著那小小的背影，可是小亘沒有回頭，所以沒發現。

回到家，邦子在，一看到小亘就哭了出來。這是現實不是做夢，不會醒來也不會消失，看到媽媽的眼淚，就像最後一擊、最後的聲明，更令他確定了這一點。小亘已經不哭了，他變成了石頭，一個形狀像小孩的石頭。

第九章 戰車出現

到了星期天，千葉的奶奶上東京來了。

奶奶沒按門鈴，直接咚咚咚地敲門，聲音大得讓小亘他們嚇一跳，就連左鄰右舍也都探出腦袋，小亘連忙開門，只見奶奶兩手拎著大包袱，原來她是用腳踢門。

「啊，小亘！」奶奶大聲說。「對不起喔小亘，你爸做出這種傻事，你也嚇一跳吧？現在奶奶來了，一切都沒事了，你什麼都不用擔心。邦子在嗎？」

說著，人已經快步進屋了，看到邦子一露臉，這次又嚷著：「啊，邦子！」

「到底是怎麼搞的？我差點沒被嚇死，阿明這笨蛋在哪裡？我要掐著他的脖子把他抓回來，妳快告訴我他在哪裡。」

「媽……」邦子低語，雙肩無力下垂，雖然不至於高興，不過看起來還滿感動的。「對不起讓您擔心了。」她趕緊上前接過婆婆的大包袱。小亘發覺奶奶滿臉通紅，太陽穴的青筋暴露，看來她是氣到了最高點。

「眞是的，我還以爲阿明已經過了做傻事的年紀，沒想到還闖出這種禍。現在我總算明白了，這兩個兒子算是白養了，一個年過四十還沒成家遊戲人間，另一個是無藥可救的花痴！」

「呃，媽。」

邦子顧忌著小亘，做出拜託的手勢，奶奶瞪圓了眼睛看著小亘的臉，然後大聲說：「哎喲，對喔！」

「這可不是小孩想聽的事，不過邦子，我啊……」

「我知道了媽。小亘，你去麥當勞吃早餐吧，可以找小村一起去。」

小亘領了千圓鈔票就被趕出家門，儘管不清楚狀況，但覺得好像房子被龍捲風吹壞了，還不知道該從何收拾，又被坦克車夷爲平地。

一走下公寓外面的樓梯，就看到魯伯伯從停車場那邊跑過來，小亘從樓梯轉角喊他，伯伯停下來一邊喘氣一邊揮手。

「我們是一起開車來的，可是你奶奶趁我還在找停車位就自己先下車，一溜煙跑掉了。」

小亘和伯伯走到公寓附設的小中庭，在唯一的一張長椅上併肩坐下，伯伯滿身大汗，臉色也不太好。

「昨天你去上學以後，伯伯回家了一趟。我跟你奶奶一說，你奶奶就堅持要立刻趕來東京，可是店裡還要做生意，所以連忙找人幫忙看店，今早趁天還沒亮就趕來了。」

「伯伯，你看起來好累。」

「會嗎？你的臉色也很糟。」

魯伯伯用大手帕擦擦臉，呼地吐出一口氣，總算冷靜下來。

「你還好嗎？」

「不知道。」

「我想也是……，的確太荒唐了，已經不是好不好的問題了。」

「唉伯伯。」小亘仰望著伯伯的臉。「剛剛奶奶說爸爸是『花痴』耶。」

魯伯伯忿忿不平地咋舌。

「那個臭老太婆，幹嘛多嘴。」

「爸爸是跑去別的女人那裡嗎？」

伯伯把手帕胡亂揉成一團，然後又擦擦鼻下。「這種事你懂嗎？」

「好像可以理解。」

「眞的假的。」

「想成是連續劇就好了。」

「嗯……，原來還有這招。不過，電視上的確成天演的都是這種戲碼。」

伯伯交抱起粗壯的手臂，小亘也有樣學樣。

「後來，你跟媽媽說了什麼？媽媽是怎麼說的？」

「她說跟爸吵架了，爸爲了冷靜思考，所以要暫時離家生活。」

媽媽還說等他們和好了以後爸爸就會回來，所以不用擔心。

「媽媽都沒有提到離婚這個字眼啊……」

「嗯，完全沒說。」

「那你星期五晚上跟伯伯一起回來，跟爸爸當面談的事，你沒告訴你媽媽？」

「我說了……可是我沒說爸用了離婚這個字眼。」

他說不出口。

「要是說了，我怕媽會很失望。」

「爲什麼？」

「因爲……，爸會當面跟我說清楚，那就表示爸不可能回心轉意。可是，媽一定不會這麼想。」

魯伯伯點點頭。「因爲她只跟你說是吵架嘛。」

這也難怪，實在太突然了嘛，伯伯哼哼地唸著，猛抓那頭亂髮。「阿明這傢伙，從以前就是這樣，什麼事都自己一個人想，只肯說出結論。我也曾爲此跟他吵過很多次，無論什麼重要的事他都自己決定。」

魯伯伯跟小亘說話難得用「我」來自稱。這點不只是伯伯，媽媽跟小亘說話時也不太會說什麼「我」，主詞總是「媽媽」；爸爸也一樣，不只是自稱，爸媽稱呼彼此時也一樣。所以小亘一直隱約覺得，長大以後大家大概都是這樣，老師也是，主詞永遠是「老師」。

長大以後，肩負的責任和扮演的角色也會變得更重大，所以不能再隨便說什麼「我」。正因爲如此，長大才麻煩，還是當小孩比較自由比較好。

「關於剛才的問題，」魯伯伯一邊窺看著小亘的臉色一邊問。「如果爸爸喜歡別的女人，你會怎麼辦？」

「不是如果，是眞的吧，所以奶奶才會那麼生氣。」

「嗯……」

「不曉得爸是不是想跟那個人結婚。」

魯伯伯突然變得氣呼呼的：「開什麼玩笑，他都已經結婚了。」

「伯伯爲什麼不結婚？」

魯伯伯瞪大了眼。「現在不是談這個問題的時候吧！」

可是對小亘來說，這是很重要的問題，也是現在最想問的，什麼是結婚？大人爲什麼要結婚？都已經結婚了，爲什麼還想再結一次？什麼情況才會想重新來過？

也許是察覺到小亘的認眞吧，魯伯伯考慮了一會兒，看似尷尬地呑呑吐吐回答：「基本上，伯伯就沒有女人緣。」

「不會吧，比伯伯更沒有女人緣的人還不是都結婚了。」

伯伯苦笑。「你這小子，還蠻會抓大人的語病嘛。」他咕噥著補上一句：「跟阿明一樣，特別聰明。」然後又拼命抓頭髮。「伯伯大概……，膽小吧。」

「膽小？意思是說會害怕？」

「嗯，沒錯。」

「誰說的！伯伯明明很勇敢。你當救生員，不也被表揚過很多次。」

「這跟那是兩回事，完全不同。」

然後，他輕拍小亘的頭。

「伯伯啊，該怎麼說呢，如果結了婚，遲早會發生這種事，伯伯就是怕這樣，所以才不能結婚。」

「什麼是『這種事』？」

「就是現在這種狀態。」他稍微攤開雙手。「你應該懂吧。」

「就是喜歡上別人？」

「嗯……，不過小亘，婚姻出問題不單是這個原因，所以你爸媽也不只是因爲這樣才出問題。」

「眞的嗎……」

小亘把自從爸爸離家後一直梗在心中某個角落的疑問說出口：「所以，你覺得我也有錯嗎？」

魯伯伯頓時渾身僵硬。

「是因爲我不夠乖，所以爸才討厭我嗎？」

伯伯這次開始用兩手猛抓頭髮。「啊，我怎麼會這麼笨，簡直是自掘墳墓嘛！老是說出不該說的話，眞是豬頭。」

他的聲音好像快哭了。

「伯伯……」

「你根本沒錯，你沒有做錯任何事，錯的是你爸，是他提出那種自私的要求，擅自離家。基本上，他那種離家方式太卑鄙了，趁你不在的時候，把東西收一收就想落跑。」

如果不是我的錯，那就是爸爸有錯太卑鄙了；如果我跟爸爸都沒錯，那就是媽媽有錯囉；如果我跟爸媽都沒錯，那錯的就是……，錯的是……

「可惡！到底是什麼樣的女人。」伯伯用無處洩恨的語氣恨恨地說：「眞想看看她長得什麼德性，狠狠揍她一拳。」

錯的一定是那個女人吧。
正當他們併肩呆坐之際，奶奶從電梯間那邊跑了過來，媽媽則是緊追在後。
「媽，媽，等一下！」
媽媽邊跑邊拼命喊叫，奶奶絲毫沒有停下來的意思，她的體型本來就是圓滾滾的，這下子更像是滾雪球般一路狂奔再狂奔。
「阿悟！還愣在這裡幹什麼？快去開車！我要出發了。」
魯伯伯從長椅站起起。「出發？媽要去哪裡？」
「這還用說，當然是阿明那裡，我要潑他一頭冷水把他帶回來！」
「光會說這種狠話，根本不能解決問題，我們應該好好商量。」
奶奶口沫四濺地怒吼：「說那什麼傻話！這種追著年輕女人跑，連老婆小孩都不要的笨兒子，我才不要跟他商量！」
「媽！」邦子在小亘面前蹲下。「這樣鄰居都會聽見，請妳別這樣。」
奶奶這下子更火大了。「聽見了又怎樣，虧妳現在還有心情擔心這個。邦子妳就是每次都這樣，到這種地步還管什麼面子。妳啊，有沒有搞清楚自己現在的立場啊，老公會被不曉得哪來的野女人勾引，基本上就是因爲妳太疏忽了！」
「老媽！」魯伯伯怒吼。小亘似乎覺得眼冒金星。緊追著野女人後頭的話是，勾引。
「你還敢對父母大吼大叫！」奶奶也不認輸。「阿悟你也是，光是個子大有什麼用。阿明走的時候，你爲什麼不盡全力攔住他？」

有人從陽台探出頭，朝著這邊俯瞰。媽媽依然蹲著雙手抱頭，好像在哭。

「老媽，總之現在先不要扯這個啦。」

魯伯伯一把拽住奶奶肩膀，本來動作很粗魯，在發現奶奶雙眼通紅之後，好像突然洩了氣，無力地垂落手臂。

「就算在這裡吵也沒用嘛。」伯伯柔聲地說。「這樣邦子和小亘都太可憐了，我們還是先回飯店去吧。」

「我要去見阿明。」奶奶還是頑固地堅持。

「我會安排你們見面的，我保證一定會，好嗎？」

第十章
走投無路

結果，魯伯伯總算成功地哄住了奶奶，兩人開車去了飯店。即便如此，奶奶仍頑強地堅持，沒跟阿明談過之前絕對不回千葉，想必那個大包袱就是在宣示她的決心吧。

小亘和邦子默默地回到家，小亘本想直接回房間，但邦子一邊在客廳坐下一邊喊他：「小亘，陪媽說說話好嗎？」

邦子看起來好疲憊，臉頰都凹陷下去了，可能是因爲剛才抱著頭的關係，連頭髮也亂了，小亘無法忍受與媽媽對坐。啊一定是生病了，媽生了很重的病，必須趕快請醫生來。

「對不起。」邦子小聲說。「讓你這麼委屈，媽對不起你。」

小亘默然地垂著頭，那是他常坐的位子，邦子也坐老位子，只有明的位子是空著的，這是多年來的習慣，根本不需言語指示，他們一直都習慣這樣坐。如果光看這個座位排列，似乎跟過去毫無差別，就像明出門打高爾夫球或出差的星期日，跟昔日完全一樣。或許今後會有那麼一天，我和媽將會毫不遲疑地坐在爸爸的位子上，或是改讓其他人坐下吧，小亘想。

「魯伯伯說不是媽跟我的錯。」小亘說。「錯的是爸爸……，還有現在跟爸在一起的女人。」

邦子跟小亘一樣垂著頭，微微皺眉。

「女人……是嗎？」她低聲說。

「沒錯吧？」

邦子抬眼，笑了一下。「剛才奶奶說的話你全都聽見了嘛，事到如今再瞞你也沒用了。」

「嗯！」

「你知道那是怎麼回事嗎？」

「我想應該可以。」

電視連續劇演的都是這種戲碼嘛……，小亘立刻用剛才魯伯伯的解釋來回答。

「電視連續劇啊！」邦子嘆了一口氣。「是啊，媽本來以為這種事只有連續劇才會有；還有那種探討人生的談話節目，媽媽也常懷疑是事先編好劇本的，結果做夢也沒想到竟然發生在自己身上。」她喃喃自語。「大家都抱著事不關己的態度，以爲只有家庭不正常、不守本分、各方面不順利的人才會發生這種事，跟自己毫不相干。就是因爲太高估自己，才會受到這種懲罰吧。」

小亘知道這時應該安慰媽媽說「沒這回事」，但他卻保持沉默，因爲他自己也跟媽媽有同樣的感覺。

衝口而出的全是疑問。「我們到底該怎麼辦？要怎樣爸才肯回來？」

「我不知道。」

邦子立刻簡潔回答，彷彿不小心洩漏了眞心話，這句話的主詞是「我」。可是，她立刻打起精神，繼續用「媽媽」當主詞說下去：「不過，你不用想這些，你什麼都不用擔心，這不是你的錯，伯伯不也說過了嗎？媽媽也這麼想。這是爸爸跟媽媽之間的問題。」

小亘遺傳自父親的頭腦立刻反駁了母親的說法。如果這是「明與邦子」的問題，那就的確與小亘無關，可是如果是「爸爸和媽媽的問題」，基本上如果少了小亘根本無法成立，所以把小亘排除是無法解決問題的。妳的主詞用錯了，媽！

可是，現在就算這樣跟媽媽頂嘴又能怎樣。

「爸跟我說過，就算他跟媽……離婚了，他還是我爸爸。」

「那是……星期五晚上你跟魯伯伯回來時他說的？」

「嗯，對。」

「爸爸居然跟你說了那種話啊。」邦子的眼中盈滿了淚水。「你爲什麼沒有立刻告訴媽媽？這件事你怎麼完全沒提過，你明明只說爸爸要暫時離家。」

事實上，小亘的確是說了那樣的謊。「對不起。」

「爲什麼要道歉？又不是你的錯。」邦子用手肘撐著桌面，雙手蒙著臉。「你這麼一道歉，媽媽都不知道該怎麼辦了，太過分了！」

媽媽趴在桌上發出嗚咽聲哭了。小亘又低聲說了句對不起，淚水奪眶而出，眼前一片模糊，雖然揉了又揉，還是看不清楚。

「不是的，小亘，對不起。」邦子依舊埋著臉哭道。「過分的不是你，是爸爸。你說對不對？居然跟你那樣解釋，說什麼爸爸依舊是爸爸所以沒關係，讓你無話可說，必須一個人承受委屈，然後他卻一走了之。」

突然間，魯伯伯的聲音再度響起……，阿明從以前就是這樣，什麼事都是自己一個人想，只肯說出結論。對，爸爸就是這樣的人，他會按照邏輯思考，一旦找到正確的結論，無論如何也會堅持到底。對於這時候的爸爸來說，任何反對意見都不管用，當初買下這公寓不就是如此嗎？

正確的結論。對於三谷明來說，正確的結論就是拋下邦子和小亘離去，所以他才會這麼做。可是，爸爸在歸納出這個他認爲「正確」結論的過程中，卻從來沒有讓我知道。有沒有衡量錯誤，不是應該先確認一下嗎？

到目前爲止，三谷家總是把一切交給爸爸處理，因爲他們認爲爸爸絕不會出錯，向來都是如此。可是這次不同，這次這件事做錯了，必須有人告訴爸爸，一定要提醒他才行。

「爸是怎麼跟媽說的？」

對於小亘的問題，邦子抬起臉搖頭，淚如雨下。「這種事，你用不著知道！」

「可是，我想知道。」小亘好不容易才說出自己的想法。邦子淚眼模糊地凝視著他，擠出了一抹令人心痛的微笑。

「你明明是這麼乖的孩子。」

「嗯……」

「沒事，你不用擔心，沒問題！」邦子誇張地用力點頭。「媽會解決的，媽會照你說的找出爸爸的錯，再好好告訴他，這樣爸爸就會回來了。所以小亘，你就當作爸爸出差去了，因爲眞的就是這樣，爸爸只是碰上有點麻煩的工作必須耗上一陣子，所以要出差。知道嗎？」

這下子變成必須被迫接受媽媽的說法，雖然結論是一樣的，但小亘也別無選擇。

「沒錯，你這孩子這麼乖，媽絕不會讓你沒有爸爸。」邦子如此宣稱。「媽會加油的！」

母子倆就只談過這麼一次，從此媽媽就再也沒跟小亘說過什麼，雖然她不時會跟千葉的奶奶或魯伯伯碰面、講很久的電話，或是打電話給小田原的娘家，可是情況究竟變得怎樣了，他們到底談了些什麼，媽媽卻不肯向小亘透露。

爸爸出差去了。換言之，就是這麼回事，明明知道從頭到尾都是謊言，小亘卻努力相信。由於這樣實在太痛苦，他曾偷偷問過魯伯伯，可是魯伯伯的反應跟當初截然不同。

「你媽是怎麼跟你說的？你就照你媽說的，跟平常一樣過日子就行了。」伯伯居然如此說。「再過半個月，不就放暑假了。等到八月你會來我們家吧？伯伯可是抱著這個打算在等你喔，你要乖乖把作業寫好。」

一定是媽媽拜託伯伯什麼都別告訴小亘吧。這個他多少猜得出來，便乖乖讓步了。

「奶奶現在怎樣了？奶奶，見過爸爸了嗎？」

「奶奶正忙著做生意呢，反正你不用想太多啦。」

「才不是想太多咧，這也關係到我！」

他忍不住氣憤地反駁，伯伯的聲音頓時變得很無力。

「你不要講這種話讓伯伯爲難。」

「我無意爲難伯伯，可是……」

「你還小，不要把大人的問題攬在身上，你又沒有錯，所以也不必解決什麼。伯伯受了你媽的委託，她叫我勸你別煩惱，所以拜託你幫個忙。好嗎？」

太奇怪了。魯伯伯本來就不是這種人，居然把媽說的話看得比我說的還重要，這太不像伯伯的作風了。

既然這樣……，只好直接去找爸爸了。

要瞞著媽媽，他做不到，也不該做，他一直這麼想。可是媽媽卻背著他，在他看不到聽不見的地方，企圖採取某些行動，打算自行解決。這樣太不公平了。

既然如此，那我也有權依照自己的想法行動！

進入七月以後，憂鬱的梅雨天逐漸減少，陽光也一下子變強了。電視上播報氣象預報時，戴眼鏡的氣象專家一邊指著氣象圖，一邊笑著強調，氣溫變動很大很容易感冒喔，還呼籲大家注意梅雨結束所帶來的豪雨。

暑假就在眼前了，大家都顯得心浮氣躁，連補習班教室都洋溢著倒數計時的氣氛。五、四、三、二、一，放假囉！實際上，補習班的課程即使在暑假也……不，正因爲放暑假……安排得很豐富，如果所有的課程都要上，幾乎沒有片刻可以休息。即便如此，大家還是很興奮，不得不用功跟學校放假其實是兩碼子事，而且對孩子們來說，更重要的是後者而非前者。

唯有小亘一個人的心情遠離各種興奮情緒，夾雜在同學之間，光看外表大概看不出什麼變化吧。事實上，也的確沒有哪個朋友說他最近無精打采。由於這個時期並沒有舉行正式學力測驗，也不至於因爲成績驟降引起級任導師注意。

唯一的例外當然是阿克，瞞不過他的眼睛。

「三谷，你最近是不是在氣什麼？」

距離奶奶戰車來襲摧毀一切的那個星期天正好過了一個星期。小亘到小村家玩耍，兩人待在阿克的房間，四疊半的房間裡有大型壁櫥，從窗戶可以看到外面的曬衣場，陣容浩大地掛滿了衣物。

小亘的視線從電玩遊戲的畫面移開，看著阿克的臉。阿克拿著裝有可爾必思飲料的杯子，表情略顯困惑。小亘的那杯飲料一直沒碰過，還擺在托盤上冒著水珠，那是樓下賣調味燒酒和生啤酒用的酒杯，杯子特別大，如果全部喝完可能會一直打嗝。果然，已經喝掉半杯的阿克才想開口繼續說話就立刻打了一個嗝。

小亘笑了，阿克也笑了。電視上出現格鬥遊戲的畫面，就在他們放下遙控器大笑之際，小亘操控的人物已經被電腦打得毫無招架之力。

「我覺得你最近好像一直很生氣。」阿克說。

我看起來像嗎……，小亘暗驚。他當然有怒意，只是沒想到竟然流露出來，自己全然未覺。小亘在這個星期想盡了各種方法，試圖跟明取得聯絡，就算講通電話也好，沒想到卻像登陸月球般困難。說起來或許難以相信，可是這個社會的結構就是這樣形成的。

明有手機，但小亘不知道號碼，因爲在過去的生活中根本沒有這個必要。在那個星期五的夜晚，當明提著行李離家時曾說過「我會開著手機，可以跟我聯絡」，因而只要知道電話號碼就行了，偏偏小亘就是不知道。

當然，邦子是不可能告訴小亘的，因爲從那天起她就卯足全力想把小亘關在「爸爸目前出差去了」的情節中。當然，她相信這麼做是爲了小亘好。

小亘認為家裡應該會抄下電話號碼，但翻遍了通訊錄和電話簿，卻毫無所獲。他也曾偷偷檢索電話功能，想查查看有沒有設定在快速鍵上，可是什麼也沒有。說不定邦子早已料到，所以把號碼刪除了。嗯，大有可能。

這麼一來只剩下公司了，可是小亘一旦被迫面對這種局面才赫然發現，雖然知道爸爸任職公司的名稱，其他卻一無所知，連爸爸是在總公司還是哪家分公司或營業處都不知道。

即便如此，他還是按照電話簿上記載的總公司、分公司、營業處、客服中心一一打電話，然而這次又遇上另一道關卡，在三谷明任職的這種大型企業，即使透過電話簿或一〇四查號台查出代表號，但是光說「請找三谷明聽電話」，總機絕對不會輕易轉接，一定會先問哪個單位，有時還會追問「你是他的家人嗎？」「小弟弟，你找他有什麼事」。如果小亘答不出來，立刻遭到懷疑，對方不是責罵他「惡作劇不好喔」，就是跟他說「是媽媽有急事想跟我爸說嗎？那你請媽媽過來聽電話。」如果他東拉西扯，只會造成反效果。

我眞的是三谷明的小孩，我只是想跟我爸說話而已。

小亘把從一開始到現在所發生的一連串事件緩緩地向阿克吐露，他不再邊說邊哭了，也不再情緒激動，因爲他已經束手無策，只覺得累得想蹲在地上休息。阿克那雙平常就滴溜溜的大眼睛這下子瞪得更大了，他不發一語地聽著。等到小亘全部說完，伸手拿起杯子，阿克茫然看著他，一邊低語：「好猛。」

突然湧起一陣莫名的衝動，小亘有點失控地笑了。

「嗯，很猛吧。」

「我另外還認識幾個以前爸媽就離婚的人耶。」
「嗯，那我也知道，宮原就是，另外我們補習班也有。」
「我們說的是同一個人嗎？該不會是二班的田中吧？」
「不是不是，是一個姓佐藤的女生，跟我們不同校。」
「還有人是因爸爸出車禍死了。」阿克一臉認真地說。「這種事我從來都沒想過會跟自己有關耶。」
小亘原本也是這麼想。
「可是三谷，你還是……很想跟你爸說話？」
「要不然，現在這樣子我什麼都不知道，想到就很煩耶。」
「嗯……」阿克湊近已經喝光的杯子，又打了一個嗝，可是這次沒有笑，依舊一臉正經。「如果交給你媽處理，也許會順利搞定吧？」
「這樣我爸就回得來嗎？」
「嗯，結婚之後，好像都是這樣子。」
「這種說法，你是聽誰說的？」
「店裡面都是這樣說的，我爸媽好像很擅長勸那些吵架的夫妻，所以大家都很仰賴他們。」
「這麼說，客人會主動來商量這種事情？」
「對啊。」
「意思是說，就算老公在外面有女人，只要老婆繼續忍耐，老公遲早會回來的，這種事能保證嗎？阿克。」

誰也無法保證。阿克為難地陷入沉默。

「現在這樣我實在受不了。」小亘說道。語氣頑固，自己渾然未覺。

「三谷，那是因為你聰明，所以你討厭事情沒有是非對錯。」阿克說。「如果只要打電話給你爸，那我或許還有辦法。」

由於阿克說的太乾脆了，小亘遲了兩、三秒才回過神來。「真的嗎？」

「嗯，真的，名冊上就有。」

「名冊？」

去年的防災紀念日，附近的八個社區自治會曾經聯合舉行防災訓練，小亘還記得小村伯伯也是相當活躍的執行委員之一。

「那時候做了一份社區自治會的緊急聯絡簿，你爸雖然不是執行委員，不過好像也擔任地震或火災的什麼緊急聯絡委員，所以名冊上有登記他的公司地址和電話號碼，我看過。」

小亘撲向阿克。「借我看！」

不到三分鐘，阿克就把那本名冊找出來了。影印紙用訂書機裝訂成一本再加個封面，裝訂很簡單，可是內容卻很扎實。

「三谷明……找到了！」

上頭連任職單位的名稱和直撥電話的號碼都寫得清清楚楚。

「電話可以借我用嗎？」

「可以啊，可是今天不行，因為今天是星期天，公司不上班。」
啊，對喔。
「明天放學後你來我家，我幫你打電話。」
「你打？」
「嗯，我可以假裝店裡打工的大哥哥，就說三谷先生是我們的客人，東西放在店裡忘了帶走，然後叫你爸來聽電話，反正這種事我常做，不然對方萬一又叫你媽來聽電話豈不是很麻煩。」
「對喔，阿克你眞靈光。」
阿克嘿嘿笑了。「雖然每次寫作業都要靠你，不過這種事就包在我身上吧。」他得意揚揚地說：「而且如果一開始就知道是你打的，說不定你爸不會來接電話吧？」說完之後看看小亘的臉，連忙噤口不語。「抱歉，我一時得意忘形亂講話。」
小亘搖頭。雖然心頭被狠狠砍了一刀，卻勉強搖頭。
「沒關係，你說的本來就沒錯嘛。」
「沒那回事，我……」
「不，你說對了。因為我爸甚至想趁我不在的時候偷偷離家。」
爸爸想迴避跟小亘直接對話的可能性極高。阿克的反應很敏銳。
可是阿克自己卻喃喃說著對不起，整個人都洩了氣。
「沒關係，你眞的不用在意。對了，我們來打電玩吧。」
阿克慢吞吞地拿起遙控器。即便如此，尷尬的氣氛依然揮之不去，小亘也覺得自己似乎繃緊著臉，連打圓場的話都說不出來。

「說到這裡我才想到，」阿克突然提高了嗓門說：「三谷，你跟芦川在同一家補習班吧？那傢伙的事你聽說了嗎？」

阿克明快地轉換話題，小亘自然樂於配合。「什麼事？那傢伙又拍到靈異照片了嗎？」

「咦，你不知道？那傢伙啊……」

其實根本不是在美國長大的。

「聽說啊，他有個伯伯在電腦公司上班，後來被調去美國，好像是去一個很偏僻的地方，不是紐約之類的。」

芦川在轉進來之前，只是在那個伯伯身邊待過一年，聽說他是在川崎市內出生的。

「這樣啊。」

只是感覺有點驚訝。

「可是那傢伙英文不是很棒？」

「嗯，既然在美國待過，本來就應該比我們好。」

以芦川那種個性想必不喜歡自吹自擂，可能是住過美國這件事在同學之間傳來傳去，自然就變成了「在國外長大」吧。而且這件事現在已經獲得更正，足以證明芦川現在跟大家打成一片了，也許是芦川自己主動訂正的吧。

「可是，他既然跑去跟伯伯住，表示他……家裡也有什麼問題吧。」

小亘突然冒出這個念頭。現在，他不管什麼事都會往那個方向想。芦川之所以個性古怪，有時候甚至令人害怕，或許是因為家庭問題吧。

「三谷，你跟芦川很少打交道嗎？」

「毫無交情。」小亘立刻說。「我們講過好幾次話，可是那傢伙很怪，踐得很。」

上次在神社的對話，還有被芦川教訓的這件事他還記得，可是內容卻毫無印象。

看樣子，「幻界」的記憶從小亘腦海中消失的同時，相關記憶似乎也一併褪色了，包括魔導士、那扇門，還有衝入門內的芦川。不只如此，小亘對於芦川的好奇和關心也頓時大減，就連芦川以幾近威脅的語氣警告他不得接近幽靈大樓的事也忘得一乾二淨。如果有人仔細觀察小亘最近的行為和經歷……，對，就像現在正閱讀本書的各位讀者，想必會立刻察覺到這點，提醒小亘一聲「你這樣子不太對勁喔」，可是在現實生活中並沒有這等好事。小亘早已忘個精光。

「說不定他是個很複雜的傢伙。」阿克握緊遙控器。「聽說從來沒有人去他家玩過。」

小亘也握著2P遙控器。「也許他根本不受歡迎吧？」

「聽說他跟宮原很要好。可是連宮原都沒去過他家。」

「阿克，你這是聽誰說的？」

「是佐久間說的。因為那傢伙跟我們班的女生很要好。」

「大嘴巴佐久間嗎？」

「雖然他一直跟在芦川屁股後頭，可是人家不理他，他只好到處打探消息。」

「這樣應該算是跟蹤狂吧？」

「那石岡他們呢？不曉得是不是還在為了靈異照片糾纏芦川。你忘啦，上次芦川不是在圖書室被石岡他們包圍嗎！」

小亘的記憶有點混亂。對，那個下雨天圖書室的景象再度浮現。芦川嚇退石岡那群人，慢條斯理地打開窗戶，那雙眼睛筆直地凝視著小亘。

（當時，那傢伙到底是怎麼趕跑石岡那群人的？）

就像水底的泥淖被船槳攪起，一個疑問乍然浮現，直到前一瞬間他都沒留意到這個疑問。由於跟「幻界」有關，這個記憶也從小亘的腦海中抹消，然而他自己無從得知。

現實生活中，在無暇他顧的這件隱身衣庇護下，這些事正悄然地從小亘心中消失，盡量不讓他察覺，不讓他領悟。

「幻界」正漸行漸遠。

「我啊，已經練到紅蓮三戟踢的空中組合招式了，你要看嗎？」阿克嘻嘻一笑。

「我要看我要看，眞的假的？」

「當然是眞的，看招！」

他們倆玩著玩著，太陽也下山了。

翌日放學後，小亘沒回家，直接跟著阿克去小村家，小村伯伯小村媽媽忙著開店準備，二樓的電話旁沒有半個人影。阿克果然沒騙人，「包在我身上」這句話可不是隨便說說，他打電話過去時，三谷明正巧在公司，而且待在位子上，所以立刻接通了。小亘接過話筒一貼近耳邊，就感覺心臟好像跑到耳朵裡緊貼著耳壁，撲通撲通地跳得好大聲。

「喂，爸！」
沒聽清楚店名，感覺好像是一間居酒屋，對方來電詢問是否有東西遺忘在店裡，三谷明是以這種心態接電話的，此刻卻陷入了沉默。小亘面對這樣的沉默，極力想聽出什麼。
「是我，我是小亘。」
爸爸依然沉默。
「對不起打電話到公司，因爲我不知道爸爸的手機號碼，媽媽也不肯告訴我，可是我眞的很想跟爸爸說話。」
毫無根據的直覺在小亘內心角落低語，電話要被掛斷了。
可是，三谷明卻問：「還好嗎？」
小亘突然渾身哆嗦，甚至無法拿好話筒。
「喂，小亘，你最近過得好嗎？」
阿克一直看著他，臉上的表情彷彿在說：「盯著你看我知道很抱歉可是那是因爲我擔心你。」
還一邊猛拽著耳垂。
「嗯……，呃，我很好，也有照常上學。」
「是嗎，那就好。」
「爸……」
「這樣用電話講有點不方便。」
「那我該怎麼辦？」

停頓了一下。明的辦公室似乎位於非常安靜的地方，一點聲音也沒有。
「學校這個星期六放假吧？」
「嗯。」
「那，我們找個地方見面吧，就你跟爸爸兩個人。」
麻痺感消失，血液似乎倏地流通，猛然上衝。
「嗯。」
「不要去太遠的地方。我記得去年吧，咱們一起去都立圖書館借書，你還記得嗎？」
那間圖書館，從小亘家搭公車大約有八站的距離。
「嗯，我知道。」
「就約在那裡的借書櫃檯前好嗎？中午見。」
「正好中午？那就是十二點囉？嗯，可以，沒問題。」
明也把手機號碼告訴小亘。小亘連忙抄起來複誦一遍，宛如得到了可以打開牢籠的密碼，一心不亂。
「小亘……」
「嗯，什麼事？」
「跟你說這種話你或許會生氣，不過那天爸爸只想跟你單獨說話，所以……」
「嗯，我會瞞著媽去的，我也想跟爸單獨見面。」
明說：「那我要掛電話囉。」小亘說聲謝謝，一直豎起耳朵，直到彼端傳來電話掛上的聲音。

「你可以見到你爸了？」阿克湊過來問道。

「嗯，星期六見。」

脫口而出的聲音聽起來怪怪的，小亘這才察覺自己差點哭出來。

「三谷你一個人去？你媽呢？」

「這次就我一個，我跟我爸說好了。」

「是喔……」阿克意味深長地點點頭。「這種情況下，也對啦。到時候你想說什麼就說，想知道什麼就叫你爸告訴你就行了吧，這我不太清楚啦，不過我是這麼覺得。」

「阿克，謝謝你。」

「小事小事。」阿克害羞起來。「這只是舉手之勞。」

星期六之前，小亘一直坐立難安，萬一表現得太毛躁，媽媽起疑了也很麻煩。他甚至還想過，倘若晚上睡覺說夢話洩漏了秘密該怎麼辦。

當天早上五點左右他就醒了，一個人茫然地坐在客廳，想起那個星期五深夜到星期六早上，跟魯伯伯待在這裡的情景，這個聯想是否不祥，或者就心理因素來說是否正常，他自己也不清楚。只是回過神時，才發現自己一直坐在當時魯伯伯抱頭呆坐的位置，雙手抱著膝蓋。

小亘說要跟宮原一起去都立圖書館就出門了，邦子似乎沒察覺，還給了他往返的車錢和五百圓的午餐費。小亘出門前仰望著媽媽，在刺眼的夏日陽光照射下，媽媽的臉看起來好蒼老，簡直像洗得發白的窗簾。

他早到了兩個小時，只好在開架式書架之間徘徊，隨手抓起書本翻閱打發時間，但是無論看什麼都裝不進腦袋，一列列文字像螞蟻雄兵般緩緩通過。

一板一眼的三谷明向來很守時。十一點五十五分，小亘走到辦理借閱手續的櫃檯前一看，他已經來了，身穿淺綠色POLO衫、淺白色長褲、新球鞋，全是小亘沒看過的行頭，而且還戴著一副無框眼鏡。雖然小亘原本就知道爸爸有輕度近視，但這還是頭一次看到他戴這種款式的眼鏡。

無框眼鏡，很適合他。

「怎麼，你已經來啦？等很久了吧。」

語氣很平靜，還是小亘熟悉的那個爸爸。在爸爸離家的那個晚上，小亘所看到的陰沉表情、低落的聲音、頹然下垂的雙肩……，都只限於那一晚，如今已消失無蹤。仔細想想，轉眼間已經過了三個多星期了，小亘試著想用言語來形容這張久違的臉孔，卻苦思了好一陣子。

他不太會形容，爸爸並沒有媽媽憔悴得那麼嚴重，不過似乎也瘦了。可是……，他沒有褪色，反倒該說……，感覺上就像奶奶常用的形容詞……

（清清爽爽的。）

感覺上好像變年輕了。

（傻瓜，這怎麼可能。）

爸爸離家居然會變年輕，光是這樣想就很失禮了。對誰？那當然是呃……對我和媽媽。

「被你這樣打量，爸爸很尷尬耶。」

三谷明微笑道。小亘慌忙眨眨眼，卻又不知該說什麼，倉促之間竟然說：「媽給我五百塊吃午餐。」

「是嗎？那這筆錢你就偷偷留起來當零用錢，午餐爸爸請客，你想吃什麼？」想吃什麼，他毫無頭緒，什麼都行，就算只是在附近走走也好，只要能跟爸爸在一起，怎樣都好。

「今天有風還蠻舒服的，我們到公園走走吧。剛才我也是穿越公園走過來的，那裡還有賣熱狗的攤子喔。」

小亘跟在爸爸身後，從圖書館往公園的方向走去，圖書館南邊有一整片震災時可以當作避難場所的大公園，遼闊的草地青翠碧綠非常醒目，沿著弧形的步道走，可以走到中央有座小噴水池的圓形廣場，到處都是人潮，不過他們運氣很好，還是找到一張空的長椅。

「就坐這裡吧。」明說。

一個由大廂型車改裝的攤子停放在廣場角落，宛如雪人般的胖叔叔和阿姨笑咪咪地正在做生意，小亘點了兩人份的熱狗和可樂，老闆推薦剛炸好的薯條美味又可口。小亘走近了才發現，廂型車的駕駛座上還有一個像是唸幼稚園的小女孩，正在舔著甜筒上的香草冰淇淋。那一定是叔叔和阿姨的小孩吧。

明和小亘並肩在長椅上坐著吃午餐。在這種非常時刻，根本無心在乎味道的好壞，可是一口咬下去，卻發現熱狗還挺好吃的。明似乎也有同感，還說如果公司附近在中午也有這種攤子該有多好，好吃的店家實在太少了。

聽爸爸這麼一說，小亘想起好幾年以前，爸爸有一段時間都是帶便當上班，大約有一年之久吧，後來他調動單位，中午和客戶吃飯的機會增加了，就說不需要帶便當了。

學校怎麼樣，小村還好嗎，第一學期的成績好不好……爸爸用平穩的聲音問著各種問題。小亘浸淫在這種安詳的氣氛中，彷彿家裡什麼事也沒發生過，這只是父子倆出來散步而已，媽媽正在家裡洗衣曬被，替爸爸擦皮鞋，熨燙爸爸的襯衫……

話題有點中斷，陷入沉默，噴泉的流水聲清晰可聞。

「爸爸，你什麼時候戴那副眼鏡的？」小亘彷彿在搜尋入口，開口問道。

明稍微抬起無框眼鏡。「很怪嗎？」

「不，很好看。」小亘腦海中浮現蠢蠢欲動的問題。挑選那副眼鏡的，是現在跟你在一起的那個女人嗎？幸好小亘沒有試圖捕捉，所以那個問題沒有說出口就消失得無影無蹤。「是很好看啦，可是第一眼看到時，感覺爸爸好像陌生人。」

「嗯……，是嗎？」明說著，又扶了一下眼鏡。「應該不至於吧。」

「爸！」

「嗯？」

明明應該是難以啓齒的問題，結果卻脫口而出。

「你不會再回家了嗎？」

明透過小小的鏡片看著小亘的眼睛，然後緩緩地移開視線。腳邊，滴了幾滴熱狗上的蕃茄醬。

「媽說只要一直等下去爸就會回來，叫我什麼都不用擔心。」

熱狗攤的四周聚集了很多客人，生意相當興隆；公園裡的長椅也都坐滿了人，比小亘年紀還小的孩童們嘩啦啦地踢著噴泉的水正在玩耍，四濺的水花在陽光下閃閃發亮。

「是眞的嗎？我眞的可以這麼想嗎？」
三谷明把眼鏡摘下放在膝上，雙手緩緩地撫摸著臉，然後看著小亘。
「爸爸永遠是小亘的爸爸。」
這句話就像打水漂兒，在水面上彈了一下又一下，像輕輕地劃過水面般，只擦過小亘心靈表面。
「我問的又不是這個，你明白吧。」
而且媽媽說這種說法太卑鄙了——這句話都已經衝到嘴邊了，還是沒說出口。
三谷明望著噴泉，又望向坐在長椅上和樂融融的一家老小和情侶們，他就這樣陷入沉默好一陣子，然後又重新戴上眼鏡，轉頭面對小亘。這個情景給人的感覺是，拿下眼鏡在休息，戴上眼鏡就開始工作。
「如果回家意味著要跟媽媽一起生活，那是不可能的。套用你的話，那是絕對不可能的。」
明明是小亘主動問起才得到的答案，自己卻無法承受那個重量，彷彿破了一個大洞，在屁股底下破了洞，別說是爸爸的回答了，連小亘的靈魂也墜入黑暗深沉的地底。
「那晚，爸爸不也說過了嗎？爸爸想了很久才下定決心，因此必須堅持到底。爸爸是不會回家了，如果要回去，一開始就不會說出這種話，因爲爸爸也知道這事非同小可，會對媽媽和你造成多大的傷害。」
既然如此，爲什麼？
「你是個聰明的孩子，所以爸爸不該敷衍你，早知如此還不如一開始就跟你講清楚。這是爸爸的錯。」三谷明淡淡地說道。「不管我說什麼，恐怕都只會讓你難過，而且我也覺得，現在可能還不能讓你理解，所以爸爸才會企圖瞞著你離家，就算你因此討厭爸爸、恨爸爸，爸爸也早有心理準備，認爲這是自己應得的懲罰，這種心情到現在依然不變。不管你怎麼恨爸爸，爸爸都無話可說。」

小亘什麼也說不出口，因爲爸爸說的的確很有道理。

「就算你主動說爸爸已經不再是你的爸爸，爸爸也只能默默接受，因爲這是懲罰。可是，即使你不原諒爸爸，爸爸依然還是你的爸爸。因爲對你，爸爸只能用這種方式負起責任。」

小亘的靈魂繼續墜落，爸爸給的答案不知不覺溜出手，不曉得跑到哪去了，也許搶在小亘前面掉下去了吧。一個人孤零零地一直墜落，墜入不見光的深暗洞穴，沒有盡頭，耳邊的風咻咻地呼嘯而過，距離洞口越來越遠，站在洞口邊的爸爸也變得越來越小。

「當然，今後你的學費爸爸會負責，你跟媽媽的生活費爸爸也會盡量分擔。關於這一點，等我可以跟你媽正式討論時，我打算遵照她的意思。那棟房子你們也可以繼續住，因爲那是屬於媽媽跟你的，你什麼都不用擔心。」

爸爸正在談錢。對喔，錢啊，錢的確很重要啊。

「也……，你是不是討厭媽媽和我？」

三谷明搖頭。「不是這樣的。而且這件事，爸爸不能把你跟媽媽放在一起考慮，放在一起是錯的。」

「爲什麼？這是我爸媽的事耶，我們三個是一家人。」

「就算是一個家庭，也是由個體集結而成的，小亘，人有時會選擇不同的生活方式，有時無法再一起走下去。」

「爸現在跟別的女人住在一起，對吧？因爲喜歡那個人，所以才拋棄我們，對吧？是這樣吧？」

三谷明的眼睛透過無框眼鏡的小鏡片睜大了，嘴巴半開，似乎打從心底感到震驚。

「這種事你聽誰說的？」

「誰說的還不都一樣。」

「不一樣，對爸爸來說這問題很嚴重，就是因爲這件事不該讓你知道，所以我才一直沒說。」

「可是既然是眞的，那我當然也想知道，我討厭說謊，說謊是不對的，這不是爸爸自己說的嗎？」

小亘忍不住扯高嗓門，連坐在附近長椅的民眾都在看他，一對推著嬰兒車經過的年輕夫婦停下了腳步。

明伸手撫摸小亘的背，小亘很討厭身體被碰觸，爲了按捺住想把那隻手甩開的衝動，他閉上眼握緊雙手。

「的確，說謊是不對的。」明啞著聲音說道。

「可是，扭曲事實和隱瞞事實是截然不同的，這點我希望你能明白，你會明白吧？你向來很聰明。」

這種事根本不重要，爲什麼企圖轉移話題呢？

「是魯伯伯告訴你的？」

小亘默然。

「那，是千葉的奶奶？還是你媽？」

小亘猛然抬起臉說：「你不告訴我是不是眞的我就不說。」

明嘆了一口氣。

「眞拿你沒辦法……」

噴水池四周又恢復了熱鬧，大概誰也沒想到居然會有人在這種地方談論這麼凝重的話題吧。世界上的每一個人都很幸福，除了我們之外。

「是眞的。」明回答。

這個答案從持續墜落中的小亘身邊切風而過，不是往下墜落，而是拍著翅膀愉快地不知飛到哪裡去了。

「爸爸打算和那個女人建立新生活，等媽媽願意離婚，我就要跟那個人結婚。」

那輛戰車的轟然巨響首先在小亘的心裡甦醒。小亘說：「奶奶大發雷霆喔，她說她絕對不會答應。」

令人驚訝的是，明竟然笑了。「嗯，我很清楚，因爲她在電話裡臭罵了我一頓，還說要跟我斷絕母子關係。爸爸被奶奶趕出家門了。」

「趕出家門是什麼意思？」

「就是說要斷絕母子之間的關係。」

「那，爸爸已經不是奶奶的小孩，也不再是魯伯伯的弟弟？」

三谷明露出苦笑。「並不是眞會變成這樣。奶奶說這話的意思是要強調，她氣到這種地步。」

「即使讓奶奶這麼生氣，爸爸依然覺得自己的想法是正確的嗎？依然認爲這種事是對的嗎？」明窺視著小亘的臉。「只因某個親近的人生氣，就扭曲自己的信念，你認爲這樣是對的嗎？」

「信念……意思是說對自己很重要的事？」

「嗯，沒錯！對自己來說無法讓步的大事。」

這麼說來，對於現在的爸爸來說，拋棄媽媽和我是如此重要的大事嗎？

「爸的信念算什麼！媽傷心得要命，奶奶氣到不行，魯伯伯一直很煩惱，弄到這種地步還要維護的信念到底是什麼？」

坐在隔壁長椅上的伯伯和大嬸可能不經意聽到小亘的片段話語，從剛才就一直看著他們。明大概也察覺了吧，朝他們瞄了一眼，表情變得很難看。長椅上的伯伯和大嬸面面相覷，舔起手上的霜淇淋。

「爸爸的信念嗎？」明重複說了一次。「如果不問清楚，你就無法接受？」

「嗯。」小亘乾脆地點點頭，可是內心卻有點害怕。他覺得好像把爸爸逼得太急，又好像涉入過深，或者該說，企圖打開一扇原本應該過而不入的大門，他就是有這種感覺。要是像電玩一樣有那種攻略指南就好了，這樣就可以告訴他——這間屋子就算刻意闖入，裡面也有一個難纏的隱身關主，積分未超過五十的人最好視而不見快快經過。

「爸爸的信念，」三谷明緩緩地說。「就是人生只有一次。」

人生只有一次。

「所以，一旦發現錯誤，縱使要吃再大的苦、遇到再大的困難，只要能夠修正都應該重新來過，因爲人生只有一次，我不想留下遺憾。」

雖然這段話是用沉重的語氣說出來，可是留在小亘腦海中的只有「錯誤」這個字眼。

爸爸的人生是個錯誤。

那麼，我呢？

「爸爸是說跟媽媽結婚是個錯誤？那麼，身爲爸媽小孩的我也是錯誤囉，是這樣嗎？」

明搖頭。「我沒這麼說，我不是這個意思。」

「那，到底是哪裡錯了？我實在不明白。」

「所以我早說過了，現在的你還無法理解這件事。長大之後……，有過一些痛苦的經歷，或許那時候你才會明白。至於能夠理解算不算幸福，又是另一回事了。」

小亘逐漸迷失方向，越聽越迷糊。以前每次聽了爸爸的解釋，就算再麻煩的事情，他都會覺得豁然開朗，縱使是糾結不清的事物，只要有爸爸替他梳理，似乎就會被整理得很整齊。

可是現在正好相反。爸爸正在做的事非常簡單，爸爸跟媽媽分開，丟下我離家出走，想跟別的女人結婚，如此而已。可是一旦要求解釋，就會變得越來越複雜。

明伸出一隻手抓著小亘的肩膀，一邊緩緩地搖著他，一邊如是說：「唯有一點希望你能牢記。不管爸爸媽媽做錯了什麼、怎樣失敗，這都跟你無關，因爲你是一個獨立的個體。爸爸不是常說嗎？小孩也有自己的人格，不是父母的附屬品。所以，就算爸爸媽媽的婚姻失敗了，你也絕對不是這段婚姻的失敗之作。唯有這點，我希望你絕對不要忘記，因爲這是眞的。」

小亘一邊任由肩膀被搖晃，一邊緩緩地搖頭。「媽並不覺得婚姻失敗了，所以才會這麼傷心吧？」

「那是因爲媽媽還沒有勇氣面對現實。」明皺起眉頭。「要是她肯抬起頭來面對現實，她應該會明白一切已無法挽回。失敗就是失敗，打從一開始就失敗了，只是她一直自欺欺人。」

媽媽總是把家裡打理得很乾淨，飯菜總是做得好好的，早上也很少睡過頭，雖然跟千葉的奶奶吵過架，可是兩人事後都會和好。

「媽又沒有做什麼壞事，她根本沒有失敗。」

小亘低語。然後很罕見……，眞的很罕見，他發現爸爸竟然失去冷靜，露出一臉不耐的表情，好像急著要沖掉什麼似地，連珠炮般地說道：「壞事不等於失敗，就算什麼也不做，有時候還是會失敗。或者該說，當時覺得正確而採取的行爲，經過漫長的歲月，往往會發現是一種失敗。」

坐在隔壁長椅上的大嬸停下舔霜淇淋的動作，看著他們，就連融化的霜淇淋從甜筒邊緣滴落到裙子上，她好像也完全沒發現。

「喂，」伯伯低聲說，用手肘頂一頂大嬸。「滴下來了啦。」

哎呀天哪，大嬸說著連忙擦拭裙子。小亘茫然望著這幅情景。伯伯、大嬸，你們正在聽我們說話吧？你們聽得懂嗎？能不能幫我翻譯一下？我爸到底想說什麼？

「我還是不明白。」

小亘小聲說道，明點點頭。

「我想也是。不懂沒關係，這是爸爸的錯，今天跟你見面也是錯的，我沒辦法解釋清楚，結果只是傷害到你，對吧？事情就是這樣。」

當爸爸用「事情就是這樣」的說法時，就是暗示「這下子談話結束了」。過去，對於世上的各種事情，他曾多次向爸爸詢問「為什麼？」累積了無數次對話，最後終於得到解答或提示的他，對於這點很清楚。

他忍不住大嘆一口氣，覺得剛才好像一直在憋氣，就好像在二十五公尺長的游泳池裡，憋著氣拼命向前游，最後喘不過氣終於停下來的感覺。一旦恢復呼吸，現實感也回來了。接著，極為簡單的，打從一開始就有的想法霎時如氣泡般浮現，然後就這麼脫口而出：「可是到頭來，爸還是喜歡媽以外的女人，覺得那個人比較好，是不是就是這樣？」

三谷明沒有回答。他皺著眉，手指輕觸鏡框，凝視著地面。

飛濺的水珠噴到小亘這邊來了。

「如果你要這麼想，那就這麼想吧，無所謂！」明說。

回去吧！明起身。

「爸爸送你到公車站。」

「不用了，我還想在這待一會兒。」

「不要使性子，小亘。」

「我沒有使性子，我只是想去圖書館。」

「剛談完這種事，爸爸怎麼能留下你一個人自己回去。」

「我沒關係，我自己會回去。」

所以爸爸你就安心回去吧，回去那個不代表失敗的女人身邊好了。小亘已經不再看著爸爸的眼睛，就這麼堅持坐在長椅上，三谷明杵在他面前陷入沉默，小亘也默默地凝視地面。噴泉飛濺的水珠乘風而來，涼沁沁的，聽得到年輕女人的笑聲，嬰兒正在哭鬧。

「我說小亘。」明開口說。

小亘動也不動。

「跟爸爸見面……，是你自己想的嗎？」

「阿克有幫我。」

「我不是這個意思，我是在問你，是你自己想出這個主意嗎？」

小亘抬起眼。爸爸不知爲什麼……，看起來好像有點畏縮。

「什麼意思？」

三谷明的嘴角微微牽動，沉默了一會兒彷彿在搜尋字眼。他把雙手往褲子口袋一插，別開視線。

「是不是你媽拜託你的？」

小亘沒聽清楚。「啊？」

「是不是媽媽叫你來見爸爸，拜託爸爸回家的？」

小亘目瞪口呆。「才不是那樣呢。」

「是嗎？」明臉色凝重地點頭。「不是就好。如果你媽眞的這樣做……，打算這樣利用你的話，那就不太好了，我只是想確認一下。」

「媽才不會做這種事。」

媽媽還跟我說，就當作爸爸出差去了。

「我是瞞著媽出來的。」

明似乎鬆了一口氣般肩膀大大地晃動。

「是眞的。」

「嗯，我知道了。那爸爸回去了，你自己回去也要小心。」明正要邁步跨出，又有點遲疑。

「我的手機你隨時都可以打，如果想跟爸爸說話就打來，功課有什麼問題也可以打來問我。」

剩下小亘一個人茫然坐著，此時不知從哪冒出小小的聲音，由於太疲憊了，腦袋一片空白，很難集中注意力，所以他沒聽見。

「小弟弟……」

有人輕拍他的肩膀，他抬眼一看，是剛才那個坐在隔壁長椅的大嬸，她的裙子上還沾著霜淇淋的污漬，體型略胖，身高跟小亘差不多，矮矮胖胖的。她彎下腰勉強露出笑容。

「小弟，你要回去哪裡？」

小亘彷彿一只掏空的袋子，發不出聲音。

「如果你願意，要不要跟我們一起回去？」

站在大嬸身後的伯伯似乎面有爲難色。

小亘從嘴裡發出不像自己、宛如電腦合成般的扁平聲音：「我要去圖書館。」

「噢，小弟你家就在這附近嗎？」

小亘又說了一次：「我要去圖書館。」然後站起來。

「喂，好了啦。」伯伯從大嬸身後戳她。「妳別管閒事了。」

大嬸拽著伯伯的衣袖。「可是我擔心呀，這麼小的孩子……」

小亘拋下兩人，逕自朝圖書館的方向走去。

「啊，小弟！」大嬸大聲喊他。「要不要吃霜淇淋？」

笨蛋妳別鬧了！伯伯正在勸阻她。

「可是……」

正緩緩遠離兩人的小亘，隱約聽見伯伯的隻字片語。

「這年頭還眞的有那麼自私的父親。」

他也隱約聽見大嬸說：「男人都是如何如何……」

他不再有墜落感，因爲已經一路墜落谷底了，雖然不知有多深？多寬？通往何處？在哪裡的底層？

他一直走，直到看見圖書館的入口才回頭，伯伯和大嬸早已消失無蹤，小亘和明剛才坐過的長椅，現在坐著一對穿著花俏風衣的年輕情侶，隔壁的長椅空著，噴泉的水珠晶亮耀眼。

明明站在這裡卻好像不在這裡，或許小亘早已粉身碎骨，變得比水花還要渺小，散落了一地。

第十一章 秘密

後來開始放暑假之前的那幾天，他到底是用什麼表情度過的？即使事後試著回想也想不起來，因爲他已失去一切，什麼也不是，什麼也不做，就這麼活著。

生活毫無變化。魯伯伯再次來訪，和小亘討論暑假行程，夜深之後就和媽媽在客廳壓低聲音聊天，可是他們在聊什麼有什麼結論，小亘毫無所悉。

三谷邦子的生活方式眞的和三谷明長期出差時沒兩樣。就這個角度而言，她並沒有騙人，跟小亘一起吃晚餐時，她會看著電視發笑，小亘沒刷牙就睡覺她也會生氣，過了晚上九點如果阿克打電話來，她還是會用跟過去一模一樣的語氣罵人，「做生意的人家跟我們家就是不一樣。」對小亘毫不縱容，依然是過去那個媽媽。

結業式的前一天，小亘早上起床發現右臉頰腫得老高，痛得連嘴巴都張不開，媽媽湊近仔細一看，說：「牙齦都腫起來了，趕快去看醫生，今天請假好了。」

反正第一學期的課已經結束了，這副德性也不能進游泳池。小亘乖乖聽話，上午就去牙醫的候診室坐著。

醫生說這不是蛀牙是齒齦炎，小孩子得這種毛病倒是很少見，你最近是不是吃了什麼堅硬的東西弄破嘴巴？你媽說過你會磨牙嗎？

治療結束，雖然腫脹依舊，不過疼痛已經減輕許多。醫生說可能會有點發燒，小亘果然渾身發冷，即使在梅雨結束、豔陽高照的路上走著也沒流什麼汗。

一回到家，媽媽出門買東西去了，桌上放著便條紙。

「穿上新睡衣好好睡一覺。」

他的牙痛還沒有嚴重到要更衣休養，在沙發上躺一下就行了，才剛躺下去電話就響了，會是千葉的奶奶嗎？還是魯伯伯？小田原的外婆？前不久，他一接起小田原的外婆打來的電話，外婆就哭哭啼啼地讓他很受不了。

拖拖拉拉地拿起話筒，彼端傳來一個陌生女人的聲音。是推銷員嗎？

「請問是三谷邦子女士嗎？」

本想回答媽媽不在，可是嘴巴腫著，加上治療時打的麻醉還沒退，讓他無法順利開口。正愁著麻痺的嘴唇不知如何是好之際，那個女人就劈哩啪啦地說了下去：「昨天我聽同事說，您又打電話過來。上次談的時候，您不是就答應過我不打電話到公司，難道您忘了嗎？」

聲音很悅耳，遣詞用字也很客氣，可是聽起來好像很氣憤。因爲語調很尖銳……而且說得很急。有這樣的推銷員嗎？

「您這樣……騷擾我，畢竟我也是人，也會不愉快，而且說眞的，即使我們見面，我也不認爲能有什麼結果。」

呃，請問妳是不是打錯了……，小亘正想這麼說。這時，聲音陌生又悅耳的女人像要把什麼東西揉成一團砸過來似的，如此說：「阿明說，如果妳再繼續這樣下去，他不惜打官司也要離婚，他也很生氣。我看妳這種做法似乎不太聰明吧，我要說的就只有這個，請妳別再打電話到我公司來。我的上司也很清楚表明不希望下屬的私生活影響公司。」

那就這樣……，眼看對方就要掛上電話，小亘才大聲說：「我媽媽不賽（在）！」

彼端頓時一陣沉默，小亘的聲音在話筒裡不斷地回響。

「喂、喂！」小亘掀動著因麻醉而腫起的嘴唇，拼命說道。「我是，三谷亘。」

彼端彷彿有人倒吸了一口氣，傳來微弱的喘息，然後喀嚓一聲掛斷了電話。才短短一會兒工夫，小亘已經滿身大汗，取代淋漓大汗的，是逐漸浸染全身的意識。

那就是……爸爸的……女人。

現在跟三谷明同居的女人；令三谷明渴望離開邦子再娶的女人，聲音聽起來好像女主播。小亘如此想，但他厭惡自己一時之間只能做這種聯想。

他的雙腳陡然失去力氣，當場蹲了下來。就在此時，原本早已忘記的那個熟悉甜美的聲音小聲呼喚他：「小亘，你沒事吧？」

小亘嚇了一跳，癱在地上環視四周，當然不可能有人。那個甜美的聲音；來歷不明的女孩聲音。

「小亘你別哭，我啊，會陪在你身邊。」

不知從哪拋來的這句話似乎溫柔地撫慰了他的心靈。

「妳在哪裡？」

小亘對著空中一問，女孩的聲音立刻回答：「我說過了，我就在你旁邊呀。」

「那麼，爲什麼我看不見妳？」

「我可以清楚地看到你，可是你卻無法看見我。」

女孩輕聲嘆息。雖然那是不可能的，不過如果能夠感受到她的氣息，味道一定像糖果一樣甜。

「小亘……你最近一直忘記我吧？你忘了我跟你說過話吧？」

被這麼一說還眞的是。太多的痛苦遭遇佔據了小亘仍屬幼小的心靈，已經沒有多餘空間來考慮這個隱形女孩了。不僅如此，以前聽到這個不可思議的女孩說話時，曾經試圖尋找她的眞面目，還拍下照片……，就連這些事都成了非常遙遠的回憶，雖然確實記得，但心情卻跟不上。

「是啊……我已經忘記妳了。」

「那一定是因爲你不是守門人認可的旅人。」女孩生氣地提高嗓門。「你曾經來過我們這裡一次吧，可是被趕回去了，所以記憶才會消失，連我也隨著那段記憶一起被遺忘了。」

儘管清楚地聽到她這麼說，小亘卻不知其所以然。對，事實正如她所說的，正因爲如此小亘才會忘記。

「你們那裡是哪裡？」

小亘摸不著頭緒的疑問，令女孩再次嘆息。

「『幻界』呀……，不過我這麼說你現在也不知道那是什麼吧。」

嗯，不知道。

「總之小亘我是支持你的，如果你能設法來我這邊，我就可以用各種方法幫助你了。拜託，你再想辦法來『幻界』一次，憑你的本事一定辦得到。」

小亘想，這一定是做夢吧，剛才受到的打擊太大，所以做夢了，一定是這樣。

小亘並沒有把爸爸的女人打電話來的事情告訴邦子。撇開這件事不說，媽媽今天看起來似乎特別疲憊，不曉得她是跑去哪裡買東西，等她回來時，初夏漫長的一天已近黃昏，腳上那雙外出鞋也沾滿了灰塵。

那晚，邦子睡著後，小亘偷偷溜出家門。起先，他並沒有意識到自己要去哪裡，在附近散散步逛一圈，隨意看看夜空，乘個涼再回來也好，獨占公園的鞦韆也行。總之，他出門只是想轉換一下心情。

走著走著才想到，對了，現在突然跑去找阿克，給他一個驚喜吧。小村伯伯和小村媽媽說不定會說，反正後天就開始放暑假，今晚就留下來過夜吧。然後他們倆就可以通宵對戰「快打旋風ZERO3」。就連媽媽，現在對小亘在阿克家過夜應該也不會生氣了吧。

明明是邊走邊這樣想的，回過神時，卻發現來到了大松先生的幽靈大樓附近。三橋神社的樹叢在夏天悶熱的夜氣中沉重地晃動著樹葉。

我來這裡幹嘛？簡直就像……，不知不覺被某人召喚而來。

小亘搖搖晃晃地走近幽靈大樓，這模樣看起來的確很像被誰召喚。

塑膠布裡面有人，而且不只一、兩個人，正壓低聲音在對話……，不，好像吵得很凶。小亘掀起塑膠布迅速鑽入，眼前頓時出現一雙穿著塑膠拖鞋的髒腿。

「哇，你這傢伙幹嘛！」

那雙腿的主人一發現小亘便慌忙大喊，小亘連忙往旁邊閃，免得被塑膠拖鞋踩到，可惜慢了一步，他的腹側被對方狠狠一踢，痛得他呼吸停止眼前發白。

「這傢伙是誰，是你朋友嗎？」

小亘差點暈倒，好不容易才勉強撐住身子，他意識到某人在說話。

「是你找來的嗎？不會吧。」

「你找來的救兵也太沒用了吧。」

失焦的世界焦點總算又回到中心。儘管小亘被踢得既痛又想吐，卻還是拚命站起來。塑膠布內側被大型手電筒照得很亮，強力的燈光拉長了眾人的影子，彷彿影子才是真人，正來回不停地躍動著。除了小亘，現場還有三個人，拿著手電筒的——不是別人，正是石岡健兒；六年級的問題學生。有這傢伙在，表示另外兩個一定是他的跟班。啊，果然，那些麻煩的傢伙都到齊了。石岡他們在這裡做什麼？小亘甩甩頭，試圖看清楚眼前的情況，這才察覺還有第四個人在，那個人正趴在地上，石岡的跟班之一正騎坐在他的背上，用膝蓋頂著他的脊椎骨。

第四個人有半張臉被膠帶貼住，不過只要仔細看就能辨認出來，小亘驚訝地「啊」了一聲，發聲的震動牽動了腹側，一陣疼痛令他忍不住環抱著身體。

那個被膠帶封住嘴巴、快要被石岡的跟班坐垮的人是芦川美鶴，他用那雙睜得老大、幾乎快掉出來的眼珠子凝視著小亘，好像在拚命訴說著什麼。

「你……你們這是幹什麼？太過分了。」

小亘勉強擠出了這句話，肚子卻使不上力，再加上嚇得發抖，只能發出軟綿綿的聲音，石岡他們聽了都笑翻了。這麼卑劣的咯咯大笑，難道塑膠布外面聽不見？三橋神社那個好心的神主爺爺現在到底在幹嘛？

「噢，這傢伙說話挺有趣的。」

「還說我們過分耶。」

石岡他們正在嘲笑小亘，但是他實在站不起來只好跪著，就這樣跪著前進，試圖移動到芦川身邊，突然間腦門被另一名跟班踹了一腳，頓時倒栽蔥摔倒在地。

咚！好大一聲。爲什麼大人不來救我們？這麼大的騷動爲什麼外面聽不見？

「命中！」

「這招叫做側踢。」

「讓我也來踢踢看，練習練習。」

小亘心裡明白應該要設法避開下一波攻勢，可是頭暈目眩毫無招架之力，對方用膝頭那一記漂亮命中他的背部正中央。他頹然趴倒，芦川的臉孔就在他眼前，兩人的視線對個正著。

小亘幾乎岔了氣，再也感受不到疼痛，只覺得全身如發燒般火熱，視野縮小到連上下都分不清楚了。可是芦川那雙大而黑的眼珠卻牢牢地盯著小亘，單憑那股視線的力量，小亘就像搖晃的小舟下錨停泊，勉強維持意識清醒。

芦川正試圖傳達什麼……他的嘴巴正在膠布底下蠕動。

（幫我撕掉。）

是叫我幫他撕掉嘴上的膠布？

（幫我撕掉，快點！）

石岡一邊發出尖聲怪叫，一邊踩著小亘的屁股，四周響起哄然大笑，小亘反射性地躍起身體，移動右手。

（這就對了，用你的手幫我撕掉。）

可是小亘快昏倒了，拼命喘息也無法呼吸。說來令人不敢置信，他的右手竟然動了，正朝著芦川臉孔的方向伸去；朝著黏得緊緊的膠布伸去。

當下才感覺有一條黑影躍至頭頂，石岡已經出擊。芦川和小亘的肋骨被猛力一撞幾乎發出哀鳴，臉頰也被壓在地上。

「好耶！」一陣歡呼響起。

雖然他不知道石岡爲什麼把芦川帶來這裡，他們在對他做什麼，不過石岡他們很笨，連一丁點智慧都沒有，一旦開始胡鬧就忘了原先的目的，再也煞不住車，這樣下去說不定眞的會被殺死。

小亘的右手又動了，抓住芦川嘴部膠布的一角。

（用力撕一定很痛。）

這個念頭在小亘腦中瞬間閃過，手還是毫不遲疑地由左往右撕掉膠布，一條接著一條。

「喂，這傢伙在幹嘛！」

石岡的跟班發現小亘的動作便走了過來，可是小亘已經搶先撕掉芦川臉上的膠布，右手的指尖上還沾著的膠布就這麼頹然落下。

芦川的雙眼黑得發亮，他猛然昂首瞪著石岡他們……不，不對，是瞪著幽靈大樓內側的天空。他張開腫脹滲血的嘴唇，滔滔不絕地說：「偉大的冥界宗主啊，我按照盟約在這請求。黑暗與死者之翼的列位侍從啊，我在此憑著古老的黑血契約之印呼喚你們……」

石岡手中的手電筒啪地熄滅了。「哇，怎、怎麼搞的？」他慌了手腳，踉蹌著後退，倒映在塑膠布上的影子也在晃動。

小亘轉動陣陣作痛的腦袋，勉強朝石岡他們的方向瞥去。不對勁，發生可怕的怪事了，明明手電筒已熄滅，唯一的光源已消失，塑膠布內側卻異常明亮，在場的每張臉孔比剛才還清晰。

芦川仍然繼續說話，搭配歌唱般的腔調，一字一句地清晰可聞。啊怎麼會有這麼好聽的聲音。

「請賜給我仇敵永久之死的沉睡，冰雪不融的咒縛。沙丘羅茲、黑爾基斯、梅特斯、黑爾基特斯，出來吧黑暗之女，芭芭蘿內！」

芦川唸完這段咒語般的話，小亘也明白四周爲什麼會這麼明亮了。介於芦川、小亘與石岡三人正中央的地面上正發出耀眼的白光，從那裡迸射出的青白色光芒把四周照得雪亮。

（到底怎麼了？）

發光的區域比下水道的人孔還小，形狀也是圓的，眼看著那裡逐漸隆起，好像有什麼東西正要從地面破土而出。

（這怎麼可能。）

原本應該很堅硬的地面，只有那塊發光的圓形區域看起來像黏土般柔軟，而且現在……，一個人頭……，出現了人頭的形狀、出現了脖子、肩膀、雙手交抱在胸前，是一個苗條的身軀，還有玲瓏有致的腰線。

（是女人。）

用漆黑黏土做成的女假人。

石岡他們三人嚇得瞠目結舌，從地面破土而出的漆黑假人在他們面前張開了雙手，豐滿的胸部一覽無遺，可是那個部位也是漆黑的。

她光滑的臉龐上有一雙眼睛睜開了，那是一雙金色的眼睛，完全沒有眼白，唯獨中央有一絲黑線，像貓也像豹。

「歡迎大駕光臨，芭芭蘿內！這是為美麗的妳所獻上的活人祭品。」芦川臉上發光，維持趴地的姿勢，盡量抬高頭謳歌似地說道。

漆黑的假人依舊張著雙手，轉向石岡他們。那三人像傻瓜似地縮成一團，既不喊叫也無意逃跑。假人的雙手末端開始長出尖銳的指甲，同時，手臂後側也開始長出比身軀還黝黑的翅膀。

小亘倒臥在地上，扭著脖子把頭轉向一旁，凝視著眼前令人不可置信的景象，雖然自己不知道是恐懼還是高興，回過神卻發現自己在笑，沒有笑出聲，只是像《愛麗絲夢遊仙境》裡那隻柴郡貓一樣揚起嘴角發笑。

芦川喚作「芭芭蘿內」的那個黑色女異形，輕巧地移動著修長的腿，朝著石岡他們三人一步又一步地走近；背上那雙翅膀倏然伸展，全長應該有兩公尺以上。芭芭蘿內的指甲呈倒勾狀，雙手優雅地在空中比畫著，指尖像擺姿勢般朝半空一伸，喀嚓地發出聲音。

石岡他們已經退到大樓角落，再也無處可逃，慌亂地抓著彼此擠成一團，跟小亘一樣猛盯著芭芭蘿內。三人都已面無血色，雙眼瞪得老大，嘴巴半張，看起來既像是嚇得縮成一團，又好像有點高興。

可是小亘看到的是芭芭蘿內的背影，他們看到的卻是芭芭蘿內的臉孔。尤其是石岡，望著她的臉連眼睛都發直了，嘴唇微微蠕動彷彿想說什麼。事實上，他好像在說話，只是聽不清楚，因爲太小聲了，而且芭芭蘿內的指甲喀嚓作響也令人分心。

芭芭蘿內現在臉上有什麼表情？那雙金色的眼睛又是如何凝視著石岡他們？

「我、我……」石岡夢囈般喃喃說道。「我去，我去妳那邊。」

這話聽起來似乎在回答某個問題，像是在回答芭芭蘿內問他「要不要跟我一起走」，可是明明沒有人說話。石岡變得好奇怪，臉上洋溢著心神蕩漾的笑意，搖搖擺擺地站起來走向芭芭蘿內，那兩個跟班蹲在地上死盯著石岡，就這麼緊抱在一起，兩人都嚇呆了。

「阿健……」其中一個勉強擠出哭泣般的聲音。「不行啦……，別去，你不要過去啦！」

石岡置若罔聞，視而不見，像傻瓜般仰望著芭芭蘿內，然後走到她面前，雙膝往地上一跪，雙手大張。

「我要去囉……」

芭芭蘿內的雙肩猛地抖動了一下，牽動手臂直達翅膀末端，整個漆黑的身軀宛如波浪般倏忽一震。儘管這麼想毫無根據，但小亘憑著絕對的本能確信她在發抖，高興得發抖，好像是……好像是一隻即將吞食獵物的野獸。

翅膀兩端啪地筆直伸展開來。

石岡臉上的笑意彷彿被切斷的電源般消失了，然後冷不防發出悲鳴，那是毫無理性毫無控制毫無掩飾的悲鳴聲。

芭芭蘿內襲向石岡，光滑而漆黑的雙臂就像兩條蛇般纏繞著他的身體。芭芭蘿內屈身向前，烏黑的腦袋突然像變形蟲般膨脹成原來的十倍大，然後把手臂中的石岡從頭一口吞下去，石岡的悲鳴如同被剪斷般倏然停止，當他被頭下腳上地吞噬時，一隻球鞋順勢脫落，滾到小亘的腳邊。

小亘瞠目以對。石岡被吞噬之前，在那短如電光石火的十分之一瞬間，臉上所露出的驚恐表情就像停格畫面般烙印在他的瞳孔中，他能看到的就只有那個。

芭芭蘿內把石岡吞噬了以後，頭部又恢復原來優美的外形，變回一尊漆黑美麗的女神像，指尖對著剩下的那兩個人伸出鉤爪。

「我不要！」

兩人哇哇大哭。

芭芭蘿內無聲無息地躍起，拍了一下翅膀，轉眼間就抓住那兩人，他們的雙腳在芭芭蘿內的翅膀下掙扎，在空中拼命亂踢。一陣龍捲風襲來，掃過小亘頭頂，即使趴在地上，強風也似乎要把他捲走，小亘不由自主地閉上眼。這時狂風突然靜止了，他戰戰兢兢地睜開眼，仰頭一看，四周已恢復黑暗。

遠遠的……塑膠布外，幽靈大樓外，隔了一條街外的十字路口，傳來引擎強力空轉的聲音。小亘身邊的手電筒喀嚓亮起，光芒刺痛了他的雙眼，他忍不住避開，一隻手伸過來碰觸小亘肩膀。

「你沒事吧？」

身。

是芦川。他臉上傷痕累累，嘴角破了，右邊的鼻孔還在流血，不過他動作俐落地協助小亘起身。

小亘往地上一坐，頓時眼冒金星，差點又要向後仰倒，連忙用雙手撐著。他感覺渾身上下隱隱作痛，卻又覺得很遙遠，彷彿不是自己的身體。芦川在他身旁單膝跪地，正用拳頭擦拭鼻子下面。

「他……他們呢？」

小亘勉強擠出聲音，感覺嘴裡有一股怪味，也許是血腥味。

「哪個他們？」芦川裝傻反問他。

「石岡和……兩個同夥。」小亘仰望他。暈眩再次襲來，視線模糊，他很努力想看清芦川的表情，卻無法聚焦。

「你被打得眞慘。」芦川說。「自己站得起來嗎？」

小亘感覺雙腿好像用橡皮做的，使不上力，即便如此還是照他說的試著站起來，茫然地望著自己的運動鞋底空虛地擦過地面。

「他們怎樣了？」他又問一次。「他們到哪去了？剛才那是什麼？那個妖怪，黑漆抹烏的那個。」

現實感越來越遙遠，似乎連自己也不知道自己在說什麼，最後已經變成像在說夢話一樣呢喃。

「根本沒有妖怪。」芦川用斬釘截鐵的語氣否認，就像在補習班回答老師的問題一樣。「剛才是夢，沒什麼，你做夢了。」

「那才不是夢……」

小亘一邊反駁，然而還是站不起來，他的身體搖晃著，最後還是往前撲倒，幸好芦川及時撐住他。

「你來這裡做什麼？」

芦川問。小亘靠著他感覺輕鬆多了，也覺得很想睡，嘴巴張不開，大概要暈倒了吧……他想。

「沒做什麼……」

「又沒人叫你來。」芦川忿忿地說道，聽起來好像在生氣。

「我也不知道爲什麼就來了……」小亘小聲回答。

「沒人叫你還跑來……，你這人眞是……，明明跟你無關……」芦川說著，突然笑了一下。

「不過，幸好你救了我。」

他在說什麼？這都不重要了，我眞的好睏。

「眞是雞婆的傢伙。」芦川說著又小聲咕噥了什麼，好像又在念咒，小亘的頭上頓時降下一道溫暖的白光，那光芒包覆了小亘，眼看著全身的痛楚就像做夢般消失了，好舒服。

再見！好像聽到芦川這麼說，我們要分手了，永別了。

小亘就這樣睡著了。

他猛然醒過來，發現自己正仰躺在房間床上，腦袋好端端地枕在枕頭上，雙手在胸前交疊，看起來不像在睡覺，倒像是連續劇裡裝睡的小童星。

大約有那麼三、五秒，小亘瞪視著天花板，然後一骨碌地爬起來，突然間鬧鐘響了，他著實嚇了一跳。早上七點，時鐘沒有騙人，格紋窗簾被夏日朝陽照得透亮，氣溫已經開始升高，睡衣黏在發汗的身體上。

「小亘，起床了！」

門外傳來邦子的聲音，房門被咚咚咚地敲著。

「今天是結業式喔，最後一天如果遲到了會很丟臉喔。」

今天是結業式……

小亘用雙手按著頭，確實是在這裡，腦袋好端端的還在，眼睛看得見，鼻子也聞得出味道，一股香味正從廚房飄來，是媽媽在煎蛋。

那，那個呢？昨晚看到的景象呢？

做夢嗎？

昨晚我哪裡也沒去嗎？我以爲自己出門了，其實是鑽進被窩裡了？打算偷偷跑去阿克家玩的念頭難道也是做夢？

還有那個……那個……怪物。

雖然印象模糊，但還記得。芦川和那個有翅膀、形狀像女人的漆黑妖怪，金色的眼睛，利爪發出的喀嚓聲。

石岡健兒發出悲鳴。

小亘連滾帶爬地跳下床。一衝進廚房，邦子捏著烤吐司一角正要裝盤，看到他嚇得大叫一聲。

「你……怎麼了？」

「媽，我……」

「什麼事，小亘？」

小亘頹然無力，沒把握解釋清楚，那根本沒辦法轉換成言語。絕對、完全不能、不可能。

「天哪，你睡糊塗啦？」邦子邊笑邊撿起掉在桌上的吐司。「快去洗臉，瞧你滿身大汗的。」

嗯！小亘點頭，走到洗手間，對著鏡子一瞧，的確映出一張睡眼惺忪的小學生臉孔，他根本沒受傷，只有睡得一頭亂髮。

好，要舉行結業式了，這下子可以暫時揮別學校，長達四十天的暑假正在等著呢。太陽一邊歡唱一邊熠熠發光——我可沒有辜負孩子們的期盼喔，今天我會給你們一個大熱天，因爲從現在開始放暑假！

在校園開始進行朝會時，小亘還沒找回現實感，昨晚那些似夢非夢的景象佔據了他的心，同學們毛躁不安的竊竊私語、老師們非比尋常的凝重臉色都沒有引起他的注意。由於是按照座號順序排隊，站在小亘前方老遠的阿克不時趁老師不注意時轉頭看他，跟他打暗號，他是注意到了卻興趣缺缺。

校長致詞完畢，大家陸續回教室時，阿克立刻跑向小亘。

「喂，不得了不得了啦！」

小亘茫然地看著阿克。

「怎麼，你還想睡？一定是半夜打電動吧。」

阿克今天特別亢奮。

「你該不會什麼都不知道吧？啊，不過你媽不是家長會委員，可能還沒聽說吧？我爸媽雖然也不是委員，不過我爸有加入義消喔！」

阿克連珠炮般地自問自答。

「怎樣了啦。」小亘意興闌珊地問。在他看來，不管阿克帶來多大的消息，跟昨晚那夢幻般的體驗一比都變得微不足道了，這就好像看過電影《侏儸紀公園》再去深川爬蟲類博物館一樣。

「三谷，你真的不知道啊！」

阿克露出驚訝但其實很高興的表情。哇，居然還有人不知道這個消息，所以我可以告訴他囉！

「石岡健兒失蹤了。」

兩人正在通往二樓教室的途中，由於小亘猛然在樓梯轉角處停下腳步，後面的女生立刻撞上來。

「啊，抱歉喔三谷。」女生說著並輕拍小亘的背。「你不要突然停下來嘛。」

小亘被這麼一拍身體晃了一下，不過他的眼神依舊停在阿克臉上，誰都看得出來他不太對勁。阿克略微後退。

「三谷你沒事吧？早苗，都是妳亂拍啦。」

小亘沒回答，又朝著阿克逼近一步，阿克嚇得倒退一步，早苗也一臉擔心地湊過來。

「你說石岡健兒，就是那個石岡？」

「對、對呀。」阿克點頭。「就是六年級那個討厭鬼。」

「那傢伙失蹤了？」

「對呀，聽說一大早就不見了。」早苗插嘴。「還叫來了警車，搞得雞飛狗跳耶，他媽媽也打電話給學校了，六年級的老師都慌了手腳。」

「啊，對喔，妳就住在他家附近嘛。」阿克對早苗說。「我老爸是義消，所以還幫忙找人咧。」

「可是，這太誇張了吧。」早苗一邊甩動頭髮一邊說道。「石岡那傢伙不是一天到晚在外面遊蕩？眞樹子她家在車站前面有出租大樓，租給電玩遊樂場。聽說石岡和他的跟班半夜還在那裡玩，怎麼勸他都不聽，老闆也很傷腦筋呢。」

「就算是夜遊，這還是頭一次徹夜未歸，所以他家人才這麼擔心。」阿克說得好像消息很靈通似的。「而且今天，聽說那傢伙還要去參加電視試鏡呢。」

「所以他不可能不回來？」

「嗯，應該是吧。」

早苗露出可愛的笑容。「也許是怕試鏡再次落選才離家出走吧？就憑那傢伙，不可能上電視的啦，他長得那麼醜。」

阿克很高興。「啊，妳也這麼覺得？妳也認爲他很醜？」

「像是長相抱歉的大猩猩。」

「對呀，爲什麼就是沒人當面告訴他呢？」

「你去說啊。」

「我？我才不要。」

「膽小鬼。」

兩人的笑聲中竄進一個嘶啞的怪聲音，連當事人都不敢相信那是自己發出的聲音，但那的確是小亘的聲音。「失蹤的只有石岡？」

阿克他們同時看著小亘的臉。

「啊？」

小亘看著牆壁，機械性地重新問一次。「失蹤的只有石岡？還是連他的跟班也一起？」

阿克和早苗面面相覷。「這就不清楚了……」

「可是，說不定是一起失蹤的喔。」阿克再次擺出消息靈通人士的架式傾著頭。「三個人一起失蹤，難怪會引起騷動了。」

「唉，三谷，你怎麼了？」早苗抓著小亘的手肘。「你臉色發青耶。」

鐘聲響起，學生們紛紛被吸進教室。

小亘擠出含糊的聲音。「……呢？」

「啊？什麼？」阿克他們湊近問道。「你說什麼？」

「芦川呢？芦川來了嗎？」

「芦川……，你是說隔壁班的？」早苗疑惑地看著阿克的臉，阿克搖頭。

「這跟芦川又沒有關係。」

「可是……，啊，等一下，喂，美紗。」

早苗似乎發現她的好友在一群急著進教室的學生當中，於是大聲呼喚。被呼喚的美紗在上樓途中回頭問：「什麼事？」

「你們班的芦川來了嗎？」
「他請假，朝會時就沒來，他向來不會遲到的。」
「眞的？謝謝。」
美紗他們匆匆離去，小亘感到眼前發黑，身體變冷，連站都站不穩。芦川請假，芦川也不見了。
這下子要分手了，永別了。
那傢伙是這樣說的嗎？
早苗抓著小亘的手肘，這下子更用力了。
「小村你眞是的，還愣著幹嘛！三谷貧血啦，他快昏倒了，快去叫老師！」
「……我不要緊。」小亘說。「沒關係，不是貧血。」
「可是……」
「眞的沒事，早苗……」
「啊，什麼？怎麼了？」
「我的手好痛。」
早苗愣了一下才鬆手。「啊，抱歉抱歉。」
「妳眞是白痴。」阿克多嘴，立刻慘遭早苗修理。
即便如此，兩人還是一臉擔心，站在小亘左右像要保護他似地，一路護送他到教室，阿克急著想問個究竟，早苗卻用嚴厲的目光制止他。

小亘人在這裡心卻不在，昨晚的情景就像看DVD影片時，用快轉功能從心愛的戰利品中找出喜歡的畫面重播，鮮明重現。教室裡的氣氛也很浮躁，顯然是因爲石岡的失蹤。班會期間老師二度離座，而且每次回來時表情都很沉重。

老師把成績單一一交給學生，眼看著馬上可以回家了，這時老師又被叫出教室，剩下一屋子學生，抱著不安和好奇吵得鬧哄哄的。要大家安靜下來根本就不可能，每間教室的情況似乎都差不多，整條走廊一片喧囂。

老師終於回來告訴大家今天放學要排隊，而且還會有値班的家長來接送，由於待會兒要排隊離校，所以大家必須先在教室乖乖等著。說完這些，老師又匆匆走出走廊，學生們已經陷入狂熱，有幾個大膽的跑去其他教室打聽，也有學生在書包裡偷藏PHS手機，急忙打電話回家，身旁還圍了一群同學，豎起耳朵聆聽。

小亘的精神能量多半都耗在那段可怕景象的重播，他疲憊地坐在位子上，阿克和早苗離座來到他身邊。

「唉，三谷眞的怪怪的耶。」早苗很不安。「你怎麼了？」

要是能夠解釋，要是立刻能讓大家相信，那該有多輕鬆。

教室一角圍成小圈圈的同學們突然冒出尖叫。

「搞什麼！」阿克站起來大聲說。「不要鬼叫好不好！」

那個圓圈瓦解，中間有一個女生正把PHS貼在耳邊，她幾乎快哭出來了，騰空的那隻手正緊握著朋友的手，其中一人走出圓圈來到教室中央，臉色凝重地用大家都聽得見的音量說：「有兩名六年級生找到了。」

小亘抬眼。阿克立刻問：「哪兩個？是石岡的跟班？」

「對，聽說他們倒在千川公園。」

「兩個人都是？」

「對呀。」

有人問：「死了嗎？」

「沒死。不過，聽說怪怪的。」

「怎樣怪法？」

「雖然沒受傷，可是喪失了記憶，之前去過哪裡都不記得了。」

終於有人哭了出來，跟著又有好幾個人哭，坐在窗邊的男生一邊看著外面，一邊扯高了嗓門說：「奇怪，那不是電視台的車嗎？」

好幾個人跑過去，啪啪地打開窗子，遠處傳來直昇機的聲音，逐漸接近，不只一架有好幾架。

小亘站起來，不能再待在這裡了，連一分鐘都受不了。雖然大家都沒注意到，阿克和早苗卻企圖追上來。

「你要去哪？」

「回家。」

「回家？」

「我不舒服。幫我跟老師說一聲。」

小亘不顧一切地衝出教室，耳裡嗡嗡作響，周遭的喧鬧全都聽不見了。他衝下樓梯，跑過走廊衝向後門，由於沒經過教師辦公室，所幸沒被發現。校方現在大概也無暇管他了吧，他連室內拖鞋也沒換就這麼跑了出去。

儘管學校裡的溫度升高到那種地步，街上乍看之下卻毫無變化，只是艷陽高照熱得令人頭昏，沒有任何遮蔭物。小亘一路跑著跑著氣喘吁吁，來到大松先生的大樓前面，他用手擦拭臉上的汗。路上行車來來往往，撐洋傘的歐巴桑過馬路走到對面，前方不遠處的停車場有人正在停車，現在啪地關上車門。

小亘看著那塊包覆幽靈大樓的藍色塑膠布，感覺就像隱藏秘密的面紗悄然垂下，覆著蓋頭。他掀起塑膠布那個老位置，迅速鑽入。仔細想想，這還是第一次在白天的時候過來，從縫隙射入的強烈陽光將內部照得微亮，沒有陰涼的感覺，裡面甚至比外面還悶熱。

有整整三十秒，小亘屏氣佇立不前，他感覺背部滑過一絲汗水，心跳快得幾乎衝到喉頭，即使用力吞嚥，還是無法讓心臟回到胸口原來的位置。

昨晚，小亘倒下的位置。

芦川被石岡他們按住、毆打的位置。

然後，那個妖怪……啊，對了芭芭蘿內；死亡之翼；黑暗之女……，那個女異形出現的位置。

一步又一步，小亘朝著芭芭蘿內展翅的地方、芭芭蘿內襲擊石岡的地方、芭芭蘿內吞噬石岡時他的悲鳴倏然停止的地方走近，雙腳猶如掛了千斤重錘，必須拖著走，臉上的汗珠從下巴滴落。

然後，他看到了。

地面上有一隻球鞋，好像剛被脫下扔在那裡。小亘輕輕蹲下拿起球鞋，白鞋上有藍色和黃色的線條，還有著名運動品牌的商標，仍是新的。

這是石岡健兒的鞋。

爲什麼會在這種地方？

爲什麼我會知道答案？

小亘無聲地吶喊，用力拋出球鞋，鞋子掉落地面滾了兩、三圈，最後鞋底朝向這邊。

小亘拔腳就逃。不管三七二十一地把塑膠布一掀，衝到馬路上。跑得太快結果向前撲倒在水泥道上，路面之燙令他一驚。他站起來，踉蹌著向前邁步，眼淚頓時奪眶而出，明知哭也沒有用，也不知道爲什麼要哭，但眼淚還是逕自滾落。

芦川……，我得去找芦川，一定要見他，我要當面拜託他，請他去救石岡，他不能做那種事，不能找那種妖怪，現在或許還來得及。淚水模糊了視線，眼前什麼都看不清楚，他茫然地走著走著，猛然撞上了什麼柔軟物，那東西好像還有手，而且試圖抱住小亘。

「喂喂，你是怎麼了？」

是三橋神社的神主，他今天還是穿著白色和服跟寬鬆的褲子，那張和藹的圓臉和灰白夾雜的凌亂眉毛就在小亘眼前。

「咦，你是……我們之前是不是見過？」

小亘正好站在神社入口，鳥居就聳立在神主身後，綠樹迎風搖擺，神殿的屋頂上有鴿子棲息著。

「神主……」小亘混亂的腦海中出現一線曙光，他用雙手拽住神主的袖子。「請問，你認識一個像我這樣的小孩嗎？他常常來這裡，漂亮的臉蛋長得很像洋娃娃，他姓芦川，聽說他家就在這附近……，你知道嗎？你知不知道他住哪裡？你有沒有跟他說過話？」

不管小亘再怎麼搖晃，矮小的神主依然站得四平八穩，不過他看起來似乎很驚訝，他仔細打量小亘後說：「像你這個年紀的男孩嗎？」

「對，沒錯！」

「你說芦川是吧。對，我常看到他，還跟他說過話呢，他就住在這後面的公寓，他是你的朋友嗎？」

「後面的公寓？哪一棟？」

在三橋神社後面有一棟公寓，樓頂矗立著搶眼的紅色水塔；另一棟公寓很高，外牆是巧克力色，兩棟樓並排而立。

「這我就不知道了。因爲我沒問過他住址。」

眼看小亘二話不說就想落跑，神主一把拉住他。「小弟、小弟，你先等一下，到底是怎麼了？你臉色發青耶。」

很抱歉，可是我連一秒都無法多等。

「對不起。」

他說著便甩開神主的手，一路衝進神社境內，踩著沙礫飛奔而過，一口氣從神社後面的出口衝出去，神主沒有追上來，或許是追不上。

小亘先跑向樓頂有紅色水塔的公寓，因爲那棟比較近。一進入大廳，正面有一排住戶信箱，他一邊喘氣一邊檢查名牌，但沒找到芦川這個姓氏。他滿身大汗，檢查了兩遍還是沒找到，於是轉身走出公寓。另一棟巧克力色的公寓背對著神社而建，若要走到大門必須從建築物旁邊繞過。汗水流進眼睛，感覺有點刺痛，他一邊用手擦臉一邊奔跑，遠處傳來救護車的鳴笛聲，逐漸逼近，然後朝小亘學校的方向遠去。

小亘終於走到公寓入口，只見正面的自動門前有一名穿著苔綠色工作服的管理員正在掃地，小亘從他身邊一溜煙跑過，管理員一邊掃地一邊扭頭看了他一下。這棟公寓的信箱數量多了一倍，小亘在檢閱之前不得不先彎下身子，兩手撐著膝蓋調整呼吸，頭一朝下臉上的汗水便滴落在光可鑑人的大理石地板上。芦川的名牌就掛在一〇〇五號室。小亘一發現就猛然往裡面衝，不料一頭撞上對開的自動門，「碰！」地發出一聲巨響。這棟公寓的大門採用自動上鎖，如果從會客大廳往裡面走，必須先透過公共對講機請對方開啓。啊，眞是急死人了！門的左邊就有一塊附設按鍵和麥克風的面板，小亘抖著手指正要按下「1005」，就被人從後面抓住肩膀，是剛才那名管理員。

「喂，你不要緊吧？」

小亘被這麼一轉，手指便離開了面板，只是被輕輕一碰，兩腿就已發軟。

「你撞到門了吧？糟糕，流鼻血了。」

聽到對方這麼一說，才發覺鼻子下面和嘴唇附近一陣濕熱。

「你不是住這裡的小孩吧，有什麼事嗎？怎麼沒上學？」

此時，公共對講機傳來一個女人的聲音蓋過了管理員的質問，「喂？哪一位？」

「是芦川家嗎？」小亘對著麥克風提高嗓門。「我是美鶴的朋友，我正在找美鶴，請問他在嗎？我可以見他嗎？」

經過瞬間的沉默之後，女人說話了，聽起來似乎很焦躁。「美鶴的同學？那，那孩子果然沒去學校？」

小亘頓時感到全身發涼，對方會這樣問，那表示芦川不在家裡。

管理員弓身對著對講機說：「芦川小姐嗎？站在這裡的確實是個小學男生，他好像很慌張。」

女人回答：「請你讓他上來。」

自動門悄然開啓，小亘一溜煙穿過大廳朝著電梯奔去，管理員尾隨在後一臉不悅，不過好像打算替他帶路。一抵達十樓，出了電梯的右手邊就是芦川家，一名身材修長的女人開著門站著。

「芦川小姐，就是這孩子。」

管理員推推小亘的背。

「我不清楚這是怎麼回事，不過請妳小心一點，如果再發生上次那種騷動，公司會追究我的責任。」

站在門口的女人客氣地鞠躬說「對不起」，於是管理員又鑽回電梯匆匆下樓去了。小亘默然仰望著女人的臉，感覺鼻子下面越來越濕熱，一定還在流血。這個女人看起來好年輕，乍看之下看不出年紀，至少絕對不是芦川的媽媽，是個令人瞠目的美女，身材也一級棒，穿著白色無袖襯衫和淺灰色迷你裙，沒按著門的那隻手臂輕輕叉在腰上，手腕上的銀鍊閃閃發亮。小亘起先以爲對講機的女人一定是美鶴的媽媽，所以當下有點混亂。

「你是美鶴的朋友？」

女人俯視著小亘問，那聲音和對講機聽到的一樣。

小亘默默點頭，明明只要點一下就行了，他卻像故障似地不停地點頭如搗蒜。

「你怎麼流鼻血了。」女人帶著責備的語氣繼續說道。然後，叉腰的那隻手伸到臉上按著額頭好一陣子，接著很不耐煩地把手一揮，推開門說：「請進，先進來吧。」

屋內的空間不大，光線倒是很充足，整理得很乾淨，客廳裡的家具也很時尚。小亘的思緒一片混亂，思考可能不太準，不過感覺上這不像是一個有小孩的家庭，他甚至懷疑芦川是否眞的住在這裡。

女人關上門，跟在小亘身後，一進入客廳便遞上面紙盒。「把鼻血擦一擦，怎麼搞的？」

小亘照著做了。「我剛才撞到門了。」

他一用面紙按住鼻子就感到異常疼痛，剛才完全沒知覺，這時才發現撞得很嚴重。女人從他身旁拉了一張附有腳輪的圓凳給他坐，而她自己則坐在一旁的單人沙發。等小亘一坐下，椅子的高度使得他們倆的視線正好相對。女人的表情似乎比小亘還沉痛。「美鶴，眞的沒去上學嗎？」她靜靜地問道。

「是的。」小亘用面紙摀著臉回答。門牙也很痛，一想到牙齒說不定已經鬆動了，就怕得不敢碰觸。

「你叫什麼名字？」

小亘報上姓名，不等對方表示從來沒聽美鶴提過這個名字，主動補充說明：「我跟芦川是補習班的同學。」

女人只是默默地點頭，完全沒有起疑，說不定芦川在家根本沒有提過學校的事。他有這種直覺。

「謝謝你這麼擔心美鶴。」女人仍然一臉沉痛地說。「那你知道那孩子會在哪裡嗎？」

「請問，他一早就不見了嗎？」

女人頷首。「他留了一張字條，好像是離家出走了。」

對，說是離家出走確實是離家出走。永別了！去哪裡？去一個不屬於這裡的世界。

「不曉得美鶴有沒有告訴過你，我是他姑姑。」

難怪會這麼年輕。

「芦川從來不提家裡的事，我們也都不太清楚，雖然大家都說他曾經在國外住過，但那似乎也不是正確消息。」

不知爲什麼，姑姑突然一臉悲傷，她用單手按著額頭，手鍊又閃閃發亮。

小亘連忙說：「不過，芦川很受歡迎喔，他功課好，女生喜歡他，連男生也對他另眼相看。」

姑姑更悲傷地垂下眼。是嗎，她如此低語，聲音很無力。

「可是他走了，只留下一張莫名其妙的字條。」

「莫名其妙？他寫了些什麼？」小亘傾身向前。「是不是寫說要去另一個世界之類的？」

姑姑猛然抬頭，用驚愕的眼神看著小亘。「你怎麼知道？那孩子跟你說過什麼嗎？」

小亘不知如何回答。如果可以，在解釋來龍去脈之前，他很想先看看芦川留下的那張字條……

「三谷小弟，看來你眞的是美鶴的好朋友！」姑姑把手放在小亘膝上，她的手很溫暖。「你知道他會去哪裡嗎？我不希望那孩子死掉。」

「不希望他死掉？」

姑姑把「去另一個世界」解釋成「死掉」嗎？對了，通常都是這樣解釋吧。

「他的字條上提到要尋死嗎？應該沒有吧？」

「對，是沒有啦。」姑姑的表情扭曲，即便如此依然很美，如果仔細看，她的五官和芦川的確有神似之處。

「大約三個月前吧，他曾經企圖自殺，這件事你知道嗎？」

小亘啞然搖頭。

「喔，他可能不好意思說吧。那時候他才剛搬來沒多久……，每天都一個人窩在家裡，可能因此變得更悶吧。他企圖從這棟公寓的樓頂跳下去，幸好被管理員發現把他攔住了，不過當時引起很大的騷動。」

剛才管理員格外警戒的模樣，還有他說的那句「像上次那樣……」背後原來有這段經過。

「看來，我還是拿他沒輒。」姑姑低聲說。

芦川的家庭似乎有錯綜複雜的隱情，小亘也早已察覺，光是這點就讓他毫無頭緒，不知如何繼續這段談話。

冷靜點。試著回想《私家偵探梅鐸事件簿系列》就行了，雖然他不喜歡玩冒險系列，但那套遊戲不是全都過關了嗎？只要把姑姑當成委託人，自己化身爲梅鐸偵探提出問題就行了，這應該不困難，芦川的姑姑不正是扮演事件一開始造訪梅鐸事務所的神秘美女最佳人選嗎？

「他留的字條上寫說要去誰也找不到的地方。」姑姑說。「他還說就算去找也找不到，所以叫我別管他。」

「我……我……我可能知道……芦川跑去哪裡。」

姑姑用力抓著小亘的膝蓋。「那，快帶我去！」

「我是很想啦，可是，對我來說……，也不知道要怎樣才能去那裡。」

姑姑瞪大了雙眼。「這是什麼意思？你是說那個地方很遠？」

「也不能說是很遠啦……」

「三谷，該不會是美鶴叫你替他保密吧？」

這雖非事實，但如果兜了一個大圈子，倒也算是離事實不遠的謊言，因為知道「幻界」的人目前的確只有芦川和小亘。

「對，沒錯。」

「可是如果不管那孩子，他是會死的，美鶴絕不會是嘴上說說，就像上次他眞的爬上樓頂圍牆了，要是管理員再晚一點點發現，他可能已經跳下去了。」

「請問，芦川他今天有跟學校請假嗎？」

小亘突然轉變話題，姑姑眨著眼不明究竟。「啊？」

「您有跟學校聯絡吧？」

「嗯，今早我看到他留的字條就馬上打電話給級任導師替他請假，因為我不希望那孩子的事在學校引起騷動。」

這就奇怪了！不想在學校引起騷動。遇到這種情況，一般家長會先想到這個嗎？通常應該是通知學校一起找人才對吧。

「後來，您還有打電話給學校嗎？」

「沒有呀，怎麼了？」

如此說來，姑姑對石岡他們的事情仍一無所知，這點是好是壞姑且不論……

想到這裡，電話突然響了。

電話擺在客廳角落，那是一架附有傳眞功能的大型機器。姑姑從椅子上起身衝到電話旁。小亘感覺眼前一陣晃動，一股強烈的不祥預感襲來。去年夏天，他曾跟爸爸去一間規模很大的美術館參觀梵谷的畫作「絲柏」，雖然那幅畫的色彩鮮豔亮麗，但是畫中的天空有一大片漩渦，即使已經走出美術館，那些漩渦似乎在小亘眼底打轉，縱使仰望眞正的藍天依舊盤旋不去，就連上了電車，仍感覺吊環在頻頻打轉，爸爸特地帶他上館子吃飯，他也幾乎吃不下。現在的感覺就跟那次的經驗很像，現在如果從窗口向外看，說不定又會看到那漩渦般的天空，或許還會看到每個角落充斥著那股無法控制的迴旋能量。

芦川的姑姑一邊講著電話，逐漸地用力抓著話筒。

說不定我提到學校這個話題，等於豎起了某種致命且無法挽回的旗幟。

在角色扮演或冒險遊戲中，只要按照順序進行，對於某人所設定的某個問題就能開啓契機，使得故事順利進展，那個契機被稱爲「FLAG」（旗幟），可是找不到的時候根本就找不到，甚至不得不中斷遊戲抱頭苦思好幾天。

剛才跟姑姑的對話也是如此，雖然我知道很多難以解釋的事情，不過姑姑好像也隱瞞了什麼，我們之間的對話看似有進展其實一直在原地踏步。

可是小亘不知不覺說出了通關密語，連他自己也不知道那是什麼。然而旗幟豎起來了，對話開始出現進展。

姑姑掛斷電話，一臉蒼白。

「六年級的石岡他們失蹤了？」她抖著聲音問道。小亘還來不及點頭，她已經衝過來抓著小亘的肩膀搖晃。

「你爲什麼一開始沒告訴我？三谷小弟，你早就知道石岡他們在威脅美鶴吧？所以一聽說他們失蹤，你才會跑來找美鶴吧？美鶴說不定對他們做了什麼，對不對？你幹嘛不說話，你倒是回答呀！」

姑姑這麼喊叫，便放開了小亘的肩頭，雙手蒙著臉蹲了下來。小亘感到一陣暈眩，不是因爲剛才那陣搖晃，而是心中那股漩渦般的力量造成的。

芦川對石岡他們做了什麼。

這個問題從姑姑口中冒出來，毫無猶豫地，充滿了恐懼之情。

一般人會這樣設想嗎？

難道姑姑知道芦川會用法術？芦川在她面前表演過唸咒召喚出妖魔或是治癒傷口之類的神奇手法？

若非如此，在三對一的情況下，芦川怎麼可能「對石岡他們做了什麼」。

妳早就知道了嗎？姑姑。

「學校裡來了一大堆電視台的車子。」小亘小聲說。「這裡雖然聽不見，不過也飛來了很多架直昇機。我從學校出來的時候，聽說石岡那兩個同伴已經找到了，那是我同學聽新聞說的，那兩個人還活著，不過並不正常。」

姑姑透過雙手的縫隙問：「怎樣不正常？」

「聽說他們好像失去昨晚的記憶了。」

姑姑頹然垂下雙手站了起來。「美鶴沒那麼大的本事。」然後她用平板的語氣說：「不過，既然來了這麼多電視台……，那孩子完了。到了這種地步，他離家的事恐怕瞞不住了，就連家庭背景遲早也會被挖出來。」

「家庭背景？」

對於小亘的反問，姑姑只是佇立著搖頭。

「我已經不知道該怎麼辦了。」

「姑姑……」

姑姑哭了出來。「三谷小弟，你跟美鶴一樣都是十一歲吧？」

「嗯！」

小亘也快哭出來了。他既同情又痛心，姑姑明明是個成熟的大人，卻突然變得跟大松香織一樣，好像是纖細又易破碎的東西。

「我看起來像幾歲？我才二十三歲呢，去年大學畢業才剛開始工作，只比你們多活了一倍，就連我也還沒長大呢。這種事我實在應付不了，我沒辦法。」

姑姑走向電話。「我得通知學校。三谷小弟，謝謝你這麼關心，你該回家了。」

過了中午，石岡他們的事已經演變成全國性的新聞了。

電視上出現的城東第一小學雖然經過馬賽克處理，但分明就是小亘他們的學校。學生們列隊放學的影像同樣也打上了馬賽克，可是從服裝和走路方式還是可以分辨出幾個同班同學。

小亘的媽媽跟芦川的姑姑一樣，起先是透過學校緊急聯絡網的電話通知才得知這起事件，後來電話又頻頻響起，全都是看到新聞的人打來的。媽媽頻頻得向小田原的外婆或千葉的奶奶報告，說小亘好好的在家不用擔心，雖然受了一點傷，不過好像是在班上聽到這事件之後太害怕了，在回家的路上不小心跌倒摔傷的。

級任導師也打過電話來，說等一下要把小亘沒帶走的成績單送過來。老師一點也沒生氣，小亘走了以後，據說教室裡發生了很大的騷動，小亘在衝往芦川家的路上聽到的救護車聲，正是為了載送小亘班上的女同學，聽說六年級也有好幾名學生昏倒，救護車來不及處理，還請其他地區的消防隊支援，搞得人仰馬翻。

媽媽替小亘包紮傷口（幸好，門牙沒有撞斷），午餐還做了雞肉炒飯，但他食不下嚥。雖然他幾乎被趕出芦川家，卻還是頻頻想著，芦川那個年輕貌美又看起來很悲傷的姑姑後來不曉得怎樣了，想必沒有人會做雞肉炒飯給她吃吧。據說曾跟芦川住過一陣子的伯伯，應該是那個姑姑的大哥吧，如果真是這樣，那他現在說不定還在國外，一時之間恐怕趕不回來吧。

午後播報的新聞除了報導六年級的石X同學依舊失蹤之外，又加上了五年級的◎X同學一早就下落不明的消息，並且慎重地加上評論——◎X同學留下一張字條，極有可能是離家出走，因此無法確認是否與石X同學等人的事件有關。

媽媽一直守在電視機前，趁空檔自己也吃了午餐，這時電話又響起，原來是小村媽媽打來的，她說消防隊要組織搜索隊，詢問三谷先生能否參加。媽媽客氣地道歉，並回答外子不方便提早下班。小村媽媽說今晚等他下班以後也行。由於她的聲音很大從話筒裡傳出來，所以小亘都聽見了。「當然，要是今晚就能找到那是再好不過了。」小村媽媽連這種時候都還是活力十足。「因為石岡本來就前科累累嘛，搞不好惹上了小流氓，被人家修理了。」

媽媽再三道歉後掛斷電話，又坐回電視機旁，似乎正在苦思什麼。然後她喃喃說：「爸爸沒打電話來耶。」

小亘說：「他一定是沒看新聞啦。」

「他說過員工餐廳也有電視。」

「那，一定是因為新聞沒提到校名，他沒發現是我的學校吧。」

媽媽默然，小亘也不吭氣。新聞如行雲流水般播報不停，甚至還取消原時段的娛樂新聞進行實況轉播，可是再也沒有新的消息。

大約是四點左右吧，小亘累得在床上躺平，這時候門鈴響了，媽媽說一定是級任導師來了，連忙脫下圍裙抹整頭髮，小跑步衝向玄關。

沒想到，來人是早苗的媽媽，小亘曾多次在車站和超市看過她跟早苗在一起，因此一眼就認出來了。至於媽媽，得知是班上女同學的媽媽起先感到有點困惑，不過早苗的媽媽是個很開朗的人，她也立刻變得殷勤起來。

「三谷同學，好一點了嗎？我們家早苗很擔心，本來想跟我一起來，可是現在鎮上一團亂，我要她待在家裡不准出門。」

「他沒事了，不好意思。」

「這瘀青很嚴重耶，額頭都腫一個包了。你剛才在睡覺？那你還是回去躺著比較好。」

媽媽也一邊說著「人家還帶哈密瓜來慰問你呢」，一邊把小亘趕回房間。看來媽媽們之間似乎有一種「我想避開小孩私下談談」的心電感應。

當然，小亘又隔著房門開始偷聽。

「三谷太太，其實我有點事想找妳商量。」早苗的媽媽劈頭就這麼說。「我聽早苗說，小亘跟那個姓芦川的小孩上同一家補習班？」

是芦川的話題。小亘嚇了一跳。

「對，沒錯。」媽媽回答。

「芦川好像成績很優秀，長得又非常可愛。」

「我沒見過他耶，他也沒來我家玩過。」

「哎喲，這樣子啊？那，是早苗誤以爲他們很要好囉。唉，我還以爲他們倆這麼要好，妳一定知道芦川的一些底細，所以才來找妳的。」

「這是怎麼回事?」

早苗媽媽爽朗的聲音突然降低了音量。「這種事我實在不太想說啦……哎,起先是我先生發現的,但他一直沒說,因爲畢竟跟孩子無關嘛。」

到底是發現了芦川的什麼事?芦川姑姑哭泣的模樣,還有她那句語意不明的「家庭背景遲早也會被挖出來」,霎時在小亘的腦中復甦。

「四年前,川崎市內某間公寓發生了一起可怕案件,一名三十歲的上班族,把自己的老婆跟老婆的外遇對象殺死,自己也自殺了。據說那個上班族姓芦川,那對夫妻當時有個唸小一的兒子。」

小亘的媽媽不發一語,小亘也說不出話來,他覺得自己好像連呼吸都停止了。

「他們還有一個兩歲大的小女兒,結果也跟媽媽一起被殺死了。在那個下毒手的父親看來,大概是打算全家一起死,或是不忍心留下小孩孤苦伶仃吧。」早苗的媽媽興致勃勃地繼續說。「據說芦川發現老婆趁他白天上班把外遇對象帶回家,於是找了一個非假日的白天突然跑回家,結果當場逮個正著,然後就一口氣殺了三個人,聽說他本來還在家裡等大兒子放學,也就是……妳知道的,想把那孩子也……」

「大哪,妳不要再說了。」媽媽大聲說。「這種事我可不想聽。」

「哎呀對不起!站在我的立場,也不是喜歡聊八卦才跟妳說這個喔。」早苗的媽媽反駁。「結果啊,附近鄰居發覺他家出事便大聲嚷嚷,芦川這個人等不及大兒子回來就逃走,他逃了好幾天,最後好像在靜岡吧,總之就是在那一帶跳海自殺了。」

小亘被凍成零下十度的心想著,那個男孩就是芦川美鶴嗎?逃過一劫的男孩就是那個芦川嗎?

早苗的媽媽繼續說：「芦川這孩子，聽說在國外住過一陣子，之前住在川崎，而且父母好像都不在了……，聽到早苗這麼講，我跟我先生都認爲他肯定就是那個逃過一劫的男孩，但願他健康長大就好了。說眞的，當時我眞的是這麼想，可是現在發生了這種事……，芦川說不定跟石岡他們的事件有關，對吧？」

媽媽說：「現在又還不確定，說不定他只是離家出走。」

「不會吧，我看事情沒這麼單純喔，三谷太太。」

「可是……」

「所以我啊，跟我先生也討論過，校方當然一開始就知道芦川的家庭背景吧，可能是刻意隱瞞，可是事情演變至此，再隱瞞下去恐怕也不太好。我覺得還是向家長會報告一下比較好。而且說不定有別的家長也已經察覺了。」

媽媽有好一陣子沒說話，最後才用軟弱的語氣問：「那麼……，妳要跟我商量什麼？」

「沒有啦，我是想說，早苗提過妳兒子跟芦川很要好，說不定妳也已經發現這件事了，所以才來找妳商量看要怎麼處理。可是，既然他們不是好朋友，那跟妳說這個也沒有用，是吧。」

「……我沒聽小亘提起過芦川。」

「這樣子啊。」傳來拉椅子的聲音。「這樣的話反而打擾妳了。因爲這種事不方便在電話裡說，我們又住得很近，所以我才登門拜訪，眞是不好意思，我現在還要去學校，那就不打擾妳了。」

早苗媽媽才剛要走出玄關，電話又響了，媽媽接起電話，然後用緊張而倉促的語氣講了一陣子之後便掛上電話，輕敲小亘的房門。

「小亘！」

小亘無言地仰望媽媽的臉，他心裡有話想說，卻不知從何說起。

「失蹤的那個六年級學生石岡已經找到了。」

據說被人發現昏倒在自家後院。小亘的心臟在胸腔深處撲通地猛跳了一下。

「他好像沒受傷，平安無事，只是該怎麼說呢……他的樣子也不太對勁，什麼都不說，人家對他講話也沒反應，我也不知道這樣形容對不對啦，不過聽說他就好像失了魂似的。」

好像失了魂？

「聽說之前找到的那兩個小孩已經恢復神智了，等問過那兩個孩子，說不定會瞭解更多細節。所以小亘，今晚學校要召開臨時家長會，媽媽要去一趟。」

你不要緊吧？還是多躺一下比較好，你的臉色很難看。媽媽說完就關上房門。不久，隱約傳來打電話的聲音，一定是媽媽正按照班上的緊急聯絡表通知其他家長吧。

石岡他們回來了，三個人都回來了，那兩個跟班只是喪失了昨晚的記憶。

可是石岡，他的魂魄被偷走了。

是被芭芭蘿內吞下肚了。沒錯，事情就是這樣，媽！我全都知道。

我也知道這些都是芦川美鶴幹的。

被親生父親殺死母親和么妹的美鶴；自己也差點命喪刀下的芦川美鶴。

認真想要自殺的芦川美鶴。

小亘在地板上抱膝而坐，起先是喀答喀答地緩緩顫抖，逐漸地全身抖得像在打擺子，他抖得越來越厲害，最後就連緊靠在身後的書架也跟著小亘一起抖個不停。

（我們要分手了，永別了。）

芦川之所以會從世上消失，是因爲這個世上沒有他的安身之處，所以，他才會跑去「幻界」。

1

book

第十二章

魔女

過了一天、兩天、三天，芦川美鶴還是沒回來。

據說石岡那兩個同夥幾乎康復了，唯獨那晚的事還是想不起來，至於石岡自己依舊處於失魂狀態，眼睛雖睜著卻什麼都看不見，搖他也沒反應，問他也不回答。

當小亘從媽媽口中得知這些消息時，突然聯想起大松香織的模樣，然而他強迫自己抹消這種聯想，他不喜歡把香織跟石岡相提並論。

石岡健兒他們三個人到底發生了什麼事。

下落不明的芦川美鶴是否平安。

每個人都想知道也都很擔心，而這個謎團的答案只有小亘知道。在這個世界上，唯一知道全部眞相的人就是三谷亘。

可是……，睡了一晚又一晚，這段記憶逐漸從小亘的腦海中褪色，對於跟「幻界」有關的眞相、唯有他知道的那些事物的印象也漸漸模糊。不過，這次的印象並沒有像上次一樣徹底消失，只是像放太久的水彩畫逐漸脫色、線條模糊，一切都變得模糊不清，難以辨認，或者也可以說是難以捕捉。

唯有情緒仍在。恐懼及那種如果不趕快找到人會大禍臨頭的焦慮，唯有這種情緒與日俱增。所以小亘很混亂，他變得很愛生氣，會在夢中哭泣，醒來仍在不停地探究自己內心，於是開始胡言亂語，連飯也不吃。結果，進入暑假正好滿一個星期的那個早上，等小亘回過神時已經闖下了大禍。

他記得前一晚，因爲怕黑把燈全部打開才鑽進被窩，本以爲會睡不著，沒想到一閉上眼黑暗立刻襲來，他簡直就像溺水般被捲入那股浪潮。緊接著，夢境翩然降臨，又是一個惡夢，他被有翅膀的怪物緊追不放，邊跑邊放聲尖叫，可是既沒有人救他，也無處可逃。他只能拼命跑，跑到呼吸困難胸腔快要爆裂時，突然聽到有人在喊他，是媽媽！才剛察覺到，小亘就像被砲口彈出的砲彈猛然衝出夢境。

眼前出現了媽媽的臉，不但面無血色還受了傷。她的嘴角破了，眼眶下瘀青，頭髮凌亂，露出短袖睡衣外的手臂上滿是抓痕。

「媽……，妳怎麼了？」

聽到小亘這麼問，媽媽哇地哭了出來。

「啊，太好了小亘，你總算清醒了。太好了，太好了。」

媽媽邊哭邊搖晃小亘的身體，小亘像嬰兒般被媽媽抱在懷裡。然後，他的視線越過低頭哭泣的媽媽的肩膀，看到了駭人的景象。

這是……我的房間？

翻倒的書架、破裂的窗戶、被撕碎的床罩、到處飛舞著白茸茸的東西，那是枕頭裡塡塞的羽絨；桌上的筆記本和書也被扯得四分五裂，沒有一本完整，至於牆壁，觸目所及有三塊凹陷處，簡直像被某人踹過似的。

被某人？

被誰？

是我。是我做的。

「媽，這是我做的吧？」

他戰戰兢兢地問，媽媽用手背一邊抹去淚水一邊說：「沒關係，你做夢了，你是在夢中大鬧，所以不是故意的，這不是你的錯。」

媽媽撫摸小亘的頭，緊緊抱住他。可是小亘想到另一個可怕的現實，身體變得僵硬。

媽身上的傷，這個也是我弄的。

（太好了，你總算恢復正常了。）

我剛才腦袋不正常。

因爲腦袋不正常，所以打了媽媽。

「對不起。」

小亘低聲一說，媽媽立刻又放聲哭了起來，媽媽說錯不在你都是媽媽不好。

「把你折磨成這樣……是爸爸媽媽的責任。一切都是我們的錯。對不起，小亘，請你原諒爸爸媽媽。」

不是的，媽，我是……我是因爲知道你們不知道的事……而且是很可怕的事……所以才會瀕臨瘋狂。

「這不是爸爸媽媽的錯，因為朋友……的事情……發生太多可怕的事，所以我才會……」他斷斷續續地呢喃，這時才發現自己也是遍體鱗傷，撞傷、擦傷，這些大概也都是自己做的吧。

「是啊！發生了那麼可怕的事，難怪你會害怕。」媽媽哽咽著說。「這種時候爸媽更應該在家裡保護你，結果我們什麼都不能做，像我們這樣根本不配當父母。」

媽媽稍微冷靜下來以後，拿出醫藥箱替自己和小亘包紮傷口，小亘的傷勢倒還好，可是媽媽看起來明明需要去醫院卻只是笑著說家裡有藥沒關係，不管怎麼勸她都不肯去看醫生。

「這點傷算不了什麼，眞的。」

如果去看醫生，醫生一定會追問怎麼會傷成這樣，到時候就算找理由搪塞，說不定人家會發現是我失控打傷媽媽。小亘這才覺悟媽媽是在害怕這一點。

他離開自己房間，改睡爸爸的床。

「最近你每晚都在說夢話，你自己發現了嗎？」

「完全沒有。」

「你那樣根本就沒辦法眞正入睡，難怪臉色這麼糟，再睡一下吧。媽媽在旁邊你放心吧。」

雖然不可能睡著，可是為了讓媽媽安心，小亘還是假裝睡著。媽媽忙著打電話，其中一通是打給學校，她在跟老師說話，由於發生石岡等人的事件，即使在暑假期間，老師們依然天天守在學校。

小亘聽不清楚談話內容，但是心理諮商這個字眼倒是隱約傳入耳中。

媽媽也跟小田原的外婆講電話，然後又哭了，接下來似乎是打給魯伯伯，這次她沒哭，是在生氣。

小亘失神了好一陣子，遙望著長有黑色翅膀的生物緩緩地橫越記憶底層，同時也想起那股好臭的怪味。

「如果眞的不肯來，那我就去公司找人，這樣你也不在乎？」

突然間，他聽到媽媽怒吼，當然還是在電話上，在跟誰說話呢？小亘在床上豎起耳朵，可是這裡不是自己的房間，離客廳比較遠，所以聽不清楚。

「你來……親眼……看看。我……有多痛苦……小亘……」

雖然說話聲斷斷續續地，但是聽得出來媽媽很激動。大約又過了三十分鐘吧，房門開了，媽媽走進來。

「怎樣，有睡一下嗎？」媽媽柔聲地問道。

「嗯。」

「那就好。有沒有什麼想吃的？我幫你弄份蛋包飯吧。」

「嗯。」

媽媽微微一笑。「今晚爸爸會回來，我們一家三口好好談一談。」

小亘仰望媽媽。媽媽臉上的表情擺明了不容許他反問「眞的？」或「是爸自己說要來的嗎？」或「媽剛才就是在對爸大吼嗎？」等細節。

那不是一種篤定的冷靜，也不是因爲安心而放鬆，反而是一種扭曲。那種笑容的開朗程度只有用世上不存在的儀器才能測量。

後來，媽媽整個下午都窩在廚房裡做菜。小亘悄悄走近一看，全是爸爸和他愛吃的菜色，他感到一陣心痛，彷彿要窒息，甚至必須不時深呼吸。他凝視著媽媽切菜、炒菜、煎著香噴噴的雞肉，卻感到腳底竄起陣陣寒意，明知接下來將會發生很糟的事，心中卻多少在等待著，當然並非翹首期盼，可是他的確在等著，心臟撲通撲通地跳個不停。若要問爲什麼，因爲他覺得說不定有萬分之一、百萬分之一的機率會讓這麼強烈的惡兆不會成眞。

因爲爸爸就要回來了。

可是……另一方面，小亘也聽見體內的小小亘正在內心的最底層，雙手拱成傳聲筒形狀靠在嘴邊大喊——現在把爸爸找來是錯的，一定不會有好事，你不明白嗎？唉，你眞的不明白嗎？

對，我不明白。

媽媽忙碌的背影看起來瘦了一大圈，小亘最近只顧著自己的事，沒有這樣仔細看過媽媽。在我混亂期間，媽媽也好不到哪去，她一直在哭、生氣、害怕、發飆、沮喪，我卻連看的念頭都沒有。

門鈴響起。

小亘嚥下一口口水，反射性地轉頭看鐘，正好是晚間七點。

媽媽關掉瓦斯爐，轉身對小亘說：「是爸爸喔！快去開門。」

媽媽在緊張，聲音都啞了。

小亘機械性地挪動腳步走向玄關，一握住門把，就可以感到撲通撲通的心跳聲直達指尖。

門開了。

眼前站著一個陌生女人。

不是爸爸，是一個推銷員。才安心地喘了一口氣，那個人卻發話了：「你是小亘吧？你媽在不在？我是田中理香子。」

這個聲音很耳熟……他這麼覺得。

是上次那通電話，那個把小亘當成媽媽，逕自展開砲轟的女人聲音。

這個人就是爸爸的女人。

女人眼睛眨也不眨地盯著小亘。她很高，大概比媽媽高出十公分吧，身穿淺藍色套裝，襯衫領口是雪白色的，脖子上掛著銀色項鍊，渾身散發出香水味，那種香味跟搭電梯時會碰到下班的粉領族一樣。這個人沒有想像中年輕，雖然妝化得很漂亮，穿著也很時髦看起來很出色，想必年紀跟媽媽差不多吧。

就在他呆然佇立之際，媽媽已經走到他身後。

「妳怎麼會在這裡？」

媽媽的聲音比剛才更尖銳、失控，小亘嚇得不敢回頭。他居然覺得媽媽好可怕，好可怕。

「我替阿明過來一趟。」田中理香子回答。她直視著媽媽的臉，即使話說完了，嘴角仍不停地抽動，明明沒有笑，唇縫之間卻露出白牙，小亘覺得像吸血鬼，要不然就是劍齒虎。他曾在博物館看過根據化石畫的想像圖，就是那種遠古時代早已絕種、長著長牙的猙獰猛虎。

「我是打電話給三谷。」媽媽說。「他答應我要來的，因爲擔心孩子，他說一定會來，結果怎會這樣？」

田中理香子再次垂下視線看著小亘，劈頭就說「對不起」，明明在道歉，可是還是沒有眨眼，牙齒外露，果然是劍齒虎。

「聽說你不舒服是吧，去看過醫生了嗎？」

媽媽一個箭步擠身向前，把小亘護在身後，小亘腳步踉蹌連忙扶著牆壁。

「別跟我兒子講話，妳用不著說這種假惺惺的話，妳知道是誰害這孩子這麼痛苦嗎？」

田中理香子還是沒眨眼，彷彿已下定決心，一定要展現這股堅持到底的毅力。

「當然我也有責任，可是邦子，不是我一個人在折磨小亘，是我們三個，而且今天這個場面，把小亘扯進來的人是妳不是我。」

媽媽的背部在微微顫抖，圍裙下襬好像被微風吹拂般細細顫動。

「妳說是我……把這孩子扯進來？」

田中理香子似乎存心挑釁，下巴收緊，目不轉睛地正視著媽媽。「不是嗎？爲了叫阿明過來，用小亘當藉口的人明明就是妳，妳不覺得這樣很卑鄙？」

「妳說我用小亘當藉口？」媽媽的聲音拔尖，那是小亘從來沒聽過、支離破碎的聲音。

「妳用小亘當擋箭牌，就算阿明的意志力再強還是敵不過，所以他才會答應，妳這樣做根本讓他無法抗拒。可是，是我阻止他……」

媽媽往後把手一伸，抓住小亘的肩膀往前一推。

「妳看這孩子，看看他這張臉，傷痕累累吧？手臂和腿上都是瘀青，他半夜說夢話，發狂大鬧，自己都沒發覺就已經失控了。他實在太可憐……太可憐……」

媽媽像個勇敢的小孩般用力噓了一口氣，抖著聲音繼續說：「所以我才會聯絡三谷，叫他跟小亘見個面，安慰一下孩子。這孩子是我們夫妻倆的，夫妻一旦離婚就形同陌路，可是親子關係不同，我一個人沒辦法替小亘解除痛苦，才會通知三谷，畢竟他是這孩子的父親。」

田中理香子上下打量著小亘，然後又露出一口閃亮的白牙問道：「小亘，這些傷眞的是你自己弄的？」

小亘無法回答，他嚇得連舌頭都打結了。

「妳想讓這孩子說什麼？」

「請妳不要插嘴，我在問小亘。」田中理香子死盯著小亘。「眞的是你自己弄傷的嗎？不是被別人打的？你用不著袒護別人，老實告訴我。」

「妳說的別人是誰？」媽媽欺身上前。「難道妳想說是我打了小亘？」

理香子不發一語。

「我是小亘的母親，我怎麼可能對自己的孩子動手？」

理香子抬起下巴看著媽媽。「妳不要一直把母親、母親掛在嘴上，好像只有妳自己最偉大似的，我也是個母親。」

這個人也有小孩嗎？小亘依舊縮著身子，從理香子修長的小腿往上望，她是個怎樣的媽媽呢？

「我知道，聽說妳跟妳前夫有一個女兒。」媽媽上氣不接下氣地說，臉色變得像壁紙般慘白。

「妳把那孩子硬塞給三谷吧？不是嗎？」

田中理香子撇嘴笑了。「我才沒有硬塞給他，阿明高興得很，是他自己主動要當眞由子的爸爸，他說他一直想要個女兒。」

「別在小亘面前說這個！」媽媽大喊，用雙手摀住小亘耳朵。

「邦子妳啊，已經沒希望了，妳自己應該很清楚吧？就算哭哭啼啼巴著阿明不放，他也看穿妳這一套了，縱使妳再怎麼說謊，這一套也不管用了。」理香子朝著媽媽逼近半步，毫不留情地繼續說：「妳的卑鄙手段，還有我跟阿明被妳破壞的夢想，這些年來我從沒忘過。當初我們等於是互許終身了，妳卻謊稱懷孕橫刀奪愛，害我們只好分手，我們那麼相愛卻被妳的奸計所騙，活生生被妳拆散。」

「不要說了！」媽媽這次摀住自己的耳朵。

「不，我偏要說。」理香子連鞋也沒脫就登堂入室，她推開小亘，欺身靠近媽媽，近得幾乎碰到臉。「阿明和我沒辦法只好各走各的，可是我們無法忘記對方。我們在兩年前重逢了，發現彼此依舊相愛，感情始終沒變，我們就決定了，雖然被妳奪走的時光無法挽回，但是剩下的人生還可以重新來過，今後我們要攜手同行，再也不會分開。」

媽媽腳步踉蹌、上半身搖搖晃晃，整個人蹲了下來，田中理香子俯視著她的頭頂，像要打入最後一根木樁似地放話：「阿明和我都不會再被妳騙了，如果妳爲了動搖阿明而虐待小亘，就算採取法律途徑，我們也會把小亘搶過來。」

媽媽雙手抱頭呻吟，小亘背靠著牆壁，恨不得就這樣變成壁紙，永遠消失算了。好可怕！這是小亘有生以來第一次親眼看到某人如此露骨地憎恨另一個人，他竟然能用皮膚感受到某種憎惡的波長從理香子身上發射出來，射向媽媽，企圖擊倒媽媽。

理香子走出玄關，打開大門。本以爲她要走出去了，沒想到她又停下腳步，扭頭尖聲說道：

「還有，順便告訴妳。」
她也上氣不接下氣地，好像剛跟媽媽進行過短跑比賽，一路領先衝回終點。
「我跟阿明的小孩不只眞由子一個。」
媽媽本來正在梳理頭髮的手突然停下來。雖然小亘聽得一頭霧水，但對媽媽來說，似乎很清楚田中理香子這句話的意思。
「明年年初就要生了。」理香子說完用右手輕撫著腹部，然後吐出一口氣。「阿明現在非常期待。」
說完她打算離開。大門敞開了。
一瞬間，小亘的眼前竄過一團黑影，如猛獸般迅速，像海嘯般飽含威力，等他發現那是媽媽時，理香子已經發出慘叫聲，倚著水泥走廊上的扶手，背部遭到痛擊。媽媽不發一語，橫眉豎眼、咬牙切齒，握緊雙拳不停地毆打理香子。至於理香子，也拼命揮舞著雙手應戰，尖叫聲不絕於耳。小亘還來不及走出去，隔壁鄰居已經發出驚叫聲，一陣慌亂的腳步聲傳來，還夾著這樣的聲音……太太、太太，怎麼回事妳冷靜點！啊不得了誰快去打一一〇報警！
小亘當場轉身奔回自己房間。我不能逃，現在不是躲起來的時候，我得勇敢面對，我得去幫媽媽，我必須保護媽媽！雖然腦子這樣想，身體卻不聽使喚。
一衝進自己房間，小亘就鑽到床底下，即使躲在床底下，仍然聽得到門口的騷動，有女人的哭聲，隔壁家的阿姨正在大叫。小亘用雙手摀住耳朵，開始把想得到的咒語——「復活邪神II」所有的攻擊咒語全部默唸一遍，他不期待會發生什麼，只是爲了讓自己什麼也不想，什麼也感覺不到。

「小亘，出來吧。」魯伯伯那巨大的身軀緊貼著地板，正探頭看著他。「騷動結束了，你可以出來了啦。」

小亘還在床底下縮成一團。後來到底過了多久他也毫無頭緒，或許是一個小時，或許是半天吧。

魯伯伯好像哭過，眼皮沉重地眨著，也不知道是自己難過，還是在可憐小亘。

「……媽呢？」小亘小聲問。

「現在睡著了，吃了鎮定劑以後睡得很熟。」

那是在家裡囉。太好了。

「警車來了嗎？」

「不會有那種東西啦。」

「隔壁的阿姨喊著要打一一〇，後來我好像也有聽到警笛聲。」

魯伯伯依然臉頰貼著地板維持著不自在的姿勢，嘆了一口氣。「那是救護車，因爲要把那個叫田中理香子的女人送去醫院。」

「那個人受傷了嗎？」

「就伯伯所見，頂多只有臉蛋被抓傷而已，可是她自己大驚小怪，哭著要人家替她叫救護車。」

「伯伯，你不知道嗎？」

「知道什麼？」

「那個人說肚子裡有小寶寶。」
伯伯拼命眨眼，因爲一隻眼睛貼著地板，所以看起來很可笑。
「伯伯，你什麼時候來的？是媽叫你來的？」
「不是，我今天本來就打算要來，我也事先跟邦子說過了。你沒聽說嗎？」
「完全不知道。」
「是嗎？伯伯是來接你的，我想說用不著等到八月，你還是早點來千葉好了，看看大海也可以換個心情嘛。結果我一出電梯就聽到邦子大呼小叫。」
「現在幾點？」
「已經晚上了，過了九點半了。」
小亘凝視著床底下的灰塵沉默了好一陣子，爲什麼這種地方會積滿灰塵呢？媽媽明明每天都用吸塵器打掃。不知不覺就堆積了許多，儘管以前小亘完全沒發現，但灰塵的確存在，而且一直污染著房間。
「媽會被警察抓走嗎？」
「爲什麼？」
「因爲她揍了那個人。」
「那點小事算不上犯罪啦。」
「可是如果那個人的小寶寶死了，她一定會怪到媽頭上吧？到時候那個人不可能忍氣吞聲，大概會去找警察，叫他們抓走媽媽吧？」

這次輪到魯伯伯像剛才的小亘一樣，緊貼著地板想變成地板的一部分。

「小寶寶一定會沒事的。」他的喃喃自語也缺乏自信。

「伯伯，媽沒有打我喔，她沒有虐待我。」

伯伯狐疑地挑動著眉毛。

「是那個人說的。她說我會受傷搞不好是媽打的，她還說如果媽虐待我，要把我從媽身邊搶走。拜託，你千萬不要讓她這麼做。」

伯伯用手蒙著臉。「那個女的竟然說出這種話？早知道我應該狠狠揍她一頓。」

「那個人還說媽說謊，她說不會再被媽騙了，可是媽才不會做那種事，她不會騙人。說謊的是那個女的。」

「小亘……」伯伯朝小亘伸出粗壯的手臂。「你最乖了，快出來吧。伯伯看你躲在那種地方都快受不了了，好嗎？算我求你快出來吧，跟伯伯一起去千葉，每天到海邊游泳游個過癮，還可以抓魚，自己升火烤來吃。伯伯雖然不太會衝浪，不過附近有技術很好的朋友，我們一起學吧，伯伯還可以教你釣魚，等你進步了，咱們倆可以釣遍全國，伯伯會存很多錢，買一艘可以用拖網捕魚的遊艇，然後讓你當船長，看你想去哪裡，伯伯帶你去……」

伯伯一邊像機關槍般喋喋不休，一邊滴滴答答地掉眼淚。光是伯伯邊講邊掉眼淚這件事就讓小亘的內心震撼無比，向來開朗豪爽的伯伯竟然像小孩般蜷縮著身子哭泣。原來我們現在的情況已經糟到這種地步了。

「嗯。」小亘小聲說。「我們去千葉吧。可是伯伯也把媽帶去好嗎？伯伯應該不會排擠媽媽吧？」

「那當然。」伯伯吸著鼻子，用手背擦擦臉。「把你媽也帶去，我也教你媽釣魚好了。」

夜深了，電視上開始播出今日新聞回顧，千葉的奶奶來了，拎著超市的大袋子氣喘吁吁。

小亘已經從床底下出來，洗了澡，把衣物塞進運動袋裡正在打包行李。奶奶說要做晚飯，立刻鑽進廚房裡，只要找不到東西放哪裡就喊小亘，找到以後又立刻趕他回房間，頻頻跟魯伯伯密談。媽媽一直在睡覺，沒有出臥房。

三人圍著桌子開始用餐。奶奶的口味比較重，又不知道小亘愛吃什麼，飯也煮得比較爛，一點都不好吃，可是如果不吃會遭奶奶的白眼，小亘只好默默進食。

「阿悟，關於剛才說的，我反對帶邦子去千葉。」奶奶好像一直在等大家吃完，迫不及待地開口。「小亘你就暫時待在奶奶家比較好，不過你媽在這邊還有事情要忙，明白吧？所以她不能去。」

一跟奶奶面對面，小亘就說不出話，因為奶奶實在是氣勢逼人。

「可是媽，我不放心留邦子一個人在這兒。」魯伯伯抗議道。

「那她可以回小田原的娘家。」奶奶好像在生氣。

「現在這種狀態下，拆散她跟小亘太可憐了。」

「再這樣下去，小亘才可憐咧，他不是被邦子耍得團團轉嗎？」

奶奶和魯伯伯開始起爭執。聽著他們的對話，小亘察覺這段日子，爸爸和媽媽，爸爸和奶奶和魯伯伯，媽媽和奶奶，這些人彼此之間已經討論過很多次了。只有小亘不知道，大家都瞞著小亘，其實事情一直在進行。

「到這個地步也只能離婚了。」奶奶噘起嘴巴說。「覆水難收了啦。」

「媽，小亘在這呢。」魯伯伯臉色很難看，可是奶奶也不認輸。

「有什麼關係，總不能一直瞞著小亘。」

「可是……」

「談了這麼多次，阿明還是堅持要離婚，已經無法挽救了啦，這種事最好還是早點做個了斷，以邦子的年紀還來得及從頭來過。」

「妳說的倒簡單。」

「誰說簡單了。其實我啊，活到這把年紀做夢也沒想到兒子還會鬧出這種問題，我本來還想靠你們安穩養老咧。」

小亘瞪大雙眼看著奶奶的臉。

「媽妳的意思是，妳自己不想惹麻煩，所以就任由阿明自私妄為？我可不答應，這傢伙太不像男人了。一想到我居然有這種弟弟，就窩囊得想哭。」

「說他自私任性他的確是。」奶奶稍微遲疑，抓起手邊擦碗盤的乾抹布握緊。「可是阿悟，這不單是阿明的錯吧，你不也聽到那孩子說了嗎？那個女人，我還記得她，雖然我不喜歡她，但她以前的確跟阿明交往過，兩人愛得死去活來。我本來早已有心理準備，以為那女人會嫁入咱們家了，沒想到還不到半年阿明就說要跟邦子結婚，簡直像是鬼迷心竅。」

「媽，別說了。」魯伯伯顧忌著小亘。「那是過去的事了。」

「就是因爲過去的事沒了斷，現在才會變成這樣。阿明是上了邦子的當吧！說什麼懷了孩子，阿明沒辦法只好答應結婚，她馬上就改口說流產了。明明就是騙人的。」

「媽！」魯伯伯怒吼。「別在小亘面前說這種話！」

連小亘自己也沒察覺就喃喃說道：「沒關係伯伯，那件事我已經聽說了。」

奶奶用抹布拭淚。「阿明的確很傻，傻透了。可是他就算再傻還是我兒子，看他那麼努力，我當然也希望他幸福呀，如果邦子堅持不離婚，就算叫我跪下來求她也沒關係，只要能消她心頭之恨，我願意這麼做。」

這次奶奶眞的哭出來了。

魯伯伯用低得快聽不見的聲音說：「可是這樣子小亘豈不是太可憐了，你們要叫他怎麼辦。」

「當然是由我們撫養。」奶奶斷然表示。「再怎麼說，這孩子都是三谷家的香火。這樣的話，邦子不是也比較容易再婚？」

小亘感到頭暈目眩，幾乎坐不住椅子，似乎隨時都會摔到地上。

這時，臥房的門開了，媽媽像幽靈般出現。

「請妳回去，媽。」才不過半天時間，媽媽看起來好像已經掉了一半體重，但她的聲音依然斬釘截鐵。「這是我跟小亘的家，請妳出去。」

「邦子？」奶奶站起來。「妳啊，就算這樣堅持……」

「小亘哪裡也不去，我會撫養他長大。」媽媽用單調的聲音宣佈。「我也不會跟阿明離婚，我們是一家人，請妳不要淨說些自以爲是的話。」

奶奶把手上的抹布往桌上用力一摔。「妳說誰講話自以爲是？歸根究柢，還不是妳自己種下的惡果，我看是妳自作自受吧？阿明說被妳騙了。妳啊，到底懂不懂？」

媽媽轉身面對奶奶，原本應該是天下無敵的奶奶也不禁倒退了一步。媽媽身體周遭的空氣似乎降到零下十度。

「媽，我們做了整整十二年的夫妻，如果眞的是我騙阿明，怎麼可能維持這麼久？我們的婚姻應該早就破裂了。他到現在才搬出這種陳年往事，只是對自己的行爲心虛罷了，爲了把自己的出軌合理化才這樣強詞奪理，他向來就有這個毛病，媽妳自己不是也很清楚？」

奶奶原本就剛硬的下巴這下子線條更明顯了。「虧妳敢把我兒子貶得一文不値。就是因爲妳這樣，阿明才會投入別的女人懷抱。」

媽媽依舊臉色蒼白，定定地凝視著奶奶說：「請妳出去，離開我家。」

奶奶欺身上前想找媽媽理論，幸好被魯伯伯擋住了。

「媽、邦子，妳們都別說了，今天也鬧夠了吧，我受夠了。」

奶奶砰地掄起拳頭。「阿悟，我們走，小亘你也過來。」

小亘斷然回答。「我要留在這裡，跟我媽在一起。」

奶奶一臉沉痛似乎被傷得很重，小亘不禁別開視線。

「我知道了，邦子，我們今晚就回去。」魯伯伯抓著奶奶的手臂，朝玄關跨步邁出。「不過邦子，請妳冷靜點，千萬不能自暴自棄，知道嗎？小亘，伯伯明天再過來。」

一旦只剩下他跟媽媽，整個家總算恢復了寧靜。

「小亘，你該睡了。」就像剛才跟奶奶說話時一樣，媽媽用毫無抑揚頓挫的語氣命令小亘。

「媽也要睡了，今晚好好休息，有話我們明天再說，好嗎？」

小亘默然，只能乖乖回自己房間，他不知道該怎麼辦。白天，那個叫田中理香子的女人看起來就像恐怖的魔女，可是現在，媽媽也像魔女。那種一邊吐著咒語，一邊攪動大鍋熬煮著毒藥的黑衣魔女。

小亘倚著床畔，雙手抱膝，睡意立刻襲來，明知現在不是睡覺的時候，眼前卻蒙上一層陰暗的迷霧，身心渴望著逃離現實。睡吧！睡了就可以逃離這裡了。

就在他昏昏欲睡之際，某處響起了電話聲。現在幾點了？是誰打來的？

鈴聲停止，是媽媽接了嗎？他聽到說話聲，好像還有哭泣聲，又或者是在生氣吧。

那我就更想進入沉睡狀態，我已經受夠了，是哭是怒都夠了。

小亘彷彿墜入黑暗深淵的底層，緩緩地緩緩地滑入睡夢中。

然後……不知過了多久。

有人在旁邊搖晃小亘的肩膀，力道不強，卻很有耐心地搖個不停。

「三谷，快醒醒。」

他聽到呼喚聲，是誰的聲音？好像有點耳熟又很陌生。

小亘從睡眠的底層浮起，順著聲音的引導。「三谷，你醒醒，再不起來就麻煩了。」

小亘睜開眼睛，一時之間無法對焦，眼前只有一片黑暗。

仰頭一看，黑暗中有一團纖細的黑色人影。

是芦川美鶴。

他穿著像魔導士一樣的黑披風，披風下也是黑衣，貼身的套頭衫，看似便於活動的長褲，皮繩編製的及膝長靴，腰部也繫著皮帶，腰間掛著一把附有劍鞘的小刀，右手還拿著手杖，頂端鑲著亮晶晶的寶石，那是一根放射出神奇光芒的黑色手杖。

「芦川……」小亘茫然張著嘴，連忙四下張望。

第十三章 前往幻界

「這裡是？」

是小亘的房間，雖然關了燈很暗，但絕不會錯。小亘仍保持入睡的姿勢，倚著床邊。然後他撲向芦川，用雙手拽住對方的披風下襬。

「芦川，你從哪來的？這幾天你到哪去了？做了什麼？」

芦川看似悲傷地微微一笑，把手杖往小亘身旁一豎，屈膝跪下。

「我沒那麼多時間解釋。」他一邊把小亘的手從披風上拉開，一邊說。「所以我就長話短說吧。我是來救你的，因爲我欠你一個人情。」

「欠我？你來救我？這什麼意思？」

「你深呼吸看看。」

芦川微微仰起臉，英挺的鼻樑即使在黑暗中仍然發亮。

「有瓦斯味吧？」

小亘抽動著鼻子，頓時猛咳了起來。是眞的，好臭。

「你媽開了瓦斯。」

小亘已經無暇驚訝，恐懼感頓時從腳尖一路竄向頭頂。

「她打算跟你一起死，其實這種都市瓦斯（註）毒不死人，她顯然不知道這點。」

「我……我……我得去關掉。」

小亘正想起身，芦川卻按著他的肩膀阻止。

「這個等一下也來得及，現在先聽我說。」

芦川伸手觸摸脖頭處，脖子上掛了兩條看似墜鍊的東西，他拿下其中一條遞給小亘，黑色的皮繩上繫著一塊小小銀牌，很輕，很漂亮。

「這是『旅人證』。」芦川說著，便把它放進小亘手中。「有了這個就可以在『幻界』自由旅行，只要先到守門人那裡讓他看這個，他就會幫你準備裝備。就像這樣。」

芦川稍微張開雙手，展示一身行頭。

「Vision……『幻界』？」

芦川點頭。「你應該已經恢復記憶了，所以你明白吧？你以前去過一次，大門就在那棟幽靈大樓的樓梯懸空處前方，現在守門人正在那裡等你。不過，你不能讓他等太久，一定要在黎明金星亮起前趕到。」

「幻界」。那個彷彿直接展現「復活邪神II」世界的神奇場所。

「原來那不是幻覺……」

聽到小亘的咕噥，芦川微微一笑。

「沒錯，那不是幻覺，是真的有『幻界』。我現在就是從那裡來的，我已經開始旅行了，可是當我往『眞實之鏡』一看，就看到你的模樣。我本來可以不管的，可是……」芦川咬了一下嘴唇。

「就像我剛才說的，我還欠你一份人情，而且你跟我很像，背負著同樣的東西，所以我想給你一個機會。」

「機會？」

芦川站起來，把披風撥到肩上。「『幻界』是住在現實世界的人憑著想像力創造出來的世界，永遠都在那裡。可是，它和現實世界之間隔著一道『要御門』，每隔十年才會打開一次。要去幻界，首先必須要有適合通往『幻界』之路的場所，而且在那附近必須要有意念強烈、克服萬難也要改變命運的人，那扇門才會出現。」

芦川再次拿起手杖。

「適合通往那條路的場所……」小亘反問。

「沒錯，就是大松大樓的樓梯。」芦川用宏亮的聲音解釋。「樓梯這種東西原本就很容易成爲通往異界的管道。不論是著名的鬼屋或幽靈的出沒場所，不是都有很多樓梯？樓梯這種東西本來就具有這種功能，它可以縱貫空間，是一種通往本來不存在之路的建造物。」

小亘只是目瞪口呆仰望著芦川端正的臉龐。

「大松大樓的樓梯蓋到一半就被棄置，無法通往任何地方，所以它的頂端懸空處匯聚了通往『幻界』的力量。這時候我來了，所以要御門就出現了……」

註：又稱為天然瓦斯，即液化天然氣，英文縮寫為LNG（liquified natural gas）。

「這麼說……你渴望……改變命運。」

「是的。」芦川毫不遲疑地用力點頭。「你應該知道我家發生過什麼事吧？」

小亘點點頭。芦川的父母；父親殺了母親及母親的外遇對象，還有芦川的妹妹，然後等芦川放學回來……

「我想改變自己的命運。」芦川用不慍不火、平靜的口吻說。「所以，我決定去『幻界』。」他抓住手杖藏進披風底下。「『幻界』很大，危險的地方也多，還有不少可怕的怪物。不過只要能抵達位於某處的『命運之塔』，一定可以開創新路。」

「命運之塔……」

「那裡住著掌管人類命運的女神，可以爲來訪者實現心願。我一定會抵達，然後扭轉我的命運，我絕不會放棄。」芦川的聲音首度透露出感情。

「萬一……萬一我的力量不夠，救不了我爸媽，至少也要救到我妹，我想把她帶回現世，因爲那傢伙……眞的太小了。」芦川的雙手在披風底下握緊著。

「我也想去那個命運之塔。」小亘也站起來，打算抓住芦川的手。「拜託，請你帶我一起去。」

「那可不行。」芦川倏地後退。「通往命運之塔的路必須靠旅人自己去找，如果不是靠自己的力量，女神絕不會接見，你不能依賴別人。」

「不會吧……可是那樣……太困難了，我們還是小孩子。」

「現在可是要改變命運耶，那當然不容易吧。」

要時，芦川那小亘所熟悉的、瞧不起他人的眼神又回來了。他突然有種奇妙的懷念，啊，這才是真正的芦川美鶴。

「我該回去了。」芦川說著又後退一步。「三谷，如果下定決心，就去要御門。如果你害怕，決定放棄也沒關係。等天一亮，要御門就會消失，再也不會在你面前出現。」

芦川的身體輪廓忽然開始模糊，不知從哪裡散發出的銀白光逐漸裹住他。

「可是那樣的話，你的命運也就跟原來一樣，不僅毫無改變，說不定還會越來越糟。」

你好好考慮吧……芦川留下這句話然後就消失了。

好一陣子，小亘跪在地上凝視著芦川消失的空間，這時突然有個東西啪地掉落在他腳邊，是那條墜鍊；「旅人證」；那塊像小亘的小指指甲那麼大的銀牌正在發光，小亘的手指一鬆，銀牌便從手中滑落，看著看著，銀牌突然在瞬間釋放七彩炫光，強烈的光芒令他忍不住抬手護眼。

然後，一個凝重的聲音不知從哪呼喚他。

「汝已雀屏中選。切勿誤入歧途。」

小亘撿起墜鍊站起來。

廚房的瓦斯開關開到了最大，小亘把它牢牢關緊之後，再把面向陽台的窗戶全部打開。這是一個悶熱的夜晚，整座城市的上空籠罩著混濁的夜氣。可是，小亘額上冒的汗珠並不是因爲氣溫。他把墜鍊掛在脖子上，走向玄關，在媽媽的臥房前駐足，對著緊閉的房門在心中吶喊。

（媽，我要走了！我一定會回來的，妳要等我喔。）

我要改變命運給媽媽看。我不會讓爸爸變成那樣，媽媽也不用再遭受那種責難，我不會讓田中理香子那個女人在爸爸面前出現，這樣我們一家三口又可以快快樂樂地過著安詳的生活。

我要改變命運。不，應該說是把被扭曲的命運恢復正常。

小亘走出屋外，在夏天的夜空下一路奔向大松大樓，穿著運動鞋的雙腳輕快地踩著柏油路，每跑一步，鍊子上的銀牌就在胸前晃動。

大松大樓就在眼前了，不知是否因爲心理作用，整棟大樓包覆在藍色塑膠布下的剪影充滿了前所未有的神秘感；巨大的路標指向通往另一個世界的道路——唯有瞭解這個含意的人才知道。

他從老地方掀起塑膠布輕快地鑽進去，裡面很明亮，彷彿有無數流螢飛舞，空氣中飄浮著細小的光粒子，這些粒子附著在小亘身上，小亘一甩動手臂、踏出腳步，粒子就在四周輕輕躍動。那座蓋到一半的樓梯最頂端有一扇門，白光鑲裹樣式古典的門框呈放射狀釋出，炫目得令人無法逼視。

小亘走上樓梯，一步步用力踩上去，他的視線沒有離開過大門，走著走著，手自然握緊了鍊子上的銀牌。他走到門前，大門四周溢出的白光頓時變得更強了，一道七彩虹光以逆時鐘方向倏地閃過一圈，彷彿在呼應，小亘手中的銀牌再次釋放出虹彩。

大門緩緩地開啓了，萬丈光芒襲來，小亘瞇起眼，縮起下巴，張開雙手用全身去承受那股光芒。

然後，他踏進了門內。

第二部

2
book

第一章
守門人的村子

小亘在刺眼的光芒中不知走了多久，等他回過神時已經置身在密林中，一陣清涼的微風撫過臉頰。直矗天際的高聳樹林蒼鬱茂盛，即使脖子仰得發疼，也只能勉強看到像手帕一角那般大的青空。

而金黃色的太陽在那片天空的正中央閃閃發亮。

嗶—噗—

突然傳來一陣陶笛般的樂音。小亘環顧四周，身體跟著轉了一圈。

嗶—噗—。啵囉囉囉囉。

樂音再次傳來，眼前的樹林中飛出了一隻羽色鮮橙的小鳥。噢……原來是那隻鳥的叫聲啊。

不過話說回來，這片森林還眞是又深又廣，長滿茂密樹葉的枝幹互相纏繞交抱，覆蓋在小亘頭上，感覺卻不怎麼昏暗，一定是因爲日正當中吧。腳下的地面軟綿綿的踩起來很舒服，這好像叫腐葉土吧。小亘一年級的時候，全家去北海道旅行，曾在森林裡的露營區搭帳棚，當時記得爸爸這麼教過他。

地面上覆蓋著豔綠色的苔蘚、長出可愛小白花的矮草，還有觸感宛如天鵝絨般、狀似大葉車前草、約有小亘巴掌大的植物，可是如果仔細一看，其中有一條被人走過的痕跡，那是一條自然踩踏出來的路徑，蜿蜒穿過樹林，一直通往遙遠的彼端。

小亘大口呼吸，繼續走向那條路。林中某處又傳來那種宛如陶笛聲的鳥鳴，於是他也吹起口哨模仿。小亘一吹出嗶—噗—，隔了一拍換氣，那鳥鳴聲彷彿在質疑般提高尾音，用噗—啵—囉囉囉回應他，他有樣學樣地照著吹，那隻鳥沉默了一會兒，這次傳來的是「嗶嗶，啵囉囉囉嗶，嗶啵囉囉嗶囉囉，嗶嗶嚕嚕嚕—」的超級複雜音階，小亘突然開心極了，邊笑邊大聲對著頭上叫喚：「好啦，我輸了啦。這麼複雜的調子我學不來，我投降了。」

嗶—啵—，小鳥如此回應，聽起來好像挺得意的。

再繼續往前走，小路突然往右拐，前方視野豁然開朗，眼前出現了有迷你煙囪的紅色屋頂小屋。一間，二間……看樣子好像是個聚落。小亘走近最前方的小屋，這裡看起來像是樹林中闢出的廣場，數一數總共有五間小屋，五間全都一模一樣，不過只有最前方這間小屋的煙囪冒著煙。

在原木建造的大門前，共有三層同樣也是用原木切塊堆砌的台階，小亘站在最上層試著叫喚：「對不起。」

沒有回音。煙囪緩緩飄出白煙，有一股焦焦的香味。小亘抽動著鼻子。

「對不起，沒有人在嗎？」

這時，門從內側啪地往外一開，由於實在太突然了，小亘一個重心不穩摔落台階，一屁股跌坐在地上。一個穿著長袍的老人倚門而立，然後劈頭就像要咬人似地對小亘說：「小鬼，不要問廢話！」

小亘冷不防指著老人的臉叫道。「是你！」

這不是在「要御門」那裡遇到的魔導士嗎？雖然他身上的長袍顏色不同，但是相貌和聲音都一樣，絕不會錯，可是他看起來比那時候要凶，眼神也不懷好意，惡狠狠地瞪著小亘，撇著嘴角開始滔滔不絕。

「如果我不在，那你問『沒有人在嗎？』怎麼可能有人回答。如果我沒有外出也用不著回答，直接開門出來不就好了。換句話說，你是在說廢話，你懂嗎？」

小亘依然癱坐在地上，勉強應了一聲「噢」。

「這也是廢話！」老人對著天空怒吼，口水都快噴上天了。

「是就說是，不是就說不是，為什麼要發出這種曖昧的聲音？光說噢不能算是回答，接下來還不是得說些什麼？這也是在說廢話，你懂不懂？」

「呃，可是我……」

小亘正想說什麼，老人已經滿臉通紅，雙手在胸前亂抓。

「喔，喔，又在說廢話！給我改掉這毛病！我要好好教訓你！」

他掀起長袍下襬，衝進小屋。小亘正在茫然眺望之際，老人已用雙手抓著看似沉重的手杖，一邊胡亂揮舞一邊衝了回來。

「看招，你認命吧！」

小亘大叫一聲，拔腿便逃。

「站住！不許逃！」

老魔導士追來，小亘繞著並列的小屋兜圈子，有好一陣子兩人就像在玩捉迷藏似地跑來跑去。老人很有活力，一直激動地暴跳如雷，完全看不出喘不過氣的樣子，小亘則是慌了手腳，眼看快被追上了，連忙逃到廣場角落，但還是快被追上了，搞得他進退維谷。

猛然一看，最後面那間小屋的後門就在右邊，小亘一溜煙從邊跑邊罵的魔導士身旁鑽過，朝著後門衝去，那扇木門當下朝內開啓，小亘連忙跑進去。

屋內有小暖爐和桌子，看似硬挺的床鋪和單薄的毯子，小亘還來不及仔細瀏覽，背後那扇門已經開啓。

「站住，我不是叫你不要跑嗎？」

魔導士追來了。小亘穿越屋內從前門衝了出去。

（怎麼辦？傷腦筋，怎麼會變成這樣？）

芦川說過「一開始要先去守門人那裡」，那個魔導士老爺爺八成就是守門人，因爲以前他也站在要御門那裡，但是怎麼會變成這樣非得讓他追著跑？這跟之前聽到的差太多了。

正當小亘以驚人的速度邊逃邊想之際，突然間像是洩了氣似地，發現魔導士居然不見了。奇怪，他不再追來了嗎？小亘轉身往聚落仔細一瞧，感覺好像跟起先看到的有點不同，就像那種看圖找碴的遊戲一樣，到底是哪裡不同？

是煙囪。從煙囪冒出的白煙。

剛來時，是最前方的小屋煙囪在冒煙。可是現在，最後方的那間小屋；也就是剛才小亘穿過的小屋……煙囪正在冒煙。而且，魔導士老爺爺追著小亘進入那間小屋以後好像就沒有出來了。

小亘戒愼恐懼地踩著軟綿綿的地面，走近後方小屋的門，耳朵往門上一貼，什麼都聽不見……不，聽到了，有人正在哼歌呢。

「請問……不好意思，打擾了。」

他一發話，歌聲就停了，一陣緩慢的腳步聲逐漸靠近。

門一開，露出剛才那個魔導士的臉，完全沒生氣。「哎喲，眞是歡迎歡迎。」說著還張開雙手。「你既然會來找我，這表示你該不會就是美鶴說的另一個旅人吧？」

他看起來好親切，說話也慢條斯理，這到底是怎麼回事？

「請問，老爺爺。」小亘好不容易才鼓起勇氣問。「你不生我的氣了嗎？」

老人的一雙小眼睛瞪得老大。「你說我？氣你？」

然後他低頭看著張開的雙手，好像想在兩手之間的空無中尋找什麼似的，仔細看了老半天。

「我爲什麼非生你的氣不可？」

「爲什麼……因爲剛剛……你不是很生氣嗎？」

小亘指著一開始造訪的小屋。

「我去找你，可是你一見到我就很不高興，叫我不要說廢話，還揮舞著手杖到處追我呢。」

魔導士用細長的手指指著自己鼻頭。「我嗎？」

這人得了老年痴呆症。

小亘用力回答：「對呀。」

這是在捉弄我嗎？不，說不定這是旅人在「幻界」接受的第一項測驗，看我能不能成功地跟脾氣古怪的守門人合作，如果眞是這樣，那我就不能用不認眞的態度面對了。

「所以呢，我的確就是那個旅人。」小亘拉出那條項鍊給他看。

「這是芦川美鶴給我的，他說只要把這個給幻界的守門人看，對方就會替我準備裝備，是在這裡沒錯吧？」

老魔導士把手伸進長袍內側，只見他不知從哪取出一個大得離譜的可笑凸透鏡，然後把小亘抓著項鍊的手整個往前一拉，仔細觀察銀牌。

「原來如此。」他冒出這麼一句。「你的確是美鶴說的第二位旅人，你叫什麼名字？」

「我叫三谷亘。」

「太長了，在這裡叫『小亘』就行了，反正是個怪名字，也不可能會跟別人搞錯。」

是，我知道了！小亘乖乖地答應。

「那好，請進吧。」老魔導士推開門邀小亘進屋。「在那張桌子前的椅子坐下，我現在就拿地圖給你。」

小亘聽命行事，在簡樸的桌前相對而坐，心臟怦怦跳。老人把門一關，就走向屋內一個小巧玲瓏的書架，從上面取下幾本書。本以爲他要翻書，結果不是，他把手伸進書本抽出後的書架騰空處。

「這個這個，就是這個。」

說著，抓出一卷看似軸畫的東西。乍看之下，跟「復活邪神II」出現的「商人地圖」一模一樣，就連角落有點泛黃翹起的情況都一樣。

雖然商人地圖不是大居瑪國的全圖，但至少可以藉此得知人們居住的城鎮和街道概況，名副其實是商人爲了進行交易，實地勘查之後所繪製的地圖。爲了闖關，走到中段必須前往精靈的國度，把商人地圖上沒畫出來的土地和海域圖補上去。此外，如果在首都居瑪蘭格競技場上的百人斬競賽中獲勝，贏得「冒險家地圖」，將兩張地圖重疊，才能發現最後迷宮所在的「幻獸島巴巴蘭」的位置——這就是整個過程。

老魔導士在桌子另一頭坐下並攤開地圖，地圖很卷曲，必須用雙手壓著兩端攤平才行。魔導士的手像骸骨一樣又瘦又乾。

「這是『測試洞窟』的地圖，只要按照這條路線走，不管你有多笨一定會走到。」

小亘看著地圖，有一種揮棒落空的感覺，該怎麼說呢，這簡直就是小孩子的塗鴉嘛，就算是畫小亘家到最近車站的路線，恐怕還比這個複雜。

「這裡就是我們現在的位置吧？」

小亘用手指按著用圓圈框起的五間小屋圖示。

「沒錯。」

「從這裡往北邊森林一直走就行了嗎？」

地圖是這樣畫的，只有一條路。

「沒錯。」

「這樣啊，哈哈哈。」小亘笑了。「這樣的話，我不用地圖也走得到。」

「那是重疊。」老魔導士鄭重地說。

「啧？頂上（註）？要從哪裡爬上去嗎？」

魔導士二話不說就往小亘額頭啪地一掌打下去。「『測試洞窟』是個洞穴，用爬的做什麼。」

「呃，可是請問，我去這個『測試洞窟』到底要做什麼？那裡會有什麼？」

「你不是已經從美鶴那裡聽說了嗎？當然是要準備旅行裝備。」

「在這裡？」小亘把手指放在地圖上標示著「測試洞窟」的地方。

「這裡只有地名沒有圖耶，沒有洞窟裡面的地圖嗎？」

「怎麼可能會有，這樣還『測試』什麼。」魔導士以一副被打敗的口吻說。「聽好，你要從這裡進去，進去以後就會出現地圖，然後再出來，出來以後就有旅行裝備了。這就是整個設計。」

啊，我懂了！小亘啪地擊掌。「是喔，這是附有自動地圖製造機能的機關對吧！」

他的額頭又狠狠挨了一記。「這種咒語我從來沒聽過。連我都不知道的咒語，幻界不可能有。你老是在胡說八道。」

「可是，我把『復活邪神II』系列玩得很熟，對角色扮演遊戲也很瞭解。所以……」

老魔導士不發一語只是皺著臉，小亘也就不敢再多說。

「好了，那你去吧。」魔導士指著窗外。「北邊森林在那頭。」

「好，那我走了。」小亘站起來。「可是，沒有什麼武器之類的東西可以給我嗎？」

「武器？」老人挑起毛茸茸的白眉。

「對，比方說刀劍或棍棒啦。」

「沒那種東西。」

「沒有……嗎？」

老魔導士斬釘截鐵地說：「沒有，你快去吧。」

「可是，如果被怪物攻擊怎麼辦？」

「那就逃呀。」

「那也得要逃得了呀。」

「你要盡量跑快一點。」

「呃……這眞是簡單明瞭的建議。」

因爲又挨了一記白眼，小亘連忙轉身走向小屋出口。當他開門時，魔導士好像想起什麼似地順口說：「如果眞的擔心，就在北邊森林撿一根樹枝帶去，要盡量挑堅硬一點的樹枝。」

我知道了，我會的。小亘說完便走出去，踩著軟綿綿的泥土穿越聚落，依照魔導士指示的方向朝著那片茂林邁步走去。小亘背後吹來一陣風，撩起他的頭髮，陶笛般的鳥鳴夾雜在風中，聽起來咯囉咯囉的。

註：「頂上」與「重疊」的日文發音相同。

2
book

第二章
測試洞窟

北邊森林的空氣比起小亘之前穿越的森林更陰涼，只聽見優美的鳥鳴，看不到任何動物，連圍繞著小白花翩翩飛舞的蝴蝶都看不到，而且也沒看到魔導士說的那種堅硬樹枝，掉在地上的全是花瓣或樹葉。

這裡和剛才比起來寂寥多了。小亘之所以感到不安，或許是因爲有點膽怯吧。

的確如地圖所示只有一條路，不過不時被茂密的雜草掩蓋，有時甚至找不到路；有些路段消失了整整十公尺，必須繞著樹叢轉來轉去才找得到。換言之，這條路和通往那個聚落的路徑比起來，想必很少有人走過。

在陰涼的森林中走了大約十分鐘，終於走到一塊像腫瘤般凸起的灰色岩石，路徑就在這塊岩石前面消失，看來這裡應該就是目的地吧。可是，根本就沒有什麼洞窟呀。

小亘四下張望，已經看不到聚落，放眼望去，三百六十度的視野內只見森林，微風輕輕吹過，無數樹葉簌簌作響。

他抓了抓後腦勺，然後走近一步把手放在岩石上。頓時，頭頂上響起歌唱般的鳥鳴。「來測試嗎？來測試嗎？來測試嗎？」

小亘驚訝之餘，仰臉回答：「是的，我想進入『測試洞窟』。」

從周遭的樹叢落下了陶笛的音色，彷彿四重奏、五重奏，非常優美的合音。

若要接受測試　就得珍惜生命
問題配答案
答案配問題
導師大人打呵欠
回去的路是回去
縱使費千年　解開就結束

鳥兒們唱完之後，又吹過一陣風，小亘腳下的地面開始隆隆作響，岩石就在他面前裂成兩半。

然後，出現了一個入口，那是一個勉強可容納小亘一人進入的洞穴，狹小又黑暗。只要鑽進這裡就行了嗎？

他突然覺得有點毛骨悚然。真討厭，我非進去不可嗎？隱約有種上當的感覺，「復活邪神II」的主角們也曾進入這種地方嗎？

正當他遲疑之際，洞窟入口的深處傳來沙啞的呼喚聲。

「再磨蹭下去就要關起來囉。」

小亘嚇得跳起來。

「我說我要關起來了，你沒聽見嗎，小鬼。」
洞窟裡面的聲音氣勢驚人，讓小亘想起住家附近賣魚大叔的吆喝聲。
「喂，我可沒這麼多閒工夫陪小鬼耗到天黑喔。你再磨蹭的話，我就要告訴導士大人了。你還不『快～點』。」
「這是……關西腔？」
這裡明明是「幻界」。
「你到底要不要進來。」
「這裡眞的是『測試洞窟』嗎？」
「如果我說不是，那你就要回去嗎？」
「那當然呃……是吧。」
「那你滾吧。既然不相信導士大人說的話，就算進來也沒用。你這個笨桶小鬼。」
笨桶是什麼意思？
「我知道了，我進去。」
「一開始乖乖聽話不就好了，笨瓜。你過來。」
小亘往前半步，突然間漆黑的洞窟咻地伸出一隻骯髒的大手，一把攫住小亘的頭。
「哇！」
小亘被吸入了洞窟深處，只剩下叫聲在樹林間迴響。
恢復安靜的森林中再度響起陶笛般的鳥鳴。

來者是何人？

來者是勇者？

來者是何人？

來者是魔法師？

回去的人是誰？

在群鳥歌聲之下，剛才那位老魔導士正穿越森林，隻手持杖，另一手抱著古老的魔導書緩步走來，走到吞噬小亘的洞窟前停下腳步，伸了一個大大的懶腰。

「傷腦筋，這次的旅人看來比美鶴麻煩多了。」他把手杖靠在岩石上，一邊咚咚地捶著腰，一邊嘆息說道。

好了，那就開始吧——魔導士咕噥著，拿起手杖，喃喃唸起咒語。霎時，他的身體化爲一縷輕煙乘風揚起，瞬間變成一隻小鳥，然後被吸進洞窟裡。

小亘正在墜落，一直往下往下往下，墜落在看不見底的黑暗中。他一直尖叫，但很快就喘不過氣來，即使叫不出聲音了還是一直往下掉，他本來可以吸一口氣再開始尖叫，但是他此刻頭上腳下，以坐姿般的姿勢往下掉，所以也就漸漸冷靜下來。雖然在墜落，可是速度並不快，甚至有點像在飄浮，自然也就覺得沒必要尖叫。相對的，他開始東張西望，但是四周真的是一片漆黑，伸手不見五指。不過，憑著身體多少可以感覺到目前掉落的空間不是很寬敞，而是像一條滑溜溜的管子。只要他稍微動一下身體就可以變換位置，但如果把雙手像翅膀般張開，右手指尖就會碰到某種滑滑的東西，也許是牆壁。

（到底要掉到哪裡？）

在墜落途中，他察覺底下有風吹上來，一股濕暖的氣流吹進袖口，墜落的速度也變得越來越慢，慢得像在搭電梯或走樓梯。

此時，正下方出現一個金光閃閃的圓形平台，大小足以容納小亘著地。一定是要我在那裡降落吧。小亘張開手腳保持平衡在平台上著陸，終於鬆了一口氣。仔細一看，平台是用石頭打造而成的，他屈膝蹲下伸手觸摸，感覺很光滑，觸感跟家裡廚房流理台的模造大理石一模一樣。抬頭一看，原本黑漆漆的地方出現一個入口，那不是門，感覺像是剛才的岩石裂縫，寬度也大了許多，足以讓小亘步行踏入，不過裡面一片漆黑。

拿出勇氣來。快，前進吧。

他踏出一步又一步。這時，四周的景色突然變了。

這是……寺院。不，是城堡的迴廊吧。

天花板很高，大約有三層樓那麼高，地板和牆壁都是石造的，每隔十公尺就聳立著一根足足有一人環抱的柱子，牆邊並列著無數具燭臺，燭光宛如星光般璀璨。即便如此，通道前方仍是一片昏暗，什麼都看不見。

一如他所料，轉身一看，剛才通過的入口已消失無蹤，只有這條看不見前方的通道無止境地蜿蜒。

我不能害怕！小亘一邊這樣鼓勵自己，一邊繼續前進。過了一會兒，看到一尊大型雕像，跟建築物一樣是石造的，那是一尊獨眼巨人雕像，巨人裸身穿戴盔甲，上臂還有除魔驅邪的刺青圖案，肩上扛著大斧頭。

小亘站定仰望著巨人的臉孔，腳底下突然傳來轟然巨響，然後化爲聲音：「吾乃侍奉命運女神大人，鎮守東方之破曉神將。汝須回答吾之問題。」

小亘提高警覺防備著。

那聲音繼續說：「汝，對吾及吾輩破曉神將有何要求？」

小亘一時之間想不出來該怎麼回答才好？就在他倉皇失措之際，突然間想到，對了！在「復活邪神Ⅰ」中不是也有這樣的設計嗎？遊戲一開始時，必須向治理三個國家的三位天神許願，看是要「財富」還是「名譽」、「勇氣」、「美貌」、「智慧」等等，有很多種選擇。而且，根據許願種類，主角所具備的技能將會出現微妙的變化。

小亘做了一個深呼吸，用力大聲說：「我想……我想帶著勇氣前進，所以請賜給我勇氣！」

小亘又深深吸了一口氣，那個低沉渾重的聲音回答：「那就賜予汝勇氣，汝可通行了。」

巨人的獨眼發出紅光，這尊原本擋住去路的雕像霎時消失，前方再度出現通道，兩旁搖曳著成千上萬的燭光。

小亘往前走了一會兒，又看到同樣的巨人雕像便停下腳步。

「吾乃侍奉命運女神大人，鎮守西方之夕暮神將。汝須回答吾之問題。」

「是，我願意回答。」小亘說。

「汝，對吾及吾輩夕暮神將有何要求？」
「我想要智慧。」
「那就賜予汝智慧，汝可通行了。」
巨人的獨眼發出青光，這尊雕像又消失了。
再繼續往前走，又碰上第三尊獨眼巨人雕像。
「吾乃侍奉命運女神大人，鎮守北方之風雪神將。汝須回答吾之問題。」
小亘這次要求的是健康的身體。在幻界的漫長旅程，他希望能以旺盛的精力完成。
巨人聽到他的回答，獨眼發出白光，雕像消失了。小亘繼續前行。
第四座雕像正如預期，是「鎮守南方的陽光神將」。小亘要求的是「喜悅」。希望在旅途中能發生很多開心的事。
「那就賜予汝喜悅，汝可通行了。」
獨眼發出金光，雕像消失以後，前方已經沒有通道而是一堵牆，無路可走了，只有燭臺上的燭光熠熠生輝。在燭光的照耀下，剛才雕像出現的地方出現了一條通往樓下的階梯，小亘毫不遲疑地沿著階梯走下去，他的情緒高昂，恐懼早已消除，感覺好像眞的成了「復活邪神．吟遊詩人之歌」裡的主角。
一走下樓，眼前出現一間大廳，四周窗戶覆蓋著鮮紅色的天鵝絨窗簾，牆邊擺了一整排高背椅，地板光可鑑人，幾乎映照出小亘的臉。室內到處放著插有三支蠟燭的高聳燭臺，空氣中散發出蠟的氣味。

天花板描繪著各式圖案，可是由於燭光照不到以致看不清楚，可能是動物或花草樹木……，咦，仔細一看那個怪模怪樣的螺旋頭，不就是螺絲野狼嗎？

他看得目瞪口呆之際，有個聲音叫喚他：「小亘，你過來。」

小亘嚇了一跳連忙環顧四周，只見大廳最裡面的牆邊擺了一張小桌，小桌上點了一支蠟燭，那個老魔導士就坐在那裡。

「魔導士大人！」

小亘連忙跑過去，既高興又想念，巴不得撲上前去抱住對方。沒想到一靠近，魔導士便舉起瘦骨嶙峋的手拍了他額頭一掌，罵了一句「笨蛋」。

「咦？」

老魔導士右手托腮，豎起左手食指頻頻晃動，說：「不行哪。」

「魔導士大人？」

「那樣不行。你啊，比起美鶴差遠了。」

為什麼？小亘既迷惑又不高興。四位神將的問題我不是回答得很好嗎？

老魔導士彷彿看穿了小亘的內心，一臉不悅地說：「那樣太平庸了，缺乏獨創性。」

「獨……獨創性？」

「沒錯！而且，剛開始在洞窟入口猶豫不決也很糟糕，那時候一定要果決。也就是說，你缺乏當機立斷的果敢精神。」

不會吧！小亘無力地癱坐在地。

老魔導士不知從哪裡取出一支長長的羽毛筆和一塊夾板，小亘還以爲自己眼花了猛揉眼睛，但那的確是記錄用的夾板。

「你的綜合評分……」老魔導士一邊靈巧地揮舞著那支長達三十公分的羽毛筆，一邊宣佈：「幻界適應力的平均值三十五分、特殊技能零分、體力值勉強達到平均分數、勇敢值最糟。」

「呃我……我……我……」

小亘緊抓著魔導士瘦削的膝蓋，結果，額頭又挨了一記。

「最後，判定你是勇者見習生第一型。現在給你裝備。」

魔導士把筆夾在耳上，用騰出來的手快速撫過小亘的頭，頓時火花四散。

「站起來看看。」

小亘被催促著站起來，發現身上的衣服已經變了；無領無袖口的純棉長袖襯衫、深藍色的寬鬆長褲，以及看似耐用的皮織長靴。唯有鞋子和芦川穿的一樣，可是腰間繫的不是皮帶，而是一條類似麻織圍巾的布條。

「這就是我的裝備？」

「沒錯，恭喜你。」

「可是武器呢？就算是勇者見習生也應該有武器啊！」

「那個等你回到地面上再說。」魔導士把筆和夾板收回披風裡，嘿咻一聲從椅子站起。

「好了，那我先回地面上了。」

「回去？那我呢？還有測驗嗎？」

魔道士動動瘦削的下巴。「你啊，應該知道許願是要付出代價的吧？」

「代價？」

「無分大小，有得必有失。」

這時，小亘感到一陣地動天搖，還很遠，但正在逼近。某種重物正咚咚咚地走過來……

「四神將已答應了你的請求，代價就是跟你進行一場性命之爭。」老魔導士用不當一回事的口吻說道。「只要能逃過就算你贏了，不僅保住性命，心願也會實現，如果被抓到就算你輸，你的心願也無法實現。」

四周響起驚人的破壞聲，大廳的牆壁崩塌。是四神將，祂們用斧頭劈開牆面，已經殺進大廳來了！

「出口有很多個。」魔導士指著屋內各處。的確，牆邊不知不覺出現了很多扇門。「你要找到眞正的出口逃出去。」

「可是這樣太難啦！」

四神將揮舞著斧頭逼近。

「祝你成功。」魔導士說著莞爾一笑。「回想一下北邊森林鳥兒們唱的歌吧。」

魔導士的身影在空中消失，只剩下一縷煙霧，那團煙霧接著化爲一隻小白鳥，從小亘眼前倏然飛向黑暗的天花板。

「等……等一下！」

四神將已經逼近眼前，小亘一邊尖叫一邊衝向牆邊，不小心絆了一下跌在地上。只見他剛才所站的位置，被領頭的風雪神將猛力揮斧一劈，頓時出現閃電形的劈痕。

「救命啊！」

每次看到電影或漫畫中出現被追趕的角色就算喊破嗓子也不會有人搭救的場面，他都會嗤之以鼻。可是，現在他知道錯了，縱使知道不會有人來，這種時候還是無法停止尖叫。

他才掙扎著勉強起身，破曉神將的斧頭已經劈向他剛才待過的牆邊地面。說到小亘為什麼在這種緊要關頭還能分辨四位神將，那是因爲眾神將臉上那隻獨一無二的大眼珠正發出不同顏色的光芒。

（到底要逃往哪裡去？）

在這個狀似巧克力片的長方形室內，左右兩邊都有無數扇門，其中應該有一扇是眞正的逃生口吧。或許。可是要怎麼找出來？看來只能每扇門都開開看了。四神將緊跟在四處逃竄的小亘身後咚咚地窮追不捨。祂們所到之處，地面上的石塊都四分五裂，像是被掀起來似的。小亘眼角瞄到這副景象，不禁毛骨聳然。

不過，這樣逃了一陣子後，他終於發現體型龐大的四神像一旦劈斧攻擊，得花上不少時間才能轉換方向。而且，當祂們其中一個進攻時，另外三個似乎也會朝相同方向跟進。所以，只要順利躲過領頭的攻擊，趁剩下三個發動攻擊的這段時間就可以輕鬆逃開了。

好！小亘跑向房間對面那堵牆，四神將咚咚追來，祂們穿戴的沉重盔甲鏗鏘作響，小亘在一瞬間回頭，只看到緊追在後的夕暮神將眼珠發亮，那道青光照在祂舉起的斧刃上。距離牆邊還有一公尺，小亘猛然轉向，朝著旁邊並列的房門撲倒，夕暮神將掄起斧頭，朝著小亘所在的位置逼近，小亘趁這個空檔掙扎起身，抓住眼前那扇門的門把。

門輕易被打開了。小亘一衝進去，發現裡面是一個四疊半的小房間，在彷彿月光般朦朧的光源下，只看到中央矗立著一個很像銅像的東西，他氣喘吁吁地走近一看，果然是銅像，摸起來有金屬的觸感，冷冰冰的。這是……小鹿的雕像嗎？怎麼跟迪士尼電影的小鹿斑比一模一樣。

（這種東西怎會在這裡出現？）

這裡根本沒有出口嘛，即使摸遍了四周的牆壁，也只有冰冷的石頭，既沒有通往外面的梯子，也沒有繩索。換言之，不是這一間，還得再開其他扇門。

他在裡面把門稍微打開一點，小心翼翼地向外窺探。四神將找不到小亘，紛紛聚集在大廳中央，獨眼的光芒也已消失，正不停地兜圈子。小亘調整呼吸，鼓起勇氣溜回大廳。頓時，其中一位神將的眼珠啪地亮起，再度展開追逐。

小亘逃跑引來揮斧落空的攻擊，趁四神將沒站穩之際，他又逃往旁邊打開最近的一扇門，不斷地重複這些動作，可是開了又開還是沒找到通往出口的門，每個小房間的格局都一樣，中央擺了一座動物雕像，而動物的種類因房間而異，有大象、老虎、大魚、鳥、牛、蛇乃至青蛙。

亘進入房間，再從房間跑回到大廳時，他會刻意把門敞著，以免等一下又進入去過的房間。

這樣跑著跑著，小亘逐漸累了，不是因爲恐慌，而是疲勞導致步伐不穩，躲避神將的攻擊漸漸變得很驚險，如果再這樣繼續下去，恐怕馬上就要倒地不起了。可是，他已經把所有的門都開過了，看起來多得數不清的門現在全都敞開著，然而還是找不到出口。

太過分了！他喘個不停，踉蹌之下不禁駐足，神將們立刻轉換方向襲來。那些傢伙一點也不累，這樣下去對他越來越不利，該怎麼辦才好？

（回想一下北邊森林鳥兒們唱的歌吧。）

魔導士是這麼說的。陶笛般悅耳的鳥鳴，四重奏或五重奏的合音。

他拼命回想，牠們是怎麼唱的？好像有「問題配答案」還是「導師大人打呵欠」之類的……

（回去的路是回去）

回去（註）

小亘的腦中啪地靈光一閃。青蛙，是青蛙！回去的路是青蛙！

他拖著不聽使喚的疲勞雙腿，躲過四神將的攻擊，朝著牆邊筆直衝過去。有青蛙雕像的小房間在哪裡？在哪裡？喉嚨呼嚕作響，他一邊查看敞開的房門，一邊衝刺。

找到了！

在右邊最後一個小房間裡有一座胖嘟嘟的蟾蜍雕像，小亘連忙衝進去，衝得太猛不慎摔倒在雕像腳邊，鏗地一聲撞到頭。「好痛！」撞得他眼冒金星，雙手抱頭坐倒在地，霎時響起沉重的轟隆聲，雕像的台座開始移動，台座的所在位置出現一個洞，裡面有一道梯子通往下面的黑暗中。

萬歲！這下子可以逃生了。小亘揉著陣陣發疼的腦袋走下梯子，梯子不長，還沒數到二十階，腳尖就已碰到柔軟的地面，四周一片漆黑，像洞穴一樣，是星空，凝神一看，頭頂上有一大片像星星般閃亮的小東西，不時變換著位置。小亘這才明白，對了，一定是螢火蟲，在這個世界裡有像螢

註：在日文中「回去」與「青蛙」的發音相同（kaeru）。

火蟲一樣的生物。

藉著牠們所發出的微弱光芒可以看到洞穴一直蜿蜒到深處，牆壁是崎嶇不平的岩石，到處都被湧泉濡濕，道路蜿蜒曲折，形成平緩的上坡。小亘發現自己正走向地上，頓時勇氣倍增，加快腳步不停地趕路，路的盡頭是一個鋪滿灰色石頭的小廣場，有一道光芒從正上方射下，準確地射穿石頭上描繪的藍色星形記號中心。

小亘就站在光源的正下方；在星形記號的正中央，他覺得身體變得好輕盈，雙腳似乎飄浮在半空中。當他驚覺一眨眼，已經站在樹林中，又回到了「測試洞窟」前。他聽見群鳥的陶笛聲，太陽西斜，森林籠罩在蒼茫的藍霧中，洞窟入口早已關閉，變回原來的岩塊，即使伸手觸摸也不會傳出關西腔的對話。

他沿著林中小徑回到那五間小屋座落的地方，沒看到魔導士，不在第一間小屋也不在第二間，而第三間小屋的煙囪正冒著裊裊輕煙。

第三章
勇者見習生踏上旅程

他直接走向那棟小屋的門口，一敲門就聽到腳步聲，魔導士探出了臉。小亘吃了一驚。因爲老爺爺正在哭。

「噢，你終於回來啦，嗚嗚嗚。」

魔導士一邊拭淚，一邊讓小亘進屋。

「你花了很多時間才解開謎底喔，嗚嗚嗚。」

小亘坐在一張彷彿是砍斷的樹頭直接搬回來使用的簡陋凳子，望著魔導士一邊眨眼一邊拭淚。

老爺爺在第一間小屋突然大發雷霆，在第二間小屋很慈祥，而現在卻在哭泣。

「請問，魔導士大人。」

「什麼事？如果是關於武器，我接下來會解釋，你先等一下。」

「在那之前……」

「對了，我叫拉烏。所以，你就喊我拉烏導師大人，不是魔導士那個導士喔！我的確是魔導士沒錯，但現在是在扮演引導旅人的導師這個角色，你既然已經通過『測試洞窟』，正式成爲旅人了，對你來說我就是導師大人。一定要加上『大人』，懂嗎？」

「是，拉烏導師大人。」小亘怕又被打斷，趕快繼續說。「導師大人，您的情緒會隨著那五間小屋改變吧？」

拉烏導師那瘦骨嶙峋的手輕快撫過瘦削的下巴。「怎麼，你現在才發現嗎？你啊，果然比美鶴遲鈍。」

「啊，呃。」小亘有點受傷。「那，是這樣沒錯囉？」

「沒錯！這是這個村子的規矩，守門人有義務正確引導旅人，不能被自己的情緒影響，忽忽指導。所以，配合小屋從一開始就設定好情緒，這樣就不會遲疑。在憤怒小屋就表現得憤怒，在親切小屋就很親切，然後……」

「現在這間小屋，就是淚的小屋囉。」

「不，是悲傷小屋。」導師眨著淚眼。「高興時也會流淚，對吧？笑得太厲害也會淚眼汪汪。說眞的，你還眞是笨到讓我想哭。」

「對不起。」

拉烏導師拽著長袍下襬穿越房間，用恭敬的手勢拎起放在角落的小藤籃，拿到原木桌上，輕輕擱在小亘眼前。

「這是你的劍，打開看看。」

小亘感到心跳加快，手也有點抖。

藤籃的蓋子很輕，只是蓋在上面，沒有鑰匙孔也沒有扣鎖，一下就打開了。

藤籃底部躺著一把收在骯髒皮鞘中的普通短劍，全長應該有三十公分……不，二十五公分吧，劍柄部分也是用有磨痕的舊皮革製成的。

「這就是『勇者之劍』。」拉烏導師傲然地說道。

「這個……就是嗎？」

勇者之劍。根本名不副實。

「就是這個。怎麼，你不滿意？」

「因為看起來好像不太強……」

「那當然。因為你不強，這把劍當然不可能強。」拉烏導師坐在小亘對面，雙手放在桌上。「勇者之劍，是跟著使用者一起成長的劍。所以在一開始，這把劍會如實呈現出擁有者的心態，這把劍之所以看起來這麼軟弱黯淡、灰頭土臉又毫不起眼，小亘，那是因為你太軟弱疲憊、灰頭土臉又毫不起眼，這不是劍的錯。」

導師又用手打了一下小亘額頭。

「你拿起來仔細看看，劍鍔部分應該有圖案吧？」

勇者之劍比藤籃還輕，這麼單薄，想必是反映出小亘內心的薄弱吧，摸起來一點也不可靠，大概也是因為小亘不可靠。這把劍的劍鍔上刻著剛才那個洞窟出口的星形記號，星形的五個頂點分別各有一個像感冒藥片般大小的圓孔。

「這個記號，我在測試洞窟的出口看過。」

「噢，你注意到啦？以你的個性，我想如果不說明你是不會懂的。」

這是象徵女神掌管「幻界」之力量的特別印記——拉烏導師如此解釋。

「一月適當的力量與這個印記結合，就可以產生魔法、設下結界、飛天遁地、呼風喚雨，什麼都做得到。你即將去幻界旅行，會在各種地方遇到這個圖案。尤其在使用『眞實之鏡』時，一定要在有這個圖案的地方才管用。」

「眞實之鏡？」

這個名詞很耳熟。芦川他……

（我一看眞實之鏡……）

對了，他來接小亘，從幻界跑回來時，的確是這麼說的。

「看來你已經知道了。」

小亘把美鶴的事情說了出來，拉烏導師深深點頭。

「像你這種來自現世的旅人，只要在有這個星形圖案的地方使用『眞實之鏡』，就能製造出連結幻界與現世的『光之甬道』。旅人沿著那條路可以前往現世，不過時間非常有限，倘若沒在甬道關閉之前回到幻界，不僅不能返回現世，也無法再進入幻界，將會掉進兩個世界之間的久遠谷，變成時空流浪者。」

難怪芦川那麼急著離去。不過，久遠谷？時空流浪者？又出現新名詞了。

「……我知道了。那麼，我該怎樣才能得到那個『眞實之鏡』？」

「關於這個，美鶴沒有告訴你嗎？」

「嗯。」當時沒那麼多時間。

拉烏導師微微一笑。「你用不著去找『眞實之鏡』。『眞實之鏡』會主動來找你。要發現它，應該不用費太大工夫。」

「啊？」

「當『旅人』來到這個幻界，『眞實之鏡』就會察覺並且現身。放心，容易得很。」

眞的假的？聽起來有點靠不住，而且該記的事情實在太多了，小亘頭都快暈了。

「你好像很徬徨，這也難怪。」

拉烏導師把滲出眼皮的淚水一抹，表情慈藹地安慰他。

「這個世界——現世和幻界和久遠谷的關係及起源，就算我通通告訴你，你也不可能馬上消化。一般來說，在旅行的過程中自然就會逐漸理解，而且這樣也比較確實。現在，我只告訴你一開始就得牢記的重點。」

拉烏導師從小亘手中拿起勇者之劍，指著劍鍔上的星形圖案。

「你看這個。星形圖案的末端都有小洞，這可不是普通的孔洞喔，這是台座。接下來，你必須走遍幻界各地，找出恰好鑲在這台座上的五顆寶珠。」

「寶珠？你是說寶石嗎？」

「沒錯！當五顆珠子都鑲進台座，這把又舊又小的勇者之劍就會現出眞正的英姿，那才是替你開路協助你前往『命運之塔』的『退魔之劍』。」

退魔之劍……

「掌管命運的女神大人居住的高塔，四周籠罩著孕育妖魔的濃霧。退魔之劍會掃除迷霧，指引你通往塔頂之路，所以才有這麼一個名字。因此，即使這把劍現在看起來沒什麼用，你也絕對不能小看它。知道嗎？」

「我知道了。」小亘感到體內湧起一股力量，用力握緊了拳頭。

「那麼，請問那五顆寶珠在哪裡？是什麼樣的寶珠？」

拉烏導師又打了小亘額頭一記。

「這種事誰會知道，所以才叫你去找呀。」

「啊？可是什麼提示都沒有嗎？眞的要找遍整個幻界？」

「沒錯。不過，當你接近寶珠時，珠子會主動給你某種暗示，你就用那個當線索吧。」

即便如此，聽起來仍像大海撈針。說來窩囊，剛才湧起的那股力量現在又洩了氣。

「你啊，根本還沒下定決心。」

拉烏導師似乎又想拍小亘的額頭，眼看著手已舉起，卻又改變主意用那手摀著臉。「我當守門人當了這麼久，還是頭一次看到你這麼靠不住的旅人，而且說不定你還是半身，眞是傷腦筋。」

「半身？那是什麼？」

對於小亘來說，只是又聽到一個新鮮名詞，便隨口問問。可是，拉烏導師卻大吃一驚，變得非常驚慌。

「沒、沒什麼。你啊，只有耳朵比人家靈光。」

他匆匆搓著臉，抓起長袍的袖子擤鼻涕。哇，髒死了。

「關於那些珠子，還有一件要緊事。」他恢復平靜的表情說。「跟剛才提到的眞實之鏡也有關。

據說，珠子的顆數和使用眞實之鏡的次數是相對的。

「每當你找到一顆寶珠，就可以使用一次眞實之鏡。接下來如果又找到一顆，便可再使用一次。當然，即使找到了寶珠卻沒必要使用眞實之鏡，也可以保留使用權，不過這可沒有利息喔。」

這種事小亘當然也懂，又不是存錢。

「剛才我說過，只有出現星形圖案的地方才能使用眞實之鏡，你還記得吧？」

「嗯。」

「那個星形圖案的地點也沒人知道，你得自己去找。不過，星形圖案所在的位置附近一定會有寶珠，絕不會錯。就這個角度而言，這是最佳線索。」

小亘一邊把玩著手裡的勇者之劍，一邊思考。「可是拉烏導師大人，我覺得我應該不會像美鶴那樣有使用眞實之鏡的機會。這樣子我就不用勉強找出圖案了吧？」

沒有回答，一直沒回音。小亘的視線從勇者之劍抬起，看著拉烏導師的臉。老人雙手叉腰氣憤地撇著嘴，唯有眼睛淚汪汪，看起來很不協調。

「導師大人？」

「你啊，不擔心留在現世的媽媽嗎？」

小亘一驚。「我媽……嗎？」

「你在幻界的期間，現世的時間可沒有停止喔。你媽現在怎樣了，你難道都不擔心嗎？你突然消失她不曉得會有多傷心，你難道都不想回去看看，好讓她安心嗎？」

被拉烏這麼一說，還眞是這樣沒錯。直到前一秒爲止，眼前的事態對於小亘來說實在太新奇、太令人驚訝了，所以早就把媽媽拋在腦後。

「我……當然想，我本來就是爲了我媽才來幻界的。」
導師嘆了好大一口氣，緩緩搖頭。「既然這樣，那你就需要光之甬道，自然也得找出圖案。」
「是，我會去找，我一定會拼命找。」
拉烏導師離開桌子，隔著窗戶朝外看了一下。「太陽已經下山了，今晚你就住在這村子裡，明天早上再啓程吧。只要是空著的小屋，隨你用哪間都可以，因爲每間小屋只有一張床，我要睡在這裡。至於晚餐，待會兒再給你送過去。」
「謝謝您。」小亘深深鞠躬。正當他要走出小屋時，拉烏導師又叫住了他。
「啊，對了對了，還有一件要緊事忘了說。」
在旅途中，絕對不能找美鶴。導師用嚴厲的口吻說道。
「我知道，美鶴也說過必須靠自己的力量抵達命運之塔，所以我們倆不能一起旅行。」
拉烏導師走向小亘，那雙枯木般的手放在他的肩頭。「不只是這樣。你原本就不能尋找美鶴，因爲你所旅行的幻界和美鶴的幻界從一開始就不一樣。」
小亘大吃一驚，忍不住拽著導師大人的長袍。「到底是怎麼回事？幻界不只一個嗎？你是說還有很多個？我們各自來到不同的幻界？」
「不是這樣。只不過幻界會隨著到訪者改變模樣。」
芦川說過，幻界是住在現實世界，也就是現世的人類憑著想像力所創造出來的地方。
「是嗎？美鶴是這麼跟你說明的嗎？非常好。」拉烏導師一臉滿足地莞爾一笑。「那你應該明白吧！在創造幻界的能量中，也夾雜了美鶴和小亘你們這些旅人的能量。當你們來到幻界，你們自己的能量就會對整個幻界產生更強烈的作用。因此，美鶴看到的幻界是屬於他自己的，你看到的幻界就只屬於你一個人。」

小亘嗯了一聲，好像懂又不太懂。來了兩個旅人，所以要加上兩人份的能量，既然是同時來的，哪有非得各自分開的道理？

拉烏導師啪地拍了一下小亘額頭，暗示他談話結束。

「總之，就像剛才你說的，你們倆註定不能一起旅行。所以，就算你去找美鶴也沒用，而且他早就領先你一大截了。」

「那是因爲他比我早出發嘛。」

「頭腦也差很多。」拉烏導師毫不客氣地說。「美鶴爲了你用過一次眞實之鏡，這就表示他至少已經發現一顆寶珠了。你也要好好努力別輸給他。」

拉烏導師熟練地幫小亘把「勇者之劍」夾在腰帶處，劍總算收妥了。「看起來總算有模有樣了。」

好了你去吧，說著就把小亘趕出小屋。整片森林完全陷入黑暗中，地上的雜草四處叢生，踩上去感覺濕濕的，倦鳥應該歸巢了吧，聽不見歌聲。頭頂上的天空鑲嵌著無數星斗，小亘雖然一直仰頭張望直到後頸發酸，還是找不到獵戶座和北斗七星，幻界的星空難道不是現世的倒影嗎？說到這裡才發現，也沒看到月亮。

小亘決定使用「親切小屋」。令人驚訝的是，一踏入小屋，屋裡的小暖爐就啵地生起了火，桌上的燈也自動亮了。這大概也是導師大人的法力吧。剩下他一個人突然覺得好累，便往床上一躺本想稍事休息，卻在不知不覺中陷入沉睡。

翌日一大早，小亘餓得肚子咕嚕咕嚕叫，便醒了過來。走出去一看，景色跟昨天一樣，「悲傷小屋」的煙囪正冒著煙，拉烏導師已經起床了，正在桌前一邊吃飯一邊哭哭啼啼。

「噢，早啊。嗚嗚嗚。」

「您早。」

「過來坐下。昨晚我看你睡得很熟，就沒留下吃的，你一定餓壞了，快吃吧。」

小亘快餓死了。桌上擺著外皮酥脆的圓麵包、散發薄荷香氣的茶、長得很像蘋果但味道比蘋果更甘甜濃郁的黃色水果。每一樣都美味無比，他埋頭猛吃，等回過神時，桌上的東西幾乎通通進了他的五臟廟。

「這是給你帶在路上的便當。」

導師交給他一個棉布小包。

「這是今天的午餐，我只能照顧你到這裡為止了，接下來得靠你自己想辦法。」

靠自己？小亘當場愣住了，一時之間還無法理解。對了，原來三餐和過夜的地方都得靠自己張羅才行啊。「復活邪神」的主角是怎麼應付來著的？在遊戲中，除非跟任務有特別關係，否則根本不會出現吃飯的畫面，至於投宿旅館的費用，只要打敗怪物就可以賺到。小亘突然有點不安，到目前為止從來沒有單獨旅行過，只有一次去千葉的奶奶家時，他一個人搭乘特急列車，但就連那一次都是媽媽送他到東京車站，然後由魯伯伯在千葉的車站出口接他。

「沒錯！放心，你不用緊張。只要沒有迷路，過了中午就會抵達嘎薩拉鎮。嘎薩拉是邊境最熱鬧的交易城鎮，隨便找都能找到工作。」

工作啊。

「不是打倒怪物就有錢幣自動掉下來嗎？」

拉烏導師瞪大了眼睛。「你在說什麼啊？」

這跟「復活邪神」的冒險未免差太多了。小亘感到很洩氣，要不是拉烏導師頻頻催促，他還眞離不開桌子。

「森林的出口在那頭。好了，你多保重。」

拉烏導師目送著小亘拖著不情不願的腳步、頻頻回頭才勉強離開的小小背影，緩緩地撫著下巴。

「那麼導師大人，我也要走了。」

拉烏導師的腳邊響起了甜美的女孩聲音，導師拉起長袍下襬環視腳邊。

「討厭，我不在那裡啦。」甜美的聲音如銀鈴般笑著。

導師沉吟著。然後，姑且朝著下方說話。「翁芭大人，您好像一直幫著那個旅人，有什麼特殊理由嗎？」

「哎喲，因爲他太可愛了嘛，旅人還是要可愛一點。」

如果讓小亘聽到了這個散發無窮魅力的聲音，一定會立刻發現這就是那個不知從哪對他說話的隱形女聲；那個小亘以爲「也許是小妖精」的聲音。

「另一個旅人，那個叫美鶴的少年長得才是俊美呢。」話一出口，拉烏導師連忙噤口。

「哼。」甜美的聲音噘起嘴（發出類似那樣的聲音）。「沒關係啦！導師大人，事到如今你還顧忌什麼。」

「是是是，眞是不好意思。」

「總之我啊，就是想幫小亘，因爲他實在很可愛。」

拉烏導師扭動下巴，「翁芭大人。」他壓低聲音說。「撇開您個人的感受不談，對於旅人所做的事，您可不能過度干涉喔，否則又會惹女神大人發怒。」

「那種女人愛怎麼生氣隨她去！我照樣做我自己想做的。導師大人如果老是替那女人撐腰，對你也沒什麼好處喔，知道嗎？」

導師默默鞠躬。這個姿勢維持了一陣子，然後發覺那個被稱爲「翁芭大人」的甜美聲音終於消失了。看來眞的去追小亘了。

「眞是的……」導師一臉黯然地低語。「眞是傷腦筋，聽說這個翁芭大人最近頻頻在現世出現，我就是擔心這種情況遲早會發生。」

拉烏導師一靠近窗邊，森林裡的鳥群就像等候多時似地開始啼鳴：「早安！早安！早安，導師大人。」

「嗨，大家早。」導師朝著鳥叫聲露出慈祥的笑容，然後一邊傾聽牠們的歌聲，一邊倚窗陷入沉思。

第四章 草原

小亘沿著導師指示的小路走去，那片濃密的森林竟然毫無預警地消失了。

「哇！」

眼前出現了一片遼闊的綠色草原，放眼望去盡是起伏的草浪，似乎一直延伸到地平線的彼端。涼爽的風徐徐撫過小亘的臉頰，無論向左或向右看，映入眼簾的盡是草原景色，隨處可見泛白的岩石塊像高塔般探出頭，有些地方如緩丘般隆起，不過大部分都很平坦，草原風光一覽無遺。

（不管怎樣，朝太陽昇起的方向走就對了。）

拉烏導師是這麼告訴他的。高掛在「幻界」天空的太陽只有一個，跟現世的太陽很像，但即使仰頭直視也沒那麼刺眼。「復活邪神I」是以兩個太陽的世界爲舞台，故事設定爲其中一個太陽的溫度太高，將會成爲世界滅亡的導火線，不過在這裡似乎不用擔心這個。

小亘選擇較低矮的草地步行，這裡沒有像樣的路徑，也聽不到鳥鳴，一路上不時飛來像紋白蝶似的小蟲似乎對小亘感到好奇，繞著他轉來轉去好一陣子才飛走，算是旅途上唯一的同伴。草原上的明媚風光起先讓他心情高昂，可是在這麼空曠的地方走著走著，現實意識……不，在這裡應該說是幻界意識吧，不由分說地襲上心頭。

我接下來要一直走。不管怎樣，除了「步行」之外沒其他交通工具，既沒有汽車也沒有電車，除了兩條腿沒別的東西可代步。就連電玩ＲＰＧ的主角們從一開始到中段不也都是這樣乖乖走路。雖然他這樣安慰自己，可惜不太成功，因爲，遊戲畢竟只是遊戲。他跟阿克一起步行通過「復活邪神II」險惡的最後一關時，裡面的人物也不會「走到腳酸腿軟」，而且小亘和阿克玩的時候都是坐在地上，不時還會躺著，可樂和果汁也是想喝多少有多少。

一想到清涼飲料，突然覺得好渴。小亘這才想起，導師大人雖然給他一個便當，卻完全沒提到飲料，看來他得趕緊找條河或湖之類的水源地。

應該已經走很遠了吧，沒想到轉身一看，剛才走出來的森林鬱鬱蔥蔥地還在身後咧，眞令人失望，是我走得太慢嗎？

連個說話的對象也沒有，只能默默地一直走。陽光好強好熱，滿身大汗，四周景色毫無變化。他靈機一動，決定計算步數，於是開始大聲喊著一，二，三……果然稍微振奮起來。這時才第一次想到，之所以會被這種說不出來的無助感折磨，一部分也是因爲不知道時間。從昨天到現在，他壓根兒沒想過「現在幾點？」今早也是如此，直到剛才亦復如此，數到快一千步時，看到左前方有一處圓狀森林，簡直就像天空中有人把很多樹揉成一團，隨手丟到地上，形成這麼一團樹叢，而且還是相當高聳的樹。能長出那種樹，說不定會有水，感覺像是綠洲。小亘駐足用手背抹去臉上的汗水，朝那邊走去，再重新開始計算步數吧。

水，水，清涼的水，他一邊在心中默唸一邊走近，最後，他看到綠洲環繞的中心點好像有一棟露出屋頂的小型建築物。每當草原上的風吹拂過樹梢，便可隱約看到頂端，好像是瓦片屋頂，那種地方會有人住嗎？

距離綠洲還剩五十步。走到這裡時，地平線彼端突然揚起一陣白色煙塵，凝神一看，好像還會動，由右往左，雖然移動得很慢，但的確在動，那東西說不定正朝這邊接近。果然，或許目的地也是這個綠洲。

小亘跑向綠洲。走近之後，還可聽見高聳的樹叢在微風的吹拂下樹葉沙沙作響，那真的是綠洲，在樹叢中心有座水井。對，應該是水井吧！這還是頭一次親眼看到，石造的圓形外緣。小亘探頭往裡面一看，井底閃著水光，上面還吊著綁有繩子的木桶，而水井四邊則豎著柱子，瓦片屋頂就搭在那上面。大概是防止雨水滲入吧。不，前提是如果幻界也會下雨的話。

小亘先汲了桶井水，嘴巴就著桶邊咕嚕咕嚕地喝著。那水清涼又甘甜，美味極了，喉嚨滿足得呼嚕作響，也不管胸前衣襟會不會濕透，就這麼大口喝水。喘了一口氣四下張望，才發現地面上掉落許多狀似蕃茄的紅果子。看樣子，是四周樹木所結的果實，掉下來的全都熟透了。

先聞聞味道，酸酸甜甜的，應該可以吃。

樹枝全都長在高處，樹幹又滑溜溜的抓不住，而且小亘從沒爬過樹。他想了一下，連忙在地上搜尋，撿了一些適合的石頭朝樹枝丟去，心想應該可以把果實砸落。小亘對於射擊倒還有幾分自信。果真讓他擊中了，眼看著果實撲通掉落，他撿起一顆拍去塵土，謹慎地咬咬看，果然一如外觀是蕃茄的味道，不過和超市賣的比起來，味道更濃郁更新鮮多汁。幻界的水果——導師大人也請他吃過……怎麼會這麼好吃？

看來只要多撿一些帶著，路上不但能解渴，還可拿來充飢。

小亘卯起勁來丟石頭，不停地撿果子。這時，一陣夾雜著沙塵的風吹來，隨後響起轆轆的滾動聲和「喂、喂，那邊的人！」的叫喚聲。他停手四下一看，原來有輛很像馬車的交通工具正揚起沙塵駛近綠洲。

「喂、喂，那邊的人！」

駕駛那輛馬車的人朝小亘舉起手，正在大聲叫喚他。小亘走到綠洲邊緣，抬起手遮在眼睛上方，眺望綠得發亮的草原。剛才看到的沙塵應該是那輛馬車造成的吧。在這種大草原，怎麼會掀起那麼大的沙塵？

咦？看樣子那邊好像有一條路，是通往嘎薩拉鎮的路嗎？

像馬車的東西逐漸靠近小亘，駛近之後，沙塵總算停歇，這才看出那輛看似馬車的東西其實不是馬車。不，的確是四輪車，小亘曾在西部片中看過，那外形很熟悉，問題是拉車的動物不是馬……那玩意兒是什麼？

明明是牛，脖子卻很長，額頭上還有兩支角，體型相當龐大，皮膚光滑而且是灰色的，蹄子好大，幾乎像座墊那麼大。

「喂，那邊的人！不可以吃太多巴庫瓦果喔。」坐在車上的人終於拉緊韁繩在一旁停下，朝著小亘開朗地喊道：「那玩意兒是這些達爾巴巴最愛吃的東西，甜甜的很好吃，不過不適合人吃，吃太多的話會拉肚子喔。」

小亘連忙把吃到一半的紅果子扔掉。那個大聲公看了一邊哈哈大笑，一邊下車。

「你也用不著把正在吃的扔掉，那個沒有毒，我知道很好吃。來，餵飽達爾巴巴之前我也嚐一個吧。」

小亘頓時目瞪口呆，渾身發抖。

（是……是蜥蜴。）

駕駛這輛長頸牛車的，是一個身高約有兩公尺，全身覆滿鱗片的蜥蜴男。他撿選著地面上的紅果子，拍去塵土吃得津津有味。一口閃亮的尖牙，跟「復活邪神」系列中次要對手裡最難纏的「蜥蜴人」長得好像，如果再拿把劍，簡直一模一樣。

「怎麼了小弟，我臉上沾到什麼東西嗎？」

蜥蜴男非常豪爽地走近小亘，小亘不由得倒退三步，蜥蜴男一臉不可思議地歪著脖子，舉起鉤爪般的手沙沙沙地抓著臉頰。

「怎麼，你在怕什麼？現在仔細一看，你還真小，就你一個人在這嗎？怎沒跟爸爸媽媽一起？」

明知應該說些什麼答覆對方，可是卻講不出話來。

「小不點，你是從哪來的？」蜥蜴男一邊嚼碎紅果子，一邊親切地問道。「在這種邊境應該不會有帝國難民跑來……你是安卡族吧。你是第一次見到我這種水人族嗎？」

小亘用力嚥了一口口水，總算勉強擠出嘶啞的聲音。「你…你…你是…水…水…水人？」

「對，沒錯。」

蜥蜴男伸出巨掌抓起一把地上的紅果子，開始餵那隻長頸牛，長頸牛一邊發出哞哞聲，一邊蠕動著大嘴，大概是很高興吧。

「那，我是……安卡族？」小亘指著自己鼻頭問。

「對呀，那是女神大人最先創造的種族，所以跟女神大人的模樣很像，你在學校裡應該學過吧？」蜥蜴男露出整排牙齒，大概是在笑吧。

小亘想，看來所謂的安卡族，應該就是具有人類外形的種族，拉烏導師大人也是嗎？然而幻界還有其他種族。

「請問、請問，這種動物……」

「這傢伙是達爾巴巴。怎麼，你第一次看到嗎？你用不著害怕，牠很溫馴，最喜歡人家摸牠耳朵後面了。」

「噢……」

長頸牛的嘴角滴著巴庫瓦果的汁液，一臉滿足地大快朵頤，蜥蜴男頻頻撫摸達爾巴巴的耳後，然後稍微拉一下自己腰上狀似皮製迷你裙的衣物，整理儀容，這才歪著脖子看著小亘。

「你連達爾巴巴都不認識，小弟，你眞的是從帝國來的嗎？因爲據說那邊的人完全不會用家畜拉車。我記得很久以前，還有個過路商人說達爾巴巴很罕見，可以收門票讓客人參觀，一口氣買了五頭帶回去，可惜根本沒生意上門，最後就破產了。」

這個愛說話的蜥蜴男在談話中提到「帝國」這個字眼，勾起了小亘強烈的好奇心，幻界裡也有好幾個國家嗎？

「所謂的帝國，跟我現在所在的地方不一樣吧？這裡是什麼國？剛才你說這裡是邊境吧？」

說到這裡，小亘又張口結舌陷入沉默，因爲他不敢相信自己。

我現在脫口而出的是哪國語言？不是日語也不是英語，不是我平常說慣的語言。可是，我卻毫無抗拒、不費吹灰之力地對答如流，蜥蜴男說的話也聽得清楚，意思都懂。

「我……我的腦袋已經變了。」他不禁喃喃自語。「我變成『幻界』裡的人了，就像施了魔法一樣。」

蜥蜴男安撫著似乎還沒吃夠、哞哞叫的達爾巴巴，聽到這話卻愣住了。不，他的眼睛跟小亘不同，分別長在腦袋的左右兩側，一旦正面對著他，就看不出他臉上的表情。不過，蜥蜴男的嘴巴半開，只能根據他露出滿嘴利齒的模樣如此判斷。

小亘有點僵硬地等他回答，沒想到蜥蜴男二話不說就從口中咻地射出長舌，優雅地在空中劃個半圓，舔了頭頂一下。小亘目瞪口呆，可是又不能失態，好不容易才忍住沒有倒退三步。

「這眞是太意外了。」蜥蜴男從又大又尖的齒縫間擠出聲音。「瞧你說話這麼無厘頭，小弟，你該不會是『旅人』吧？」

小亘緩緩點頭。

「是喔！哇塞，眞的是啊！」

蜥蜴男舉起覆滿厚厚鱗片的雙手啪地擊掌，然後用驚人的速度衝向小亘並伸出雙臂抱起他。

「哇！你……你幹什麼？」

蜥蜴男使出了不輸魁梧體格的蠻力輕鬆地抱起小亘，小亘的雙腳離地超過一公尺，整個人懸在半空中，就像被摔角選手抱起來一樣。蜥蜴男似乎很高興，瞇起眼睛一邊把小亘舉得高高的，一邊又蹦又跳，還打著節拍唱道：「哎呀，我太高興了，今早起床時，我就覺得今天好像會有什麼好事發生，沒想到居然是這種事，竟然能遇上旅人，我樂瘋了，我眞是太幸運了！」

小亘被這麼甩來甩去，只覺頭昏腦脹。「先生、先生、等一下、我……我的胃……快掉出來了。」

「啊？啊對喔，抱歉抱歉。」

蜥蜴男總算把小亘放回地上，不過似乎按捺不住興奮的心情，手舞足蹈地蹦蹦跳。小亘癱坐在地，伸直兩腿等著回神。

「眞是不好意思。」蜥蜴男說著蹲下身子，爬蟲類特有的細長雙眼頻頻眨動。

「對了，旅人先生你是何時來幻界的？你也要去女神大人的塔嗎？還是有其他目的？」

小亘雙手按著太陽穴。嗯，沒問題，沒有歪掉。「我昨天才來。一早從守門的導師大人住的村子出發，一直在草原上走。因爲口渴想找水，所以才會來這裡。」

「噢，這樣啊。那你還是旅人新手囉。難怪什麼都不知道。」蜥蜴男點點頭。「不過，這片草原很大喔。你要去哪裡？」

「導師大人叫我先到嘎薩拉鎭。他還說如果沒迷路，過了中午應該會到。」

「嘎薩拉啊？的確是不遠啦，不過你偏離路線很遠，以你的腳程恐怕天黑都走不到。」

「眞是晴天霹靂，明明是照著導師大人的指示，朝著太陽的方向前進，到底是在哪裡走錯的？」

蜥蜴男嘻嘻一笑露出大牙。「不要緊，你放心吧！我送你去嘎薩拉，只要坐我的車，天還沒黑就可以到嘎薩拉了。今天拉車的那隻達爾巴巴是我們車隊腳力最強的傢伙，牠叫塔波。」

說到塔波，牠已經不再哞哞叫，似乎正站在原地打瞌睡。如果能坐上那玩意兒，一定很輕鬆吧。光看剛才煙塵滾滾的情況也能推測，當牠馬力全開時，速度大概跟汽車差不多。

可是……這個蜥蜴男，爲什麼對我這麼親切呢？

「我叫小亘。」小亘報上名字，鞠了一個躬。

「小亘啊。我叫做奇瑪，不過我們水人族叫這個名字的太多了，所以如果不連我中間的名字一起喊，會跟其他傢伙搞混。」

「那我該怎麼喊你？」

「奇．奇瑪。」蜥蜴男慢慢發音。「第一個奇要比第二個奇高半個音，不然就變成女人的名字了。」

奇．奇瑪先生。小亘試著喊，但一再被糾正發音。在他看來，這些都是簡單的音，卻反而唸不出變化，大概前後試了二十次，奇．奇瑪抓抓頭。

「算了，我的名字不重要，在這浪費時間也不是辦法。」

「對不起。」

「別放在心上。剛才你唸第十七遍時，已經滿接近正確發音了。」

好了，我們出發吧，奇．奇瑪說著便輕快站起。小亘有點遲疑。

「可是奇．奇瑪先生，讓我搭車沒關係嗎？你不是還有工作？」

該不會是故作好心讓小孩搭便車，然後拐去賣掉吧！就算在幻界，也不能保證沒有這種壞人，儘管不知道會被賣去哪裡，也不清楚小孩在幻界有什麼用途，不過就一般而言這也是有可能吧。

奇．奇瑪不停搖晃有鉤爪的手。「不用管工作啦，要是我們老闆也聽說我遇到旅人，一定不會怪我半路開溜。」

「遇到旅人眞的是這麼好的事嗎？」

「那還用說，簡⋯簡⋯⋯簡直是天大的運氣！」奇．奇瑪一邊揮舞雙手，一邊又開始咚咚跺腳。「我啊，到現在還不敢相信！小時候，我爺爺一天到晚說他很久以前在塔奇歐城郊曾跟旅人錯身而過，後來就發現一整座山的礦脈。所以，我老爸有一陣子卯起來到處找旅人，可是連個影子都沒找到。沒想到輪到我時，只不過在綠洲停車想讓塔波喝個水，竟然就遇上了耶！」

換言之，對於奇．奇瑪這些水人族來說，在遼闊的幻界中能夠遇上十年才出現一次的旅人，似乎象徵著千載難逢的好運。

在奇．奇瑪的幫忙下，小亘爬上達爾巴巴車，在他身邊坐下。那是一塊硬板做成的座位，就算是奉承也談不上舒適，不過比起在草原埋頭走路已經算是天堂了。

「那邊有皮繩，你要把腰牢牢綁在載貨台的柱子上。」奇．奇瑪一邊拉起轡繩一邊提出忠告。「我已經習慣了無所謂，塔波一旦認眞跑起來可能會有點搖晃。」

喝！奇．奇瑪精神抖擻地大喊一聲，朝塔波揮了一鞭，塔波哞了一聲，頓時用力挺直背，兩個鼻孔咻地噴出蒸氣。霎時，小亘想起媽媽愛用的壓力鍋。

「噢，塔波也卯起來囉！」

奇．奇瑪的話有一半還沒傳入小亘耳中就已七零八落。塔波一旦跑起來，小亘屁股底下的那塊硬席好像變成了彈簧墊，明明已經抓得很緊了，可是回過神時卻已彈到半空中，如果沒有那條代替安全帶的皮繩綁著，一定當場就摔到地上。

「喂喂，你要坐穩一點。」奇．奇瑪一手猛力抓住小亘後領，把他拽回原位。「不能那樣彈，你雙腳要用力踩穩，像這樣，下腹要用力。」

「你、你、你跟我、說這個、也沒用。」

他就像乒乓球一樣彈來彈去，本想說話一不留神差點咬到舌頭，不管他拼命亂抓也抓不到什麼，不只是上下彈跳，還會忽左忽右東倒西歪，

「請、請、請你、慢、慢一點。」

哎呀呀！才剛閃過這個念頭，小亘已經彈到奇．奇瑪肩上，抓住他的腦袋，現在變成坐在人家肩頭了。

「我的天啊。」奇．奇瑪張嘴哈哈大笑。「既然那邊比較舒服，那你就坐著沒關係，旅人小亘先生！」

「不，這、這樣、太、不好、意思、我要、下去。」

「眞的沒關係。」

「可、可是……」他下不來。水人族的皮膚雖然跟蜥蜴酷似，但一點也不光滑，反而乾澀堅硬，抓起來很牢靠。

最後一次坐在爸爸肩上是幾年前的事了？無意間，這個念頭浮現腦海。爸爸雖然不像奇．奇瑪是個大塊頭，可是坐在爸爸肩上感覺非常安心可靠。當小亘在爸爸肩上亂動時，爸爸雖然會生氣說很重叫他別胡鬧，可是當時還年幼的小亘，壓根兒沒想過爸爸是眞的覺得他很重，他一心以爲爸爸扛著他當然很輕鬆。

然而，說不定眞的很重，雖說現在才想到，但也已經於事無補了。如果對爸爸來說，自己眞的

是個沉重負擔……

總之，至少現在不用擔心會被甩下車，終於有空檔可以眺望風景。三百六十度的視野，無垠的大草原在陽光照耀下，像綠色圓盤般閃閃發亮。小亘之前以爲遠方有道路，那應該是達爾巴巴車在往返之間自然形成的路徑吧，時寬時窄、蜿蜒曲折，在草原上形成白線，無數條白線一直延伸到地平線的彼端。

雖然有點灰頭土臉，但迎風奔馳實在太爽快了，小亘忍不住用力吸氣直到灌滿肺部每個角落，不爲什麼就想放聲大叫。

「怎樣，塔波很快吧？」奇．奇瑪揚起下巴大聲問，音量不輸給風聲。

「嗯，太厲害了！」

「這傢伙從一出娘胎就是我拉拔大的，都是爲了成爲我們那哈特國最快的快遞！」

原來這裡叫那哈特國啊。

「奇．奇瑪先生，能不能跟我說一些幻界的事情？」

「好啊，不過我唸到一半就輟學了，不曉得能不能教你。」

首先，幻界有好幾個國家吧。「剛才你提到帝國，對吧？那跟那哈特國在不同地方嗎？」

「對，沒錯。幸好是這樣。」

很久以前，「幻界」這個世界在時間流速尚未決定時，就從渾沌的七彩海洋中被女神創造出來

——奇．奇瑪開始說明。

「所謂的女神大人，跟我們旅人要找的命運之塔女神是同一個嗎？」

「可能是吧。不過，我們也不知道眞相如何，因爲誰也沒見過女神大人，更何況，我們幻界的活人連女神大人在哪裡都不知道，只是聽說有命運之塔這個地方，傳說女神大人就住在那裡。」

「傳說……嗎？」

在小亘眼中，原本就像是混合傳說、神話與空想所虛構的幻界之中竟然還有傳說，這就好像小說或漫畫裡的人物說「這不是小說或漫畫」一樣，感覺很荒謬。

「女神大人叫什麼名字？」

「這個嘛，我也不知道。包括安卡族在內的某些種族，將直呼女神名字視爲一種禁忌，學校裡不教，學者也不研究。不過，在我們水人族的古老語言中，把女神大人稱爲烏帕・達・夏爾巴。意思就是『美如光明的人』。」

美如光明的人。小亘的腦海中浮現美神維納斯的形象。不管怎樣，只要能抵達命運之塔，據說女神會實現來訪者的任何心願，所以一定很溫柔吧。

「幻界分爲兩個大陸。」奇・奇瑪開始說明，塔波的速度也放慢了，變成一般跑步的速度。

「也就是北方大陸和南方大陸，兩地的面積差不多，可是南方多是高山峻嶺，季節變化很大，氣溫也很高，所以動植物生生不息。至於北方大陸，據說有一半面積終年都在冰雪籠罩下。」

同時，據說這兩個大陸之間還相隔著遼闊的海洋，長年籠罩著深濃冰霧。

「大霧的阻隔使人無法一探究竟，關於外海，目前幾乎一無所知。雖然水手之間流傳著一種說法，聽說南北大陸之間的正中央有一處群島，可是派去調查的船至今沒有一艘平安歸來。有人說，那些群島就是命運之塔的所在地；但也有人說不可能，還說那些群島其實是女神大人囚禁怪物的監牢。」

我也寧願支持命運之塔不在那種地方的說法——小亘聳聳脖子。

「這麼說，北方大陸和南方大陸不能來往通行囉？」

「那倒不至於。目前已經發現了好幾條航路，剛才我也說過了，行旅商人們的風船來往得很頻繁。啊，所謂的風船，就是利用海上的風力行駛的船隻，這玩意兒沒有風就動彈不得，例如要航行某條航路時，按照既定天數航行需要多大的風、什麼時候吹，準確預測這些訊息是極爲重要的。」

從事這種「預測風向」工作的人就叫作「讀星者」。

「閱讀天空星象來預測風向和風力強弱，所以叫做讀星者。對了，這些人不只懂得風向和星象，也熟知這個世界的各種事物，個個智慧過人，你在旅途中若是遇到什麼困難，也可以去找讀星者商量。每個大城市起碼會有一位讀星者，還有氣派的『讀星台』，一眼就認得出來。」

這一點要牢牢記住。

「那我現在是在南方大陸吧？因爲這裡的草原這麼遼闊。」

「答對了！」奇．奇瑪精神抖擻地回答。「那哈特國是南方大陸聯合國裡的一國。」

南方大陸聯合了那哈特、波古、沙沙亞、阿里奇塔這四個小國，以及伐拉．魯貝西這個特別自治州，形成一個聯合國。由於手邊沒有紙筆，小亘只能在腦袋裡默誦那哈特、波古、沙沙亞、阿里奇塔這幾個國名，就連以前上社會課都沒有這麼認眞。

「大致說來，那哈特是農業和畜產國，位於南方大陸南邊廣大的平野處；波古是商人的國度，跟那哈特的位置正好相反，位於海邊；沙沙亞是個學術研究發達的國家，讀星者一生至少會去那裡進修一次。至於阿里奇塔，是南方大陸工業最發達的國家，也有許多礦山。」

「伳拉．魯貝西特別白治州呢？」

奇．奇瑪歪了一下脖子，然後用問題取代回答：「小亘，你拜的是什麼神？」

「拜神？呃這個……」小亘支支吾吾。他從來沒想過神明的事。

「我也不太清楚。如果問我媽或許會知道。」

「噢？神明的事只有你媽才知道？」

「我只聽說千葉的爺爺死後，供奉骨灰的那間寺廟好像是什麼宗派的……」

「嗯……你說的『宗派』是什麼東西？」

奇．奇瑪放鬆右手的轠繩，用彎鉤狀的手指頻頻搓著嘴唇上方，那跟阿克每次在課堂上被老師點名問問題時，答不出來的樣子很像。

不曉得奇．奇瑪幾歲了，他的塊頭雖大，說不定年紀還很小。水人族計算年齡的方式跟我們……或者該說是安卡族……也許不一樣。

「雖然我們南方大陸的居民混合了各人種，但是大家信仰的都是住在命運之塔的女神大人。」

奇．奇瑪說到「女神大人」時，語氣頓時變得很正經。

「因爲這個世界是女神大人創造的，這個時代是女神大人開啓的，女神大人就好比是我們所有生物的母親。」

可是幻界中似乎還有另一種想法。

「有人說，創造世界的不是女神大人而是另有其神，女神大人只是代替那位神保管這個世界。」

「代為保管世界啊……」

世界又不能放進投幣式寄物櫃。

「這麼說來，還有一個比女神大人更偉大的神囉。」

「與其說更偉大，應該說更老吧，所以這位神被稱為『老神』。」

岱拉．魯貝西特別自治州，就是由堅信老神才是創世之神的人們所組成的共同體，與其說是國家其實更像是一個教會。

「南方大陸的中央叫做安德亞台地，是一塊比普通山丘還高的土地，岱拉．魯貝西州就位於那裡。川民從來不跟我們這些住下界的人打交道，糧食之類的物資也都是自給自足，所以我也不知道他們過什麼生活，據說當地規定禁止外人進入。」

「岱拉．魯貝西這些信奉老神的人，怎麼看待命運之塔的女神大人呢？」

「怎麼看待啊……對他們來說，老神的地位絕對崇高多了。岱拉．魯貝西教的信徒相信，將來有一天等這個世界面臨無可挽救的厄運，也就是世界末日來臨時，老神將會出現，取代女神來治理這個世界，重整世道。」

「對於不是信徒的人來說，這種說法應該不太有趣吧？奇．奇瑪你們是怎麼想的？」

「嗯……那些艱深的歷史我是不清楚啦。」奇．奇瑪有點回避。「不過，老神的事我從小就聽大人說過了，據說祂是一位非常古老的神，所以我們水人族把老神稱為『伊爾．達．亞姆亞姆羅』，意思是『統領渾沌者』。」

「統領渾沌者……」聽起來還滿神氣的。

「不過，打從三百年前帝國統一之後，在這裡，信奉老神就意味著麻煩。」

據說北方大陸以前也跟南方大陸一樣有好幾個小國家，各種族雜居共存。

「可是，我爺爺說可能是因爲那裡的氣候比南方大陸冷，土地也貧瘠，礦山又少，集合了各種不利條件吧。在北方大陸，自家人也成天吵架，同一個大陸有好長一段時間一直處於打打殺殺的狀態。」

北方大陸也有從事「讀星者」這種工作的人，可是他們把力氣都花在戰爭上，學術研究不太發達，也欠缺航海技術。所以，儘管北方大陸再怎麼充斥著好戰的氛圍，南方大陸始終沒有遭受侵略。

「統一之後大約有一百年之間，在我們的風船能夠航向對岸之前，我們幾乎完全不瞭解北邊的情況。像我，對於當時情況的瞭解也只是根據我爺爺小時候從大人那裡聽來的，然後再轉述給我。」

據說南方的聯合國家，跟北方帝國簽訂通商條約時，曾經承諾「關於北方大陸的歷史，只教授帝國統一全域後的內容」。因此，南方大陸的學校傳授給孩子們的「世界史」只有最近這三百年的歷史。

「這太過分了！」

小亘不由得提高嗓門，竟忘了自己還坐在奇・奇瑪肩上，一不小心身體一扭，當然就立刻摔了下來。幸好在千鈞一髮之際，奇・奇瑪伸出了強壯的鉤爪勾住他，這才懸掛在半空沒摔下地。

「喂喂，你小心一點好嗎。」奇・奇瑪拉著小亘說。「好不容易才遇上象徵幸運的旅人，如果被達爾巴巴車壓成肉餅，那我會死不瞑目耶。」

這時，草原彼端又出現了一團樹叢。我瞧瞧，我們已經走了一半了，就在那個綠洲休息一下吧！奇．奇瑪說著讓塔波放慢腳步。

這次的綠洲沒有水井，只見一小潭由岩石環繞而成的泉池正源源不絕地湧出清澈的泉水，用手掬起，含在口中有種微微的甘甜。

「你一定餓了吧？就在這吃午餐吧。」

小亘往泉水旁邊一坐，在膝上攤開導師大人給他的包裹，奇．奇瑪先把塔波照料好之後，慢條斯理地把手伸進台車中空處的下方，拉出一個像大型魚乾的東西。

「那是什麼？」小亘探頭一看，當下與一雙發出凶惡紅光的眼睛對個正著。這條魚乾竟有一張臉。

「這個嗎？這是整隻曬乾的嗯巴拉，味道超讚的。」奇．奇瑪舔著舌頭說著，就張嘴咬下去。

小亘勉強把胃底湧上來的酸水嚥下去，拚命憋住了。雖然要從曬乾的狀態推想那東西的原形很困難，不過似乎嗯巴拉這種野獸長得很像凶惡的貍貓。

（水人族果然是肉食動物。）

小亘在心中的備忘錄添上這一筆，默默地吃著麵包。奇．奇瑪兩三口就把曬乾的嗯巴拉吃光了，接著又去摘泉池四周的樹果，邊吃邊叫小亘也嚐一嚐。

「這叫瑪可果，有點酸，但是不會像巴庫瓦果子那樣會讓人吃壞肚子，只是它的汁液沾到衣服的話會洗不掉，吃的時候要小心。」

山上和草原生長的東西有哪些能吃哪些不能吃，還有哪些吃的時候必須小心，這些事如果不一點一點地吸收、記住，就無法繼續旅行。出發沒多久就能遇見奇．奇瑪這樣的好人，實在太幸運了。分手之前，一定要把握機會跟他多學一點。小亘如此想。不過，現在最要緊的是歷史，小亘催他繼續剛才的話題，奇．奇瑪滿足地打了個飽嗝後問：「我們說到哪裡來著了？」說著又順勢舔了一下頭頂。

「對了對了，北方大陸的統一是吧？統一前的帝國，也是北方的小國，是安卡族的國家……」

三百年前，他們堅忍不拔地打贏內戰，終於成功統一了各國。

「當時，開朝皇帝嘉瑪．阿格里亞斯一世主張自己和老神一樣都屬於創世神一族。他還四處吹噓，替老神保管這個世界的女神大人；也就是我們信奉的女神大人，是比他們阿格里亞斯家的祖先還低等的神，根本就沒資格統治這個世界，是她欺騙老神，硬把這個世界從阿格里亞斯家族手裡搶過來。」

不僅如此，

「我們剛見面時我不是跟你說，安卡族是女神大人最早創造的種族，所以長得很像女神大人嗎？嘉瑪．阿格里亞斯一世說，這話也是捏造的，他說安卡族長得像老神。如果照他的說法，這個世界應該是老神創造的。」

而且他聲稱，女神眞正的模樣跟安卡族一點也不像，醜陋得令人無法正視。

「他說女神大人之所以沒有名字、從來不在芸芸眾生面前現身、一直待在命運之塔，都是因爲她怕如果一露面，自己捏造的謊言就會被拆穿。」

小亘一邊摺疊包便當的布，一邊仰望一臉正色的奇．奇瑪。

「正如我一開頭所說的，北方大陸一直戰火不斷，當地人民飽受飢荒，生活過得很慘。」奇．奇瑪繼續說。「嘉瑪．阿格里亞斯一世說，這種不幸，這些戰亂頻傳、糧食不足的現象，全都是女神大人造成的。因為，從老神那裡騙取世界的女神大人，為了鞏固自己的地位，創造出很多仿造她眞面目的生物，散佈到各地，而這些生物千方百計想折磨原本應該是正牌居民的安卡族。女神大人的最終目的就是要消滅這世上所有的安卡族。」

奇．奇瑪歪著大腦袋，深思熟慮地眨著眼睛。

「雖說這些事我怎樣也難以相信，可是北方大陸的安卡族人；帝國國民固然不用說，就連其他小國的安卡族都對嘉瑪．阿格里亞斯一世說的話深信不疑，他們高興地拍手叫好，大表贊同。」

北方大陸的居民由許多人種與種族混合，但安卡族原本就居於多數。

「因此，一旦他們團結一致，開始誅滅其他人種與種族，那可就厲害了。北方大陸除了安卡族以外的人，房產田地都被沒收，不是慘遭殺害就是被關進拘留所或淪為奴隸，人數日漸減少，於是就這樣成立了統一帝國。」

說到這裡，小亘終於也能深切感受到為什麼奇．奇瑪會說「幸好我是南方大陸的居民」了。

「統一至今三百年，在北方大陸，據說除了安卡族之外的種族和人種已幾近滅絕，即使還有倖存者，想必也過著非人生活吧。說來實在是很慘。」

小亘在腦海中把奇．奇瑪的話溫習了一遍。於是，他隱約明白提到岱拉．魯貝西特別自治州時，奇．奇瑪何以會說「信奉老神就意味著麻煩」了。

「岱拉・魯貝西教的信徒就跟統一帝國的人一樣信奉老神。」小亘說。「他們當然也是安卡族囉？」

奇・奇瑪閉上眼點點頭。

「沒錯。不僅如此，甚至有人說岱拉・魯貝西的第一代教皇是阿格里亞斯家族的直系親屬。」

北方統一帝國眞正的企圖想必是要拉攏岱拉・魯貝西教徒，利用他們在南方大陸的藉口，趁機進攻南方大陸吧。而且，他們大概想比照北方的模式來統一南方大陸。奇・奇瑪如此說。

「可是，目前爲止，這三百年來，岱拉・魯貝西教的歷任教皇完全沒有接近阿格里亞斯皇家的動作。他們蝸居在特別自治州的山上，與山下斷絕關係，過著自給自足的生活。我們這些不信教的人，連教皇長什麼樣子都不知道。」

所以北方統一帝國也無從下手。

「南方聯合政府對於岱拉・魯貝西教和特別自治州當然是小心翼翼。因爲萬一惹火他們，眞的跟北方聯手，那可就麻煩了。簽訂通商條約時，之所以會單方面接納北方的要求，也是因爲不想刺激對方，以免給對方進攻的好藉口。就這個角度而言，岱拉・魯貝西等於是南方大陸內部的一顆不定時炸彈。」

小亘緩緩點頭。他覺得這種事在任何地方、包括現世都很可能發生，他在電影中也看過類似的情節，只是當時覺得太艱深無法理解。他如果上了國中，有機會好好學習世界史和現代史的話，大概會立刻發現這樣的事不僅有可能發生，奇・奇瑪所說的幻界南北對立問題，只要稍微改個名稱和過程，其實在現世早已發生了。

「我來這裡時……」小亘說。「有人告訴我，幻界是住在現世的人類根據想像力所創造的地方，所以應該會發生跟現世類似的情形吧？」

奇・奇瑪又用手指搓著嘴唇上方。「人類是什麼？」

啊，對喔。小亘莞爾一笑。跟住在幻界的奇・奇瑪說這種事恐怕也只會讓他困惑不已吧。

「不，沒什麼，謝謝你教了我這麼多。」

「是嗎，那，我們走吧。」奇・奇瑪嘻嘻一笑。「只要在南方就什麼都不用擔心了，因爲這裡很和平。」

第五章 交易之城——嘎薩拉

在拉車的塔波再度搖晃下，小亘可能比較習慣了，已經可以穩穩地坐在奇．奇瑪身旁，朝著草原前進。他針對食物和危險生物提出各種問題，奇．奇瑪一一親切回答。走了一陣子，看到前方出現比之前走過的綠洲還要大上一百倍的茂密森林，林中有一棟看似三角屋頂的塔樓。

「那就是嘎薩拉鎮了。」奇．奇瑪指著那個告訴他。

「那是一個四周環繞森林、位居草原中的交易城。包括我們塔爾巴巴車隊，還有風船商人、遊學於各城之間的讀星者等等，聚集了各路人馬，非常熱鬧，是一個很好玩的城市。」

空氣乾爽，草原卻如盛夏般酷熱。小亘抹去額頭上的汗水，對著陽光瞇起眼睛遠眺嘎薩拉鎮。這時，從環繞著城市的森林左端陸續出現一些坐著達爾巴巴的閃亮小東西，朝草原方向開始前進。

「那是什麼？」

奇．奇瑪在風中眺望遠處。「噢，八成是修騰格爾騎士團，他們是維護聯合國安全的騎士團，人數還不少呢！發亮的東西是他們的盔甲。看他們往那邊走，大概是要去討伐不歸沙漠的螺絲野狼吧。」

啊，螺絲野狼！

「那個不歸沙漠就在附近嗎？」

「嗯，以塔波的腳力，走上一整天就能抵達沙漠入口的岩山峽谷了。」

「爲什麼叫『不歸沙漠』？」

「因爲那個地方太遼闊了，四周又被岩山覆蓋，從外面根本無法一窺究竟，所以沒有地圖，那裡又聚集了大批螺絲野狼，迷途者一旦闖入通常是有去無回，所以叫做不歸。」

小亘一想起上次被大群螺絲野狼攻擊的情景，頓時感到背脊一陣寒意。

「像這樣特地去討伐，那就表示螺絲野狼會跑到沙漠外面囉？牠們會出來攻擊人嗎？」

「偶爾會。牠們吃什麼都狼吞虎嚥，永遠不會飽，有時候還會翻越岩山，襲擊那些經過不歸沙漠附近街道的商隊。」

奇·奇瑪解釋完後「咦」了一聲。「小亘，你知道螺絲野狼啊？」

「嗯，一點點。」小亘簡短回答。他不願回想，「我聽說過。」

「這樣啊。我也只有聽說過，據說是一種臭得要命的野獸。」

塔波往左轉，可以看到城鎮入口的閘門了。

在紅磚堆砌的巨柱之間有一扇看似沉重的木門，柱頂上坐著一個戴草帽的人，奇·奇瑪舉手跟他打招呼，對方也舉手回應，並朝著門內大聲喊著什麼。

塔波大步走近木門，還有一大段距離就停下腳步。這時，門吱呀一聲慢慢朝外開啓。小亘這才發現塔波很聰明，牠怕被門撞到，大老遠地就駐足等候。

「我是沙卡瓦鄉的奇·奇瑪！」奇·奇瑪一邊大聲報上名字，一邊從腰際的裙褶之間拉出一塊繫有長繩的牌子，舉起來給柱子上的守門人看。

「我正要把麥伊和瑪瑪斯送去波斯拉，這批貨是波古國的瑪卡伊德商會委託的，你看看令牌。」

這時門內立刻走出一個人開始檢查貨物。他身上的衣服好像只是一塊麻布中央剪個洞，從頭往下一套，在腰部繫上繩子；下半身的褲管很短，彷彿是小亘的棉褲從膝部剪去；腳上穿著一雙編織涼鞋。

「可以過去了。」

旋即響起慢條斯理的聲音，塔波開始往門內走。城裡蓋了很多看似原木小屋的房子。小亘正在四處張望之際，奇．奇瑪彎下身子在他耳邊低語：

「小亘，我忘記跟你講一件很重要的事了。你要聽好。」

小亘洗耳恭聽。

「我剛開始問過你是不是來自北方的難民？你還記得嗎？」

「嗯。」他的確這麼問過。

「北方統一後全國只有安卡族人，照理說應該很和平，可是這十年來，安卡族的難民紛紛逃往南邊，他們靠著自製的風船渡海，聽天由命航行，結果大部分都在海上遇難，倖存者不多。不過，其中也有人存下大把金子，搭乘風船商人的船偷渡成功。」

這種事好像也在哪聽過。

「現在，安卡族之間似乎又開始出現紛爭，又有難民紛紛逃出來。能從這些難民口中知道北方情況是很好啦，但另一方面，難民帶來的老神信仰也逐漸散佈開來。」

老神信仰的教義，除了否定女神，還有另一項特徵。

「老神的信徒把旅人視爲邪惡之徒，恨之入骨。」

信奉老神的信徒，把來自現世經由「要御門」造訪「幻界」的旅人，稱爲「札札．阿克」。

「這是安卡族的古老語言，據說意思是『僞神』、『欺神者』。」

女神爲了欺騙老神，仿造老神的外形。她隱瞞自己的眞面目，還製造很多冒牌的安卡族來練習，也就是試成品。等到這些冒牌貨毫無利用價値時，就被女神扔進世界盡頭的「渾沌深淵」，但其中有一名倖存者從幻界逃往現世。

「他們宣稱，來到幻界的旅人就是那個人的子孫。」奇．奇瑪用力咬牙，聲音壓得更低了。

「眞是的，這種說法，我小時候從來沒聽過，都是最近才傳開的。」

據說，老神的信徒只要一看到旅人就會企圖加害，因爲他們堅信，打倒「札札．阿克」，可向老神表達敬意，也是身爲神之戰士的功勞。所以最好小心一點。

「通常，如果在其他城市根本用不著操這個心。可是，嘎薩拉是個交易城市，匯集了三教九流，遇上老神信徒的危險性自然也比較高，所以你最好小心一點，別讓人家輕易發現你是旅人。」

小亘也低聲回答：「嗯，我知道了，我會小心的。謝謝。」

奇．奇瑪挺直身體，大聲說「好」。

「那好，小亘，我們找個地方落腳吧，先去旅館好嗎？」

小亘頓時很窘，搭上達爾巴巴車讓他很安心，差點忘了自己目前的處境。他身上沒錢，也不知道今後該怎麼辦，說要去找寶珠也沒有任何線索。

冷汗沿著太陽穴滑落。奇・奇瑪看了猛眨眼。

「怎麼了？小亘，我問了什麼怪問題嗎？」

這個親切的水人壓根兒沒想過旅人小亘完全靠不住，只是一個分不清東南西北的小朋友。象徵幸運的旅人如果開口，任何事他都會幫忙到底，但他做夢也沒想到，這個旅人連該請他幫什麼忙都不知道，說來這也難怪。

「我……呃……」

「你累了嗎？我想也是，我們已經習慣了，但對你來說這段路一定很辛苦吧。看來，你還是趕快去旅館休息吧。」奇・奇瑪繼續親切地自做主張。「那，不好意思，我得先把塔波寄放在達爾巴巴場。所謂的達爾巴巴場，就是達爾巴巴的旅館，人住的旅館也在附近，我會帶你過去。」

塔波在街上靜靜走著。原來如此，達爾巴巴場就像現世的停車場，跟奇・奇瑪一樣的水人正在清洗「停妥」的達爾巴巴身體，或是餵水及飼料；在角落圍成一圈邊談笑邊用長煙管吸菸的水人們，開朗地向奇・奇瑪打招呼。

把塔波寄放好之後，「好了。」奇・奇瑪說著轉身面對小亘。

「奇怪，你的臉色怎麼這麼糟，如果實在太累了，要不要再坐到我的肩上？」

小亘忍住羞恥，決定老實坦白。

「跟你說喔，我啊，沒錢住旅館。」

奇・奇瑪低語：「啊？」

「我沒錢，一毛都沒有。」小亘一口氣說。「拉烏導師大人只給了我便當，接下來我必須自己想辦法，可是我根本不知道該怎麼辦。」

奇・奇瑪連眨了六次眼睛，雖然眨得極快，但小亘為了確實掌握他的反應，一直盯著他不放，所以能夠數得出來。

「小亘！」他說。「既然這樣，房錢我來付吧。」

「那怎麼行！你肯讓我搭便車到這裡已經很好了，我不能再這樣依賴你。」

小亘說得激動，奇・奇瑪舉起大手安撫他。

「好了好了，你不要這麼激動嘛。」他啪地吐出長舌笑了。「不然，就算我先借你吧。這裡很熱，先進旅館吧，有話進去再講。」

嘎薩拉的旅館是用巨大原木搭蓋的小木屋，長長的走廊兩旁有很多房間，最便宜的叫做「大通鋪」，那是跟一大堆房客合住的房間。奇・奇瑪訂了一間小單人房，小亘聽他跟旅館主人交談，這才知道幻界的貨幣單位原來叫做「特姆」。

旅館主人是個留著大鬍子的安卡族大叔，他上下打量著奇・奇瑪和小亘，奇・奇瑪毫不在意，帶小亘去客房，自己又跑了出來，旋即拿了兩個看似杯子的容器。

「來，把這個喝了。」他把杯子遞給小亘。「奔馳草原的心情是很愉快啦，但是外面的陽光很毒，其實身體會很累，這時候喝這玩意兒最有效了。」

杯中的飲料微甜，隱約有股藥味。

「眞的很感謝你。」小亘說。往樸素的木椅一坐，終於鬆了一口氣。

奇・奇瑪又吐出舌頭，好像很害羞。「就跟你說沒什麼。我不是說過？你是我的幸運之星嘛。」

小亘微笑。幸運之星。只因爲這個理由，就對一個素昧平生的人如此親切，現世也有這種人嗎？在現世作威作福的，不都是正好相反的人嗎？

他忽然想起那次跟魯伯伯去神保町書店街的情景。記得有個年輕男人撞到他以後不僅沒道歉，還面不改色地踩過他的手揚長而去，魯伯伯氣得臉紅脖子粗，那人卻不當一回事。

美鶴說，幻界是現世的人類靠著想像力所創造的世界。如果眞是這樣，現世一旦充斥著像那個年輕人那樣的人，這個美麗幻界的親切人們想必也會跟著改變吧。

「小亘你爲了見女神大人，要去命運之塔吧？」奇・奇瑪坐在看似堅硬卻很清潔的床鋪上，略傾著頭問道。

「嗯，對呀。我要把自己的……不，我跟我家人的命運……」

奇・奇瑪打斷他。「不，你不用說。我們所知道的是，從現世來到幻界的旅人都是女神大人召喚來的，至於女神大人爲何要召喚那個旅人，這我們不知道，也不該猜測，因爲這是神的旨意。所以你是爲了什麼而來，這個理由，你用不著告訴我。」

小亘點頭。「嗯。」

「所以你必須一個人努力完成目的。」

「嗯，對呀。」

「可是，在前往命運之塔的路上，縱使跟誰同行也沒關係吧？我是說，如果我陪你去……」

「奇・奇瑪！」

「如果只是在路上同行，我相信女神大人應該不會生氣。」奇．奇瑪急著繼續說。「因爲小亘你還這麼小，我爺爺以前遇到的旅人據說是個一表人才的年輕人，就算獨自旅行也不用擔心。可是你還是個小孩，連旅費都不知道要怎麼賺。撇下一個小孩不管這樣不好，嗯，絕對不好。」

奇．奇瑪頻頻用力點頭。小亘感到心頭發熱。

「我眞的很高興。可是，奇．奇瑪你不是還有工作，如果爲了我請假，那也不好吧。」

奇．奇瑪兩眼發亮，傾身向前。「就是啊。所以小亘，我現在要快馬加鞭把貨送到，然後回沙卡瓦鄉徵求長老的同意，只要用特快達爾巴巴車趕路，頂多三、四天就可以回來，這段期間你先在這裡等我。好嗎？」

「這個……可是這樣太辛苦你了！」

「沒關係。我想長老如果聽說我在這裡跟你道別一定也會發脾氣。他一定會說：『奇．奇瑪啊，你什麼時候變得這麼不親切啦！』」奇．奇瑪搔著腦袋。「我們長老已經四百二十歲了，不過力氣還是很大。哪像我，從小就喜歡調皮搗蛋，老是挨拳頭，到現在還叫人不放心呢。」

四百二十歲！小亘瞠目結舌，水人族還眞是長壽。

「這樣啊……那我就……」

「是嗎，那就這麼決定囉！」奇．奇瑪啪地兩手一拍，精神抖擻地站起來。「那好，打鐵趁熱，我現在就出發，我已經預付五天的房錢，你不用擔心，旅館也會供應三餐，等你恢復體力，可以上街逛逛。這是一個聚集了很多人的地方，說不定可以讓你找到靈感，決定接下來該往哪走。啊，不過，千萬要提防老神教的信徒喔。」

「嗯。」小亘只能說謝謝，就算說再多次也不夠。謝謝，謝謝。奇．奇瑪邁著大步匆匆離去的魁梧背影，看起來好可靠好溫暖，他到底多大年紀了？

小亘往床上一躺，伸展手腳。白石灰牆、掛著藺草編織的板子、與眾不同的天頂，很涼快很舒服，心情不由得漸漸放鬆。

晚餐時，圓臉的安卡族大嬸送來了麵包、濃湯和水果。大嬸沉默寡言，看也不看小亘，但東西好吃得足以令人在百分之一秒內原諒她的臭臉。小亘吃得津津有味。夕陽西沉，從小亘房間的小窗可以看到滿空星斗，彷彿探出身子一伸手就能接住星光，小亘感到很開心，遂走出旅館。夜晚的嘎薩拉鎮，四處的建築物仍亮著燈光，路上的行人驟減，相對的，大概是餐廳或居酒屋之類的店家流淌著格外明亮的五彩燈光，窗內隱約傳來活潑的音樂和鼎沸的人聲。小亘一邊牢記著旅館位置，一邊散步，找了一個比較高的地方仰望星空。

帶著滿腦袋的星星一回到旅館，就在門口被人從後面猛力撞開。一轉頭，一股異味撲鼻而來，薰得他鼻子都快受不了了。

「喂，你是白天跟那個水人在一起的小鬼吧，啊，沒錯吧。」一個瘦巴巴的安卡族男人，口沫橫飛地說道。還彎身朝小亘伸出手，想抓住他的衣領，小亘把他的手甩開。

「怎麼，敢反抗嗎？你這小渾蛋。」男人吐出臭烘烘的氣息破口大罵，腳步踉蹌。小亘這才發覺這人喝醉了，這股強烈的臭味大概就是所謂的酒臭吧。幻界的酒說不定比現世的更強烈。

「你居然跟水人勾搭在一塊，嗝。」男人糾纏著小亘嘮叨不休。「再跟那種人混在一起，小心你身上也會長出鱗片、舌頭變長。你懂不懂！」

小亘默默起身，對於對方這番侮辱奇．奇瑪的話決定轉身置之不理，但是男人又嚷著：「小鬼，人家好心給你忠告，你居然不理？」

小亘的肩膀被對方抓住，這令他怒從心生。「用不著你雞婆，跟你比起來，水人偉大多了！」

「說什麼？你這個渾蛋！」

男人掄起拳頭。這時，從旅館裡面飛來一個東西，啪地正中男人臉部，是一塊抹布。

「夠了！」有人大喝，是那個臭臉大嬸，雙手叉腰瞪著男人。「你這個酒鬼！再不滾回房間，當心我把你攆出去！」

酒鬼頓時矮了半截，從小亘身邊鑽進旅館，原來他就住在小亘隔壁。

「謝謝您。」小亘向大嬸鞠躬道謝。大嬸不發一語，撿起抹布，扔進裝滿污水的木桶。她正在打掃。

小亘驀地靈光一閃。「大嬸。」

大嬸正用粗壯的手臂清洗抹布。

「老實說，我正在找工作賺旅費，您能不能讓我在這間旅館打打雜？」

大嬸斜眼瞄了小亘一眼，連珠炮似地不屑說：「讓你這麼小的孩子一個人旅行，你爸媽到底在幹什麼？」

然後，拎起水桶二話不說就走了。小亘垂頭喪氣地回到房間。也許是因爲大嬸的話吧，他在半睡半醒之際，眼前晃過媽媽的臉。對了，眞實之鏡……我得趕緊找到，讓媽媽知道我平安無事。他沒有做夢，睡得很沉很舒服，可是睡到一半卻被人以一種粗暴的方式叫醒。

「起來，快點起來你這小鬼，我叫你起來！」

小亘驚愕得瞪大眼睛眨個不停。大鬍子旅館老闆正掐著他的脖子搖個不停，天已經亮了，屋內洋溢著刺眼的晨光。

「啊？什麼？什麼事情我……」

「我什麼我！」大鬍子老闆對他吼叫，還把他從床上拖下來。「給我站好！就算你假裝沒睡醒也騙不了我，你這個殺人兇手！」

殺人兇手？彷彿被潑了一桶冷水，小亘清醒了。

「殺人兇手？怎麼回事？誰死了？」

大鬍子老闆對著小亘腦袋甩了一巴掌。「你這死小孩，還想給我裝蒜，看看你自己的手！」

小亘俯視自己的雙手。霎時，驚訝得差點停止呼吸。都是血跡，不只是手，連內衣也是血跡斑斑，到底是怎麼了？出了什麼事？

「怎樣，現在你知道否認也沒用了吧。」大鬍子老闆大聲怒吼。

「就是你，割斷隔壁房客的喉嚨，這些血跡就是鐵證，是你殺了他，偷了他的錢吧？快說，錢藏在哪裡，你用的凶刀在哪裡？」

小亘還沒搞清楚怎麼回事，就被繩子團團捆住拖到旅館門前，外面早已聚集了大批看熱鬧的群眾，一看到小亘露面紛紛發出驚嘆。至於小亘，本來應該會很驚訝來看熱鬧的竟然有狗有貓有熊還有獅子，總之出現了各種動物的臉孔，但他現在已經沒有這個心情了。

「原來是這麼小的小孩啊。」
「安卡族本來就比較早熟。」
「聽說這是第三個遇害者？噢，眞可怕。」
「偷東西也就算了，竟然還殺人。」
眾口紛紜，大家離小亘遠遠的，好像在看什麼妖魔鬼怪似地皺著臉。小亘感覺背脊發涼。我根本沒有殺人，當然也沒有偷東西，第三個遇害者？這到底是怎麼回事？
「喂，過來！」大鬍子老闆踹著小亘屁股，拉緊繩子。「我要把你送交分局！」
沿著旅館門前的馬路右轉，小亘踉蹌著任由拖行。大鬍子老闆看似生氣又得意，還不時高聲大喊：「危害嘎薩拉的小殺手已經逮到了！」建築物的門口和窗邊站了許多圍觀者。看熱鬧的人群中也有人一路跟在後面，小小孩扯著尖銳的嗓音，手舞足蹈地嚷著：「殺人的小偷逮到了！殺人的小偷逮到了！」
恐懼、憤怒和困惑早已讓小亘講不出話來，但是一聽到尖銳的童言童語，他不禁脫口而出：「我什麼也沒做，一定是哪裡搞錯了！」對著四周看熱鬧的人群求救似地高喊，然而他們只是笑著，只是退後，只是對他指指點點。
「死小孩，你還想否認嗎！」
大鬍子老闆抬腿就是一踢，把小亘踹倒在地，他的臉頰擦傷了，泥土跑進嘴裡，滿嘴苦澀沙礫。這時，一隻柔軟的手伸出來協助小亘起身，那隻手臂長滿了雪白的毛，還夾雜著奶茶色的條紋。

抬眼一看，眼前有一張白底褐色虎斑的貓臉，一雙藍灰色的大眼睛凝視著小亘。

「你沒事吧？」那隻貓說。小巧的粉紅色鼻頭兩旁長著銀絲般的鬍鬚，可是，聲音的確是個女孩子，動作也是，跟現世的女同學一模一樣。

「喂，妳別袒護他，這小子是殺人兇手耶！」大鬍子老闆再次怒吼，粗暴地拽起小亘，貓女孩膽怯退後。即便如此，小亘的目光還是無法離開那女孩。

雖然有張貓臉，卻是個大美女，不但用兩隻腿站著走路，還穿著褲腳較短的連身工作服，她是貓族嗎？她跟小亘一樣膽怯，那雙眼睛好像隨時都會流淚。貓女孩一邊退到看熱鬧的人群中，一邊定定地凝視著小亘，修長優美的尾巴在身後出現，她用手臂環抱住身體，尾巴又從手臂上把自己抱得更緊。這時，她的嘴微微動著，說了什麼。在小亘看來，似乎是在說對不起……

「看前面趕快走！」

小亘挨了揍，昏倒了。

等他恢復意識時，已是置身在一間比旅館客房還小卻更堅固的木造建築中。他被繩子一圈又一圈地綁在粗大的木柱上，雙手銬著手銬，腳上還有腳鐐。臉頰陣陣刺痛，下巴好痛，屁股也痛，一隻眼睛好像腫起來了。

「噢？你醒了啊。」一個女人的聲音從他身後傳來。一隻鮮紅皮靴包覆的腳尖猛然伸到小亘的下巴，把他的臉頂起來。

「怎麼，你也知道到了該算總帳的時候了嗎？」

是一名安卡族女性，一頭烏亮的短髮，嘴角叼著紙捲香菸，凌厲的眼神俯視著小亘。她很高，身材凹凸有致，皮膚光潔，身上穿著黑亮的皮製馬甲背心和皮短褲，手上還套著尖刺怒張的護肘和紅色亮皮手環。

「你在發什麼愣。」女人說著，咯咯大笑，收回腳尖，緩緩地繞到小亘正面，一個黑色細長物如同舔舐鞋跟般地緊跟在後。再仔細一看，原來是條黑色長皮鞭。她右手拿著那皮鞭在地上拖行。

「幸會，小弟。」女人咬著香菸末端說。「我叫卡姿，是這個分局的主管。不過，或許不用我報上名字你也知道，明知我號稱『棘蘭的卡姿』，還敢跑來嘎薩拉作亂，你的膽子倒是不小。」

房間深處有個男人在竊笑，那人有一張虎臉，鼻頭上架著一副眼鏡。

「我什麼都沒做。」一說話嘴巴就很痛，但小亘還是奮力地這麼說。「我沒殺人也沒偷東西。」

卡姿放聲大笑，對虎臉男人說：「怎麼，托隆，你聽見了？」

虎男站起來，走到小亘看得更清楚的地方。他穿著跟奇・奇瑪一樣的皮革短裙，肩上斜掛著一個大皮包，背上還揹了一把劍。

「小弟，我勸你最好還是乖乖認罪。」虎男說。「在旅館住你隔壁的男人不僅被割斷喉嚨，身上的錢也被偷了，你昨晚曾被那個男人糾纏發了一頓脾氣，還有你缺旅費的事，我們都調查清楚了，旅館老闆夫婦可以做證。」

被殺的原來是那個酒鬼啊。小亘再次感到恐懼。現實感深深襲來。

「正如你所說，我是在找工作，也確實被那個酒鬼糾纏得很生氣，但是我根本沒有殺人，你們憑什麼懷疑我？」

「你明明全身都是血。」卡姿說著，把燒短的香菸像射飛鏢似地瞄準，咻地拋出去，香菸落進房間角落的桶子裡，發出滋地一聲。

「可是我眞的沒做！」小亘搖晃著身體，一邊用盡全力說，手銬腳鐐喀嚓作響。「我昨天才到嘎薩拉……」

「一個月前……」卡姿不理會小亘逕自說了起來。「在某家旅館，有行旅商人慘遭割喉喪命，錢也被偷了；接著是十天前，在另一家旅館……」

「我沒殺人！一個月和十天前我還沒來到這個幻界，因爲我是來自現世的『旅人』！」

小亘的吶喊令卡姿和虎男面面相覷，一起笑翻了。

「我還以爲你要說什麼咧，你是『旅人』！」

「我沒騙人！我的劍，勇者之劍應該還放在旅館裡，你們可以去查，去問拉烏導師大人！」

「拉烏導師？那又是誰？讀星者嗎？很不巧，我們『高地人』從來不跟什麼讀星者打交道。」

小亘不禁愕然。這些人竟然不知道拉烏導師。身爲要御門守門人的導師大人在幻界難道是隱士，跟一般人沒有來往？

「那，你可以問奇．奇瑪。他是水人族的達爾巴巴車夫，現在正朝沙卡瓦鄉趕去，三天左右就會回來了。」

「三天？哎喲眞可惜，那就來不及了。」卡姿把鞭柄往肩上一扛，重心放在左腳上，站姿英挺瀟灑。「因爲小弟你啊，等絞刑台一搭好，就要被吊死了。對吧，托隆！」

「嗯，沒錯。」虎男整理著桌上看似文件的東西，毫不關心地說。「絞刑台再過一天就可以完工。眞是不巧啊，小弟。」

「嘎隆拉所有的木工齊聚一堂，正在努力趕工呢。就搭在旁邊的廣場上，所以從拘留所的窗口也能看得很清楚。」

「再過一天？這太荒謬了！」小亘尖聲抗議。「你們沒有調查也沒蒐集證據，根本什麼都沒做！」

「沒這個必要。有了旅館老闆夫婦的證詞，再看看你沾滿鮮血的手就夠了。」

「說不定是眞正的兇手趁我睡覺時把血抹在我身上，想要讓我背黑鍋。」

雖然是臨時冒出來的念頭，不過一旦說出口，他心裡開始覺得一定是這樣沒錯。可是，卡姿和托隆只是笑。

「哪有人這麼大費周章。你聽著，小弟。」卡姿在原地蹲下來，跟小亘四目相對。「打從第一樁命案發生，我們就研判一定是小孩子幹的。因爲，遇害的三個人都死在從屋內上鎖的房間裡。」

「我隔壁的酒鬼也是？」

「沒錯，要想不用鑰匙開門進入屋內，唯一的方法就是從鄰近房間鑽過天頂潛入，可是天頂的夾層很窄，大人沒辦法進去，一定會踩空掉下來。」

「單憑這一點就判定兇手，未免太誇張了吧。」

「就跟你說不只是這樣，你全身都是血，而且昨晚還身無分文。」卡姿起身，優雅地伸個懶腰。「不過，你放心吧，據說吊死其實沒有想像中痛苦。」

「還有人說很舒服呢。」

「開什麼玩笑！」小亘大叫。「我有舉證的權利。」

「舉證？喲，連這麼專業的字眼你都知道啊。」卡姿轉身背對小亘。

「更何況，掌管這個國家治安的，是修騰格爾騎士團吧！你們照理說應該沒有這個資格對我做出判決！」

卡姿敏捷地倏然轉身。下一秒，她的鞭子已經呼嘯著劃過空中，險些劃過小亘的腦袋，抽打在柱子上。「狂妄自大也該有個限度！」

卡姿對嚇僵的小亘說：「你僞裝『旅人』，對於知道的事情也佯裝不知，但我絕對不准你輕視我們高地人！」

小亘嚇得直打哆嗦，但還是勉強擠出聲音：「可……可是，修……修……修騰格爾騎士團，他們……」

「他們是菜鳥！」卡姿的細眉如彎鉤般挑起，不屑地說：「在聯合政府那種冠冕堂皇的玩意兒成立之前，南方大陸的治安一直是由我們高地人守護。」

虎男接著說：「而且，小弟，修騰格爾騎士團最近一直忙著討伐怪物。現在八成也駐紮在某處，還不知道幾時才能回來呢。」

「哼，那些傢伙只配去看守螺絲野狼！」卡姿嗤之以鼻地說。「托隆，這小鬼很礙眼，快把他關進拘留所！」

虎男起身，解開柱子上的繩索，把小亘帶往建築物深處。虎男背上的劍雖然卸下了，但光憑他粗壯的手臂和銳利的爪子，對付小亘已綽綽有餘，小亘要想趁機逃走絕對不可能。

托隆把小亘塞進狹小的牢房裡，鎖上了門，然後把狀似手環的鑰匙圈套在手上。小亘這時才發現，他跟卡姿一樣也戴著紅色皮環。

「你可別想逃。」托隆露出牙齒，冷冷笑著。「倒不如好好享受你在這世上所剩無幾的幾頓飯。」

小亘癱在牢房的木板床上束手無策，強烈的衝擊和恐懼讓他連哭都哭不出來，發愣了好一會兒，鑲著粗大柵欄的窗口外響起咚鏘咚鏘的施工聲音。他挺直腰往外一看，正如卡姿所說，工人們正在這棟建築物旁邊的小廣場中央搭建白木台子。

是絞刑台。

跟西部片一樣……，他在瞬間閃過這個念頭，緊接著膝蓋發軟站不穩。啊，怎麼辦？這樣下去眞的會被吊死。勇者之劍在哪裡？如果在現世，警方遇到這種情況，應該會先做家宅搜索，調查嫌疑犯的物品，但在這裡無法指望這種正規辦案程序。劍說不定被旅館老闆私吞了，那個大嬸搞不好正在用勇者之劍切麵包剁菜。

如果在幻界死了，這身臭皮囊不知會怎樣？會回到現世嗎？

咚鏘咚鏘，有節奏的聲音持續不斷，還摻雜著熱鬧的說話聲，聽起來似乎很愉快。相較之下，拘留所內卻寂靜無聲，他們是打算對他置之不理，直到絞刑台蓋好爲止嗎？這樣子連辯解的機會都沒有。門窗的鐵柵欄有他的手腕那麼粗，縱使搖晃敲擊也只會弄痛手而已，柵欄文風不動。他終於哭了，然而即便哭了又哭，也沒人來瞧上一眼。

太陽下山時，一個裝扮跟虎男托隆相同的安卡族男人送來了晚餐和毛毯，小亘飛奔過去跟他說話，但大塊頭只是默默低著頭，把帶來的東西從鐵牢下方的運送口塞進來後就快快離去。

「我是冤枉的！」

唯有叫聲空虛地迴響。

清湯淡如開水，麵包硬梆梆。小亘完全沒胃口，只能抱著膝蓋哭著入睡。在斷斷續續的睡眠中，他做了奇怪的夢，夢中有媽媽，不知爲什麼還有大松香織，她也跟小亘一樣被關在鐵牢裡，那雙大眼睛泫然欲泣，凝視著小亘。小亘在夢中醒悟，對了原來香織也遭到囚禁，不是被別人，正是被可怕罪行蹂躪的自身。跟小亘不同的是，她的監牢沒有上鎖，可是也沒有門。

（該怎麼做，才能讓妳走出這裡？）

被他這麼一問，夢中的香織只是默默地垂著眼，搖搖頭。

（妳爸跟妳哥都很擔心。）

香織仰起臉，低聲說了什麼，聽不清楚，啊？妳說什麼？再大聲一點，大聲點……大聲點……

「別讓我大聲吼好嗎！」

小亘嚇了一跳，從夢中一躍而起。他正蜷著身子躲在毛毯下睡著，卡姿就站在他身邊，兩手叉腰，凶巴巴地俯視著他。

「唉，你總算醒啦。」她用粗魯的語氣說。「你眞是個貪睡鬼，剛才不曉得叫你幾遍了，我嗓子都快叫啞了，你在家一定也常被你媽罵吧。」

小亘縮著身子爬起來。一定是絞刑台蓋好了，來押他出去吧，外面的咚鏘聲已經停止了。

卡姿嘴角一撇，哼了一聲說：「小弟，你獲釋了，你可以走了。」

小亘懷疑自己是否聽錯了，一時之間反應不過來。

「我說你獲釋了！還在那邊磨蹭什麼。我啊，最討厭慢吞吞的小孩和娘娘腔的男人了。」

小亘茫然地望著卡姿的臉，第一個問題衝口而出：「爲什麼？」

卡姿的嘴角撇得更厲害。「不爲什麼，你的嫌疑洗清了！」

「所以我才問妳爲什麼。」

「你這小鬼眞的很囉唆耶，幹嘛這麼想知道，你難道不想出獄嗎？不想出去沒關係，那就繼續關在這裡好了。」

小亘一溜煙鑽過她身旁，從敞開的牢門衝到走廊上。卡姿像男人般抓抓頭，跟在小亘身後走出走廊，用腳把牢門踹上。

「昨晚，你被關在這裡的時候，又有別家旅館發生類似的案件。」她老大不高興地說。「這次的受害者雖然受了重傷但沒死，所以得到他的目擊證詞。據說是兩名矮小男子聯手犯案，他們還把你當成笑話一樣哈哈大笑呢。你手上和身上的血跡據說是他們爲了栽贓故意抹上去的。我們啊，都被他們騙了，眞是渾蛋！」

最後這句唾罵和口水一起吐出。

「我不是早就說過我是清白的，誰叫你們不肯聽我說。」

卡姿用凶惡的眼神瞪著小亘，然後把他帶到一開始綁他的那間像辦公室的房間。對！冷靜下來仔細一看，這裡眞的很像西部片裡保安官的辦公室。

「你可以回到你之前住的旅館。」卡姿不客氣地說。「老闆還說替你保管行李，另外他說要爲打你一事道歉，想請你吃飯，如果這樣你還不能消氣，就算把他打一頓也沒關係，不過如果打得太狠，到時你又要爲其他案子來這裡報到，所以最好適可而止。」

小亘正想走出去，又被卡姿叫住。「喂，小弟。原來你眞的是『旅人』。」

小亘轉頭。

「你拿的那把小劍，旅館老闆說一碰就燙得抓不住，嚇得他臉色發白，他說那一定是女神大人賜給你的。」

啊，劍平安無事。太好了。

「來自現世的旅人是女神大人喚來的，我們不得阻撓。」

卡姿走向桌子，玩弄著她搭在椅背上的鞭子說：「不好意思喔。如果見到女神大人，請代爲轉達一聲，就說我們已經知錯了，尤其是旅館老闆。」

「我知道了。」

「不過，我還是要勸你，吃完飯趁早離開嘎薩拉，你的罪嫌雖然洗清了，但是兇手還沒逮到，如果拖拖拉拉的小心又惹上麻煩。」

小亘默默地走出去，戶外的陽光刺眼、萬里晴空。一抵達旅館，大鬍子老闆飛也似地奔出來，不停地對他鞠躬，把他帶到後面的廚房。大嬸也在那裡，從早上就在準備吃不完的佳餚，在桌上擺得滿滿都是。小亘用餐時，大鬍子老闆拿來了用厚布謹慎包妥的劍。

「對不起喔，小弟。」老闆縮著龐大的身軀，表現得異常惶恐。「來，這是你的劍。你檢查一下，毫無損傷喔，我們只是拿來試切一下曼德魯肉，不過立刻就罷手了。」

小亘把劍繫回腰間，大鬍子老闆往他對面一坐，伸手拿桌上的烤肉，立刻被大嬸狠狠地打了一記。

「不過話說回來，你還眞了不起。」大鬍子老闆縮回手說：「像你這麼小的小鬼，居然一個人從現世跑來。原來通過要御門沒有年齡限制啊。」

「大叔，你沒去過現世嗎？」

大鬍子老闆惶恐異常。「開什麼玩笑！老天保佑，老天保佑。」

「你也不知道有誰去過嗎？」

「不知道，不知道。現世不是我們住在幻界的人能夠涉足的場所，不僅女神大人不會答應，更重要的是，我們這種人一旦去到那邊就會變成亡者。」

亡者，是指鬼魂嗎？

「那邊或許有很多可怕的事物。」

「就是啊，就是啊。」

「就連強盜殺人案也比這裡還恐怖。」

「噢，這樣嗎？果然很恐怖啊，現在嘎薩拉發生的事我已經覺得很殘忍了，如果再這樣下去還是逮不到兇手，我看我們也別想做生意了。」

「可是，我聽說昨晚那個人幸好只是受傷。」

「是啊，是個喵族女孩，背部被砍得皮開肉綻呢。」大鬍子老闆比手畫腳說。「不過一個女孩子家，本來就不該住在那種廉價旅館。」

「女孩子？喵族？」

「嗯，對呀。是個白毛小美女，眞可憐。」

小亘閃過一個念頭，他停止用餐站起來。「謝謝你們的招待，我已經吃飽了。」

「是嗎？唉，眞不好意思，如果你要出發，我可以幫你準備便當。」

「不，我還要留在這裡。」

大鬍子老闆一聽可慌了。「啊？可是卡姿不是叫你離開嗎？」

「她是這麼說，但我還在等人。對了大叔，昨晚受傷的女孩現在在哪裡？」

「在鎭上的診療所。」

小亘打聽清楚怎麼走之後就離開旅館。嘎薩拉鎭感覺已經在全速運轉，來往的達爾巴巴車川流不息，鎭上的診療所是一棟看似迷你小木屋的建築物，裡面擠滿了病患，身材肥壯宛如聖伯納犬的醫生和看起來像垂耳梗犬的護士小姐，穿著白袍正忙碌穿梭，小亘向護士小姐道出原委，護士指指後方的小型病房。

「她剛才吃過飯了，現在應該醒著。」

小亘道謝，往那間病房走去，他敲門卻無人回應，輕輕開門一看，在一張簡樸的木床上趴著一個背部裹滿繃帶的病患，正在睡覺，長長的尾巴萎靡地垂落著。即使看不到臉孔，小亘也認得出來，對方就是他昨天被大鬍子老闆拖去警局的路上，把他扶起來低聲說對不起的貓耳女孩。在幻界，外型像貓的人大概稱爲喵族吧。

「妳好。」小亘出聲招呼，女孩頓時嚇了一跳抬起臉，牽動傷口的疼痛又讓她一陣顫抖。

「妳還不能動。」

小亘走近，在床邊蹲下。貓耳女孩顫抖地用那雙灰色大眼睛看著小亘。

「什……什麼事？」她囁嚅問道。

「我是來探望妳的。」小亘也壓低了音量。「昨天，是妳在路上扶我起來的吧！謝謝妳。」

女孩避開視線。

「那時，妳有說對不起吧？」

女孩很害怕，眼睛滴溜溜地亂轉，連尾巴也動了起來，似乎很緊張。這間小房間裡明明沒有別人。

小亘心中又閃過一個念頭。「對不起打擾妳了，那妳多保重。」說著便躡手躡腳地走出病房。

小亘直接來到卡姿的辦公室。卡姿坐在那張椅背掛有皮鞭的椅子上，正一臉凝重地低頭寫字。

「幹嘛？劍應該還你了吧？」

「對。我想幫你們找兇手。」

卡姿瞪大了眼。「你說什麼？」

「請讓我幫忙找出強盜殺人案的眞兇，我想我應該有辦法。」

「就憑你？」

「對。」小亘看著坐在後面桌子的虎男托隆和那個高大的安卡族男人。「可以吧！我想證明自己的清白。」

「那是昨天的事了。現在已經……」

「可是，只要一天未逮到眞兇，就不算是眞正洗清嫌疑。」小亘努力讓自己看起來英勇一點，露出牙齒咧嘴一笑。「托隆先生，請多指教。首先，能不能請你帶我去之前發生那兩樁案子的旅館？」

托隆像動物園裡的老虎般咆哮：「小鬼，你別得意忘形。」

安卡族男人也說：「遊戲到此爲止了，小弟。」

「我不是小鬼也不是小弟。」

「喂！」卡姿把椅子一踹站了起來，用熟練的動作抓起椅背上的皮鞭。

「我也不叫喂，我叫小亘。」小亘又咧嘴一笑。「妳不是要我在女神面前替你們說好話嗎？」

辦公室裡的那三個人，就像小亘跟班上同學互相推卸值日生的打掃工作一樣，經過一番爭執後，甚至還猜拳，看樣子是卡姿輸了，她把皮鞭夾進腰間皮帶，咬牙切齒地說：「那我們走吧，小亘先生。」

小亘造訪了兩家旅館，那兩家的老闆和員工都對卡姿畢恭畢敬，小亘提出各種疑問時，起先對方疑惑地猛眨眼，卡姿則氣呼呼地解釋，「這個小亘啊，是我的臨時助手」後，對方立刻對他很客氣。

無論哪家旅館的裝潢，都跟小亘住的那家一樣，天頂用藺草織成的，據說這樣比較通風涼快。爬上天頂夾層一看，那裡很窄，的確如卡姿他們所推斷的，只有小孩子才鑽得進去。小亘參觀過兩家旅館後，和卡姿一起回到大鬍子老闆的旅館，並在那裡大肆吹噓，說他已經知道兇手是誰，叫老闆去通知各旅館經營者。

卡姿氣得破口大罵：「你到底在胡說什麼啊，死小孩！」

小亘還來不及回話，大鬍子老闆已居中緩頰：「喂喂卡姿，妳怎麼可以用這種語氣跟旅人說話。旅人的身分很特別，是女神大人召喚來的，就算是小孩，一定比我們還懂，會做我們做不到的事。」

卡姿氣得滿臉通紅。「可是這個小鬼，昨天還在拘留所哭哭啼啼咧！」

小亘一臉若無其事。「那麼大叔，拜託你了，明天我一定會把犯人逮捕到案。」

「好，我知道了，我會去通知大家的。你放心吧。」

「還有，今晚我還想在這過夜，能不能讓我替大嬸打打雜賺點旅費？關於這件案子，如果有人上門來找我打聽，不管是誰我都會見他，這點也要麻煩你了。」

消息一轉眼就傳遍了整個嘎薩拉鎮。小亘在旅館洗碗盤、擦地板、照大嬸教的方法砍柴，這段期間，上門的訪客絡繹不絕。聽說你查出犯人了？你真厲害耶。聽說你是「旅人」？對喔，現在正是要御門開放的時期嘛。甚至還有人拜託他如果見到女神大人時，順便向女神祈願，搞得小亘忙壞了。

這段期間也有很多小孩上門。小亘被拖去警局時，拍手叫好四處宣傳「殺人兇手逮到了」的小孩也來了，一直猛誇他好厲害好厲害，看來他們的個性似乎特別容易受影響。小亘發現連小孩也十分敬畏旅人，而且都很怕現世（跟大鬍子老闆的說法相同——去了那邊會變成亡者！）小亘的腦海中雖然閃過奇．奇瑪的忠告「在嘎薩拉這種大城市，千萬要小心避免洩漏旅人的身分」，可是被人奉承的感覺也不錯，他心想，唉，沒辦法，反正已經曝光了，這樣感覺還挺像大明星呢。

在受到包圍的同時，小亘發現在一群小孩外圍站著兩名安卡族少年，一直望著他，那兩人的表情似乎餓極了，穿著沾滿灰塵的髒衣服，態度惡劣，一旦對上了小亘的目光，不是故意瞪他，就是不屑地把臉別開。小亘牢牢記住那兩人的長相，也注意到那兩人的皮革背心底下似乎藏著武器。

然後，只等夜晚來臨了。

在旅館待了一天，他發現幻界也有類似現世的時間概念，同樣也有時鐘。不過，如果按照小亘的生理時鐘，幻界的一個小時似乎比現世長一點，小亘向大嬸請教怎麼看時鐘，等到鐘面顯示深夜零點，他就前往診療所。

白天他已經觀察過周遭環境，所以從外面也找得到喵族女孩的病房窗戶，隔著狹窄的小巷，旁邊是一家酒鋪，店外堆了很多空酒桶，小亘決定躲在裡面。埋伏了好一會兒，診療所還亮著燈，等燈光熄滅後，遠處傳來宛如貓頭鷹的鳴叫聲，四周只剩下點點星光。酒鋪的空酒桶散發出濃郁的威士忌酒氣，如果再繼續耗下去，恐怕眞的會被薰醉。

這時，在黑暗中，診療所外面好像有什麼在動，小亘屏息以待。

那是小小的人影，有兩個人。兩人像猴子般迅速越過黑暗，無聲無息地打開喵族女孩的病房窗口溜了進去。

小亘迅速從一數到十，然後躡手躡腳地跑到那扇窗下。

「妳該不會……吧？」

隱約傳來隻字片語。那是年輕男人的聲音。

「到時候妳也是有罪，而且如果妳敢把我們抖出來，妳應該知道會有什麼下場吧？」
「妳到底跟那個小不點說了什麼？我知道那小子白天來過這裡。」
傳來喵族女孩的泣訴聲。她說：「我什麼都沒說。」
「騙人！」
「看妳的尾巴就知道妳在說謊，要我一刀砍斷嗎？」
小亘做了一個深呼吸，拔出勇者之劍，用力打開窗戶，跳入屋內！
「住手……啊，唉呀呀呀？」
他以爲可以穩穩著地，沒想到腳絆到窗框摔了下來，跌在床邊。那個女孩正被其中一名少年壓制，另一名少年拿刀抵著她的尾巴中央，慘白的刀刃閃著凶惡的光芒。
「我…我…我早就知道你們是兇手！」
小亘握著劍，掙扎著站起來，他摔倒時撞到下巴，講話變得有點口齒不清。
「這小子搞什麼？啊，是那個小鬼！」
少年指著小亘，持刀相向。
「看我宰了你！」
少年大叫著撲上來，小亘好不容易躲開，但雙腿發軟幾乎動彈不得，衣襬被對方拽住，刀子又刺過來了！危險！
「啊！」
勇者之劍彈開了少年的刀。握劍的手……，不，好像是那把劍自己在動，小亘撲向重心不穩的少年，騎在對方身上。

「住手，你不怕這傢伙死掉嗎？」

他聽到叫聲抬頭一看，才發現喵族女孩的脖子正被另一把大型利刃抵著，另一名少年把女孩拽起來雙手壓在背後。

「你要是敢動一下，我就割斷這傢伙的喉嚨！」

在小亘遲疑的那一瞬間，身下的少年立刻趁機甩開他。跌倒的小亘眼看就要挨少年的拳頭了，這時，窗外飛來一個黑色細長物體，迅速纏上了那名壓制喵族女孩的少年握刀的手。才剛閃過這個念頭，那個黑色細長物體一使力，就把少年從女孩身邊扯離，往窗口拉去。

「哇！」被拉過去的少年凌空彈起，消失在窗外，就像在玩跳箱一樣。在場的人都愣住了。這時，那個黑色細長物體又從窗口咻地飛進來，這次捲住了小亘身旁的少年。

對了，是鞭子！

卡姿敏捷地用單手攀著窗框，另一手握著鞭柄，翩然跳到床上。

「我是高地人，我要逮捕你們！」

卡姿以凜然的聲音宣告，便從床上跳到少年眼前，她用鞋尖輕快地踹了對方三腳，少年呻吟了一聲立刻倒下。

「窗外那小子也已經頭暈眼花了。」卡姿露齒一笑。「你們倆都沒事吧？哎呀，妳背上的傷口裂開了！」

小亘赫然一驚看著女孩。眞的，她背上的繃帶已染得一片血紅。

「我得去叫醫生！」

話聲方落，小亘突然感到一陣地轉天旋。

「你怎麼了，小亘？」卡姿嘲諷地問。「喂，你救了這女孩耶。不過基本上，你一個人好像沒辦法，幸好我一直在監視你的行動。」

「是……這樣嗎？謝謝。」說著，小亘扶著床鋪撐住身體。

「你怎麼了？」喵族女孩問。

「裝酒的……空酒桶，」小亘回答。「果然，我好像……醉了。」

第六章
高地人

小亘的宿醉過了一整天才醒，等他不再有劇烈頭痛及作嘔、暈眩感，終於可以進食時，奇・奇瑪也從沙卡瓦鄉趕了回來。

「我還是頭一次聽到這麼嚇人的事呢！」他一邊擊掌忽站忽坐，一邊興沖沖地說道，大嗓門幾乎響徹整個旅館。「我以破紀錄的速度往返嘎薩拉和沙卡瓦，沒想到在這麼短的時間內，小亘你已經和大名鼎鼎的『棘蘭的卡姿』雙雙成為嘎薩拉鎮的大英雄了！」

「我沒那麼厲害啦。」小亘說。「我只是想起我媽以前常看的懸疑推理劇。」

「懸疑推理劇？」奇・奇瑪傾著脖子感到不解。「那是現世的玩意兒嗎？不管啦，總之，卡姿說等你完全康復了請你去分局一趟，我們快走吧。」

分局裡除了卡姿，還有虎男托隆和一個留著長長山羊鬍的陌生老人在等他。那老人也長得很像山羊，看樣子又是新種族，老人面容慈祥，眼神充滿智慧。

「這一位是掌管那哈特國內十三個分局的基爾首長。」

基爾首長，露出笑容阻止卡姿一本正經的介紹，抓起小亘的雙手。

「小小年紀就一個人迎戰那麼凶暴的竊賊，你真是勇敢的『旅人』。」

「不過，如果沒有卡姿我早就輸了。」小亘坦白說。「對了，那個受傷的喵族女孩現在怎樣了？」

卡姿回答：「經過那場騷動後，她又得重新縫合傷口，現在還在靜養。不過你放心，醫生說再過半個月她就會康復了。」

然後卡姿又咧嘴一笑補充說：「那女孩叫咪娜，等一下你何不去探望人家？」

小亘羞得滿臉通紅。「那兩個賊呢？是他們威脅咪娜吧？她可不是自願的吧？」

卡姿看看首長的臉，基爾首長保持坐姿朝著小亘探出身子。

「重點就在這裡。咪娜這女孩受到那兩人威脅，協助偷竊，還有她爲了救你僞裝受害者的事你是怎麼知道的？」

小亘說明自己的研判：像是咪娜曾向他低聲道歉；以咪娜的體型，如果利用尾巴應該可以持刀砍傷自己背部；一旦小亘獲釋後到處宣稱自己知道眞兇的身分，眞兇一定會懷疑是咪娜洩的密，將會去找咪娜算帳等等。

「小亘眞是太聰明了！」奇．奇瑪又大力拍手。「哪像我，就算想破頭，到了長老那把年紀還是想不出這些道理。」

所以囉，犯人或共犯僞裝成受害者，這本來就是懸疑推理劇慣用的手法嘛。

「你想見見那兩個人嗎？」卡姿拎起牢房鑰匙在他眼前鏘啷一晃便起身，小亘急忙尾隨於後。

「那兩個小鬼是兄弟，他們是來自北方帝國的難民。」卡姿一邊走過走廊，一邊說。「五年前，那兩個孩子一個才九歲另一個八歲，一家四口付給地下掮客大把鈔票，搭乘商船偷渡，沒想到在途中遇到船難，父母都死了。那兩個孩子漂流到波古國邊境的海邊，被當地人送進難民收容所，但他們似乎不滿意那種沒有自由的生活便逃走了，一邊偷東西一邊流浪，這種日子已經過了快一年。」

「可是，好不容易冒著生命危險才到了南方，爲什麼要這樣？」

「你直接問他們好了。」

拘留兩名少年的地方就是之前監禁小亘的牢房。其中一個正躺在床上，另一個……大概是哥哥吧，癱坐在地上，一看到小亘就面露凶光。

「在這裡還愉快嗎？」卡姿爽朗地招呼。「我帶了一個被你們害慘的朋友過來，我想你們應該好好跟人家道歉。」

少年傲慢地別開眼，朝地上吐口水；床上的另一名少年也坐起來，瞪著小亘。小亘這時才發現兩人很面熟，當他在旅館吹噓「已經查明眞兇」時，這兩人就站在那群看熱鬧的孩童外圍。跟那時比起來，他們現在乾淨多了，不過，飢餓的眼神依舊未變。

這時，托隆慢條斯理地從走道彼端走過來。做哥哥的立刻跳起來，雙手抓緊鐵柵欄開始叫囂：

「你這個畜生！髒鬼！臭死了不要過來！」

小亘吃了一驚，不由得後退。托隆浮現冷笑，絲毫沒有駐足的打算。牢籠內，除了哥哥，連弟弟也開始加入叫罵，口沫橫飛橫眉豎眼，用極盡難聽的字眼來羞辱托隆。

「看到沒？就是這麼回事。」托隆雙手叉腰和小亘並肩而立。「這些小鬼冒著生命危險逃出北方帝國，可是在他們心中依然存在著那個帝國。」

在北方帝國，安卡族的統治階級認定其他種族都是低等而且沒有存在價值的賤民，不是逮捕就是大肆虐殺……

「吵死了！既然這麼不想待在這裡，那我送你們回北方好了。」

卡姿的話令少年鬧得更凶了。「喂，妳身爲安卡族怎麼可以替野獸撐腰！」「那種畜生很快就會滅亡了！」

「我看會滅亡的應該是你們帝國吧。」卡姿用憂心的口吻說。「正因爲有各個種族、各種專長，大家一起爲生活努力，國家才會富強。」

「少囉唆！少囉唆，少囉唆！」「閉嘴，野獸的同夥！你們全都是低等種族！」兄弟倆不停地叫囂。

小亘朝鐵牢走近一步。「你們倆從哪把咪娜帶來的？你們是怎麼脅迫她的？」

兄弟倆霎時面面相覷，旋即指著小亘哈哈大笑。

「不准笑！」小亘怒吼。

那個哥哥突然一臉正經，緊貼著欄杆，小聲地咒罵了什麼。

「你說什麼？」小亘把耳朵湊近。那哥哥立刻喉嚨咕嚕作響，近距離朝小亘臉上吐了一坨口水。

「哇！」

對方看到小亘慌張的模樣，又指著他嘲笑說：「你們等著瞧吧，等我們正統的安卡族統一了南方大陸，你們全都會被送進監獄，讓你們每天照三餐舔我們的鞋子。」

「不是鞋子啦，哥！」弟弟一邊笑得打滾一邊大叫。

「是屁股！我要叫他們舔我屁股，讓這些畜生住廁所吃大便！」

托隆把手放在小亘肩上。「我們回辦公室吧。」

小亘點頭。卡姿用疲憊的眼神凝視了少年一會兒，才隨後跟上。

「雖然我們也聽過北方難民在當地的生活何等悲慘……」卡姿憂鬱地呢喃，沉重地往椅子上一坐。「就算那些都是眞的，但爲什麼會有這種小孩？」

基爾首長倒是很鎭定。「這正是人類的膚淺面，卡姿。說來可悲，這是人類與生俱來的天性之一。」

由於北方帝國對於非安卡族採取極端歧視政策，使得勞動力大減，國力衰退，就連老百姓的糧食都無法自給自足。首長向小亘解釋。

「南北之間簽定了正式的通商條約，糧食和日用品只能按照條約上規定的份量從南方出口，可是那都是杯水車薪，無法送到北方所有人民的手上。」

於是北方商人就和不遵守條約的南方走私商人聯手，進行非法交易，藉此中飽私囊。

「然而，透過這種方式流入北方黑市的物資，當然特別昂貴，一般平民還是買不起，所以就出現了難民。」

「那，能在北方帝國過著舒適生活的，到底是什麼樣的人？」小亘問。

「少部分的特權階級……」首長緩緩地回答。「現任皇帝阿格里亞斯七世家族、貴族、政治家、官員、商人等富裕階級。」

他慢條斯理地轉頭朝向牢房那邊。

「那對兄弟的父母，據我推測，以前應該也屬於這種特權階級吧，不然他們不可能存這麼多錢偷渡。不過，他們的地位應該不夠高，可能只是小官吧，也許是因爲失策或什麼原因遭到罷黜，在帝國待不下去了吧。」

「那他們來到南方就應該更能夠感受到與北方帝國的不同，爲什麼還不肯拋棄種族歧視的成見？」

基爾首長微笑。「來自北方的難民也不見得全都像那對兄弟一樣。」

「是。可是……」

「失敗和幻滅是現實，主義和主張卻是夢想與理想。而夢想是很難抹消的。」首長說。「在北方的歧視主義下他們無法成功。可是，自小就已深植在內心的思想卻很難捨棄，所以即使來到南方，還是受到既有觀念的影響，渴望成爲特權階級……，大概是這樣吧。」

「太可笑了。」小亘唾棄地說。

「沒錯。非安卡族歧視主義本身就非常愚昧，不過小亘……」首長繼續用平穩的語氣說。「愚昧的一方，有時候遠比正確的一方更強大，更能煽動人心。尤其是幼小、有缺口、猶如槁木死灰的心，特別容易讓愚昧的一方趁虛而入。」

虎男托隆頻頻點頭。

「我們聯合國和『高地人』都不怕北方帝國，只怕從那裡傳入的思想。那幾乎跟肉眼看不見的病菌一樣，但又不是病菌，因爲它的宿主不是身體虛弱的人，而是心靈軟弱的人。」

小亘想起旅館裡的那個酒鬼，才被大嬸罵了一句就落荒而逃，明明是個膽小鬼卻對奇．奇瑪破口大罵。

「好了，首長大人，」卡姿的語氣帶著催促。「快把那件事告訴小亘。」

首長睜大了眼。「噢，說的也是！妳瞧我這記性，差點忘了要緊事。」

首長不知爲什麼，再三審視著小亘和奇．奇瑪的臉。「小亘，你是個『旅人』。今後爲了見女神大人，你還是得繼續旅行吧。」

「是。」

「而且你需要旅費，必須設法賺錢，所以囉……」首長莞爾一笑。「你要不要加入我們？你可以一邊執行任務領取報酬一邊旅行，還能透過各地分局，蒐集前往命運之塔的情報，我想這是一舉兩得。」

小亘不由得仰望奇．奇瑪的大臉，他大概也很驚訝吧，咻地伸出舌頭舔了一下頭頂。「可是首長大人，小亘還這麼小耶？」他提高了嗓門說。

「當高地人未免還太小了吧？畢竟這一行危險重重……」

「可是，他已經漂亮地完成一項任務了，他有這個資格。」首長說著，看著奇．奇瑪。「而且，小亘接下來的旅行還有你同行，不是嗎？」

奇．奇瑪原本一臉爲難，聽到此話頓時綻放喜色。「對！長老已經答應了！」

「奇．奇瑪，眞的嗎？」小亘問。「你眞的要陪我去？」

「那當然！」奇．奇瑪就像最初在草原與他相遇一樣，一把將他抱起扛在肩上。「不管你去哪裡，我都會陪著你！」

「那就這麼說定囉。」首長說。

之後，首長說還得出席聯合政府的會議便匆匆離去，小亘這才被正式引見給分局裡的成員。卡姿是這裡的主管、托隆是副主管，另外還有三名高地人：一個是大塊頭安卡族，另一個是比奇．奇瑪個頭還小的水人族，還有一個是耳朵像兔子一樣長的飛腿族。

「這次讓你受罪了，小不點。」飛腿族的高地人說。「卡姿最大的毛病就是行事誇張。雖說一開始就打算用你做餌來誘捕眞兇，但也犯不著眞的蓋一座絞刑台嘛。」

「你很煩耶，少在這裡多嘴。」卡姿惡狠狠地說。小亘表情認眞地打量著她。

「原來我只是誘餌？其實妳並不打算吊死我？」

卡姿嘴角一撇，哼了一聲後才忿忿不平地說：「我們當然也知道這世上還有所謂的法律。」

小亘噗哧笑了出來，在場除了卡姿以外其他人都笑了，最後連卡姿自己也忍不住跟著一起放聲大笑。

「好了，雖然現在講好像有點晚，但我還是要重新說明一下，所謂的高地人，原本是住在南方大陸東南部哥札高地的某個部族。」卡姿說。「在那裡，還流傳著這樣的傳說。」

很久以前，女神從渾沌中創造這個世界時，爲了預防渾沌怪物從中阻撓，有一頭火龍總是在女神身旁守護著。等到女神順利創造出世界以後，爲了感謝火龍的辛勞，女神把牠變成男人，又把牠蛻下的龍皮變成頭盔和甲冑，賜給牠騎士的封號，讓牠來到地上。

「騎士降落在哥札高地上，就與當地居民一起生活。他的子孫跟他一樣勇敢、熱愛正義，經過了漫長的歲月，即使他們的後代遍及南方大陸各地，『高地人』依舊成為『愛好正義與勇氣之人』、『品德高尚者』的代名詞。」

當然，這就是現在「高地人」的名稱由來，而當初發起小型自衛團的，據說就是火龍騎士的後裔。

「所以我們都戴著這個火龍手環。」

卡姿舉起左手，亮出手腕上的紅色皮環。

「這是成員的身分證明也是戒律。」

高地人如果怠忽職守、涉及不法勾當，火龍手環會立刻起火把手環的主人燒成灰燼。

「這是你們倆的。」卡姿遞出紅皮環。「套在左手腕上，抬頭挺胸站好，然後左手撫胸，右手舉起，跟著我一起宣誓。」

眾人圍成一圈。卡姿朗聲宣讀：「創世的女神大人，我們是繼承火龍遺志者、法律的護衛、眞相的獵人。來到這裡的新同志，在女神大人膝前跪下，獻上靈魂，締結誓約之印。誓言憎恨罪惡、拯救弱小、擊退渾沌，身爲鋼鐵守護者，共同攜手朝眞理之星前進，直到肉身腐朽回歸塵土。」

小亘他們宣誓完畢後，卡姿滿臉歡喜地說：「好，這下子你們也是好夥伴了！」

接下來那幾天，小亘跟著托隆走遍嘎薩拉鎮見習巡防工作，順便打聽培育勇者之劍的寶珠以及眞實之鏡的消息。至於奇・奇瑪，在接獲修騰格爾騎士團討伐螺絲野狼行動中有漏網之魚逃竄到鎮外的緊急通報後，便跟其他成員一起出發了，不過他拍胸脯保證：「我會向其他城鎮的高地人打聽。」

嘎薩拉鎮的確有大批人潮出入，但是依然找不到明確線索。雖然托隆笑著安慰小亘：「哎，你別這麼急嘛。」他還是心焦如焚。擬定「幻界」的旅行計畫後，他更擔心留在現世的媽媽了。媽現在不知怎樣了？在現世要怎麼解釋我失蹤呢？就現象來說，是否也像石岡和他同夥一樣，看起來像是突然失蹤？如果媽媽只是擔心那還好，會不會因此陷入絕望呢？

竄逃的螺絲野狼不只一、兩隻，據說數量相當龐大，奇．奇瑪一行人遲遲未歸。卡姿還得偵訊那對兄弟，身為主管不得不留守警局，她似乎恨不得親自揮鞭長征，每天都表現得怒髮衝冠，抱怨修騰格爾騎士團如何無能，連螺絲野狼都無法擺平簡直是一群飯桶云云。

「卡姿對身為高地人頗為自負，所以就算為了面子，也無法認同聯合政府臨時組織的騎士團。」傍晚，托隆一邊填寫當天的巡邏報告書，一邊小聲告訴他。

「修騰格爾騎士團是聯邦議會直屬組織，他們的歷史比我們高地人還短。雖說是騎士團，但組織裡也並非只有武官，還有一些文官。騎士團的團長還是由聯邦議會的議長兼任呢。」托隆抬了一下眼鏡，粗壯的手臂交抱。

「這麼做是表示騎士團發誓效忠議會，但聯邦議會的議長多半是年邁的政治家。換句話說，即使眞的出了什麼事，也不可能自己揮劍領軍，說穿了只是個名譽頭銜。卡姿是個道地的務實派，對這種搞個花瓶官職來當的做法，她第一個看不順眼。」

小亘認為修騰格爾騎士團似乎是個兼具警察和軍隊功能的組織，可是聽了剛才的說明，又覺得該組織似乎還扮演了政治上的角色。

托隆被他這麼一問，也點頭表示同意。

「是啊，的確跟普通軍隊有點不同。在修騰格爾騎士團內，跟我們高地人一樣專門維持治安的部門稱為游擊隊。基本上，各國分別組織了兩個師團，可是管轄範圍遍及南方大陸全域，所以比我們更頻繁往來南方大陸各地，工作相當辛苦。」

「那他們也像高地人一樣，是由不同種族組成的囉？」

不知為什麼，托隆猶豫了一下才回答。「這個嘛，倒也不見得。修騰格爾騎士團全體，尤其是文官，雖然包含了各種族，可是唯有游擊隊全都是安卡族人。」

「為什麼？」

比方說有翅膀的卡魯拉族，機動力強，應該最適合擔任游擊隊。

「唉，這就涉及政治因素了。」托隆用手指搓搓鼻樑。「原本安卡族在幻界的人數就比較多，把其他種族通通加起來，跟安卡族的人口比例也不過四比六。安卡族是多數派，我們其他種族算是少數，這一點就會影響在議會的發言份量。」

不過，他說這種事跟小亘無關。

「卡姿之所以把修騰格爾騎士團視為眼中釘，只是因為她的個性向來討厭自命清高的傢伙。」

還有……，說著說著他壓低嗓門隱含笑意。

「那傢伙啊，在很久以前被修騰格爾騎士團第一游擊隊的隊長隆梅爾甩了，從此就……」

「喂，托隆，你說什麼!?」

卡妥那眼神比抽鞭還銳利，托隆嚇得脖子一縮，差點連眼鏡都掉了。

「糟糕！小亘，我們走吧，去診療所找醫生。」

今早，城門一開，門外就倒了一個來自波古的行旅商人，引起一場小小騷動。當事人宣稱吃壞了肚子，但根據診療所醫生的診斷，有可能是傳染病，所以把他隔離在門外小屋。城門四周立即噴灑烈酒消毒，害小亘差點又被薰醉。如果證實是傳染病，那就得立刻貼出公告。

診療所內，醫生依舊十分忙碌，不過托隆跟小亘一出聲招呼，他立刻笑著說：「已經排除了傳染病的可能性。」

「啊，眞是太好了。」

「不過，你們能不能聽聽那個行旅商人的說法？」醫生壓低嗓門繼續說，以免被病人聽到。「他說他喝了城外某口井的水以後，就突然覺得肚子怪怪的。」

對方描述的症狀和醫生懷疑的傳染病固然很像，不過也跟誤食果園驅蟲藥的症狀有共通點。

托隆不停地顫動鬍鬚。「那麼醫生，你的意思是或許有人在井裡下毒？」

醫生噓了一聲豎起手指。「我想應該不至於啦！不過那名商人似乎這麼想，他還說什麼現在回想起來，井水的味道的確怪怪的。」

「那口井在什麼地方？」小亘問。說不定是我曾經路過的那口井。「在查明眞相之前，最好還是先蓋上蓋子不要飲用吧。」

「是啊，我們快去確認吧。」

在隔離房裡的行旅商人臉色還是很差，看起來頗爲痛苦，不過交談倒不成問題。他喝的井水不是小亘經過的那口井，而是位於城東岩山山麓、遭半掩埋的古井，以前他從未在那種地方喝過水，但昨天實在太熱了，忍不住就……，他如此表示。

「東邊的岩山……」托隆捏捏下巴沉吟。「先生，你說你來自波古，這樣豈不是繞了一大圈。」

行旅商人抓抓頭。「其實，我是聽說那一帶有寶藏，平常我都往來波古和沙沙亞之間，還是頭一次來這裡。」

他表示在波古與沙沙亞交界的旅館停留時，共宿的室友告訴他，在嘎薩拉東邊小岩山的山腳下有個教堂廢墟，至今仍殘留著信徒捐獻的寶藏。

托隆不悅地斜睨行旅商人。「先生，你被騙了。那個教堂廢墟我也知道，那種地方怎麼可能有寶藏。根本就沒有什麼強迫信徒奉獻財物的教義。」

「那，只要虔心信仰就行了？」

「不，那個教會是要信徒奉獻生命。」

行旅商人哇地大叫一聲。小亘問：「那是老神教的教會嗎？」

「不是。跟老神和我們信奉的女神教義都不同。唉，應該說是招搖撞騙的吧。」

大約十年前，一名自稱是卡庫塔斯．微拉的男性旅人忽然來到嘎薩拉鎮，並以醫生的身分開業行醫，由於他的行徑太荒唐，當時的分局主管逮捕了他，將他趕出城外。於是這個男人就在郊外岩山的山麓下掘土興建小屋，宣稱舊神賜予的聖水可以治百病，展開可疑的活動。

「分局曾多次進行搜查，可是這傢伙逃得很快。等到分局稍一不留神他又跑回來重操舊業。漸漸的，他的病人或者該說是信徒吧，人數日漸增加，有一天，他們開始建造教堂。」

「這個舊神比老神更老嗎？」

「我也不清楚，聽說是什麼來自其他世界的神。」

教堂蓋好後，卡庫塔斯·微拉搖身一變爲神父，信徒取代了病人奉他爲神明，開始集體生活。信徒們開墾荒地耕種，把農作物拿去嘎薩拉用以物易物的方式換取日用品，但他們太窮了，老弱婦孺全都瘦得只剩一把骨頭。

「這些人聽說到那裡可以治好一般醫生治不好的疑難雜症，所以其中有很多人都是老年人和病人，光靠那些信徒來維持教會運作，根本就不可能。」

現世也發生過類似事件。小亘想起了幾則新聞。

「即便如此，他們的凝聚力依然很強，嘎薩拉的分局也不知何時才能介入。結果有一天半夜，教堂突然失火，高地人趕去一看，信徒在熊熊燃燒的教會裡……」

他們手牽著手，口中唱著歌頌舊神與神子卡庫塔斯·微拉的歌曲，靜靜地在烈焰中燃燒死去。

「雖然大家想盡辦法滅火，但那畢竟是外行人蓋的教堂，燒得只剩下骨架，據說到處都是那些信徒的屍體。」

由於遺骸都燒焦了，無法辨認出何者是卡庫塔斯·微拉，況且分局原本就不清楚到底有多少人在此生活，因此「卡庫塔斯·微拉到底是死了還是逃走，誰也無法確定，至今仍是一個謎。」

原來如此，這種地方不可能有寶藏。可是行旅商人卻忿忿不平地瞪著半空中說：「可是，那個商人明明說半夜經過岩山旁時看到教堂廢墟中發出閃亮的光芒，把那一帶照得像白晝一樣亮……」

托隆哈哈大笑。「聽起來就知道是騙人的，天底下哪有這麼大的寶石。」

「大小我是不知道啦。不過，聽說那的確是一顆散發出美麗光輝的寶珠。」

「寶珠！」小亘差點跳起來。

托隆立刻勸誡他：「別衝動，那只是謠傳，而且消息來源不過是一個商人。」

「可是，我想去調查。不管怎樣，那口井都得封閉，對吧！我們現在就去吧。」

第七章
被遺棄的教會

兩人立刻騎著烏代出城。所謂的烏代，是一種體型比達爾巴巴嬌小，像現世的小馬那般大的動物。高地人在草原或岩區巡邏時，最喜歡利用這種「代步工具」，由於牠的體型比達爾巴巴小一圈，即使在狹窄的地方也穿梭自如，而且生性溫馴又聰明。小亘也在托隆的親自指導下，半天就學會輕鬆駕馭。烏代全身覆滿蓬鬆的毛，即使沒有鞍轡也不會顛得屁股痛。在整個南方大陸，人們遠行靠達爾巴巴車，近處則以烏代代步，用途分得很清楚。

托隆毫不遲疑地抵達了那座出問題的岩山山麓。草原東方的邊陲地帶雖然沒有螺絲野狼出沒的峽谷區那麼險峻，但仍可見到崎嶇不平的岩石在藍天下重疊起伏。那景象好像巨人的小孩正在堆疊岩塊玩耍，突然聽到家人喊「吃飯囉」，就這樣扔著跑回家似的。「這種地方居然會有井啊……」

托隆皺起臉。

「草原的水井全都由附近城鎮輪流管理，位置很清楚。照理說這裡應該沒有井。」

「也許是那個教會的信徒挖的井，所以才會被埋住。」小亘說。「我們去廢墟那邊看看吧。在哪裡？」

「好好好，知道啦。」托隆露齒一笑。「不過，這是你第一次的搜查行動，要乖乖聽我的指示喔。」

「是！」

托隆驅策烏代，行經一座小岩山，繞過一座中岩山，在一處高聳得必須抬頭仰望的紅褐色岩山前停下。

「你看，就是那個。」

用不著他指點，小亘也看得見，許多焦黑的樑柱聳立在寸草不生的堅硬地面上，簡直就像從天而降的黑色標槍往地上一刺，充滿了不祥。如果不瞇眼遠眺，一時之間還看不出來，這些黑槍勉強構成了一座建築物的外型。

「屋頂已經燒毀了。」

「火災之後屋頂本來還在，後來又經過風吹雨打才崩塌瓦解，畢竟這是十年前發生的事嘛。」

兩人緩緩繞行教堂四周。一般人經過這裡時，如果毫不知情，或許只覺得「啊，這是火災遺跡」，並不會產生不祥的印象。可是小亘已經知道來龍去脈，一想到在柱子內側焦黑的地面上所累積的煤灰與塵塊之間說不定混雜了人體的殘骸，他就覺得毛骨悚然。

托隆騎的烏代，噴著悲哀的鼻息往後退，托隆連忙拍著牠的脖子安撫。

「這傢伙會害怕。」

小亘騎的烏代也在原地踏步，企圖和火災遺跡保持一定的距離。

「之前你們在嘎薩拉鎮都沒聽說跟這個地方有關的事件，或是看到什麼可疑的光嗎？」

「沒有，因爲出入嘎薩拉的人都不會跑來這種地方。」

「這麼說來，寶珠的光芒一定要靠得很近才看得到……」

聽到小亘的咕噥，托隆沉吟良久。「我說過了，現在還不能確定有沒有寶珠，對吧？來，我們下去看看吧！」

兩人把烏代的韁繩繫在岩石上，徒步走近遺跡。托隆赤手空拳大步邁進，小亘的右手卻得扶著腰際的劍柄激勵自己，否則他很想打退堂鼓。

「感覺毛毛的……」

「是啊。」

兩人踏進遺跡殘柱的內側，在那附近打轉。小亘一路提心吊膽，每腳下有什麼東西吱呀作響，或感覺好像踩到什麼時，就會懷疑那是人骨。

「聽說信徒的屍骸已經全都運出去了，就埋在鎮上的公墓。」托隆一邊四下查看一邊說。「所以這裡沒有遺骸了，不管我們踩到什麼也不會怎樣。」

「啊，那我就安心了。」雖說如此，小亘還是忍不住踮著腳尖。

「你看看。」托隆摸著一根焦黑的柱子說。「好細的柱子。我看連你的腿都比這玩意兒粗。不過光靠老弱婦孺或病人要把這柱子豎起來大概要花很多力氣吧。」

太陽雖已西下，光線依舊明亮，可是站在這曾經是建築物的內部，如今斷壁殘垣、只剩下骨架的空曠場所，還是讓小亘感到昏暗而詭異。

「小亘，找到水井了。」

托隆一喊，小亘連忙過去一看，建築物後面有一口小小的水井被傾倒的柱子壓住，周圍覆滿了瓦礫，不過石頭砌成的井口依然很牢固，探頭往裡面一看，水面在出乎意料的近距離映照出自己的臉孔。

「水是滿的。」

「啊，這一帶的地下水很豐富。」托隆掬起水，清澈的水珠滴落，他把手湊近鼻子嗅聞水的氣味。「我也不確定……好像有點藥味。」

托隆把水裝進腰上掛的皮囊，將袋口牢牢綁緊，然後跟小亘倆用帶來的繩索把水井四周圍起來，掛上「禁止使用」的牌子。

「不過，那個行旅商人，誰叫他要闖入教堂廢墟，不然誰會發現這種地方還有井。」

「大概是不知道這教堂的過去，所以也不覺得害怕吧。」

「一旦起了貪念，就算知道過去也不會害怕。」

托隆的話令小亘突然想起媽媽，不禁笑了。媽媽每次遇到大拍賣總會抱一大堆戰利品回來，她不也是這麼說嗎！抱這麼多東西回來居然不覺得重，因爲有貪心作伴所以沒關係。

「好了，我們回去吧。」托隆說。「再待下去也沒用，我開始覺得毛骨悚然了。」

他們回到診療所，把井水交給醫生檢驗之後便回到分局。幸好，那名商人的身體也好多了，總算可以安心，接下來直到天黑，小亘都在幫托隆查閱舊紀錄。卡庫塔斯·微拉和那個教會在當時似乎讓嘎薩拉分局傷透腦筋，在薄薄的和紙裝訂而成的紀錄簿中，甚至連欄外都被偷偷寫上官方文件不該有的謾罵字眼。

「到頭來還是不知道卡庫塔斯．微拉這個男人的眞實身分。」托隆一邊拿下夾鼻眼鏡一邊說。「舊神到底是何方神聖啊。」

「號稱可以治百病的聖水，大概就是那口井裡的水吧。這麼說來，那不但不是藥，搞不好還有毒。」

「如果裡面眞的摻了東西。」托隆嗯地一聲伸了個懶腰。「小亘，你可以回去了，你一定餓了吧。」

小亘回到大鬍子老闆的旅館吃晚餐，他試著向上菜的大嬸打聽卡庫塔斯．微拉，大嬸卻表示不清楚。

「到目前爲止，在這投宿的房客有沒有人說過岩山的教會埋有寶藏？」

「這個嘛，我沒聽說過。」

晚一點才上桌用餐的大鬍子老闆也跟大嬸的說法一樣，可是小亘依然耿耿於懷，從廢棄的教堂建築物內部所發出的耀眼光芒到底是什麼？

（或許白天不會發光。）

晚上去也許情況會不同。小亘一想到這裡，片刻也無法忍耐，便匆匆整裝，確認勇者之劍在腰際收妥之後就離開了旅館。嘎薩拉的城門即將關閉，四周擠滿了匆促趕來的商隊和達爾巴巴車夫。小亘借了一頭烏代，趁混亂之際奔向夜晚的草原，由於烏代是夜視力不錯的動物，因而一點也不怕黑，正愉快地奔馳著。

即將抵達教堂時，小亘發現在遙遠的彼端、正好是地平線附近，有無數光點像流螢般閃爍，而且似乎正在逐漸移動。也許是修騰格爾騎士團回來了，不知奇．奇瑪是否也在其中，如果他回來了，一定會發現小亘不在旅館。小亘不想讓他擔心，看來必須盡快查明究竟再趕回旅館。

小亘腰上掛的手提油燈正冒著黑煙，他在白天同樣的地點停下烏代邁步前行。只聽見浸油的燈芯滋滋燃燒，教堂燒盡的殘骸看起來比夜色還要黑，小亘一邊回想白天跟托隆走過的路徑，一邊注意腳下，在瓦礫堆中緩緩前進。

夜風中有股焦味……。至少他這麼覺得，白天倒是沒感覺。小亘右手抵著劍，盡量什麼也不想，找到光源才是唯一的目的。

在岩場某處發出吱呀的聲音，他嚇得不由得跳了起來。說不定是夜裡棲息在岩山的猛禽做了什麼惡夢，但願牽來的烏代不要害怕。或許那傢伙還比我勇敢。

四周一片漆黑，哪有什麼耀眼的光芒。小亘在井邊四下張望了一陣子，只有頭頂上的星星正在發光。他半是安心半是失望，不禁笑了，放下原本舉至眼前的油燈，照著腳邊然後轉身。這時，油燈的燈光和黑暗的交界處好像閃過什麼白白的東西。小亘再轉身，這次在左邊，白白的東西略過燈光飄浮不定，小亘迅速轉頭一看。

在半空中，飄浮著一隻白白的手臂。

眼前的光景太過於超現實，令他目瞪口呆更勝於害怕。從黑暗中伸出一隻手，那一截前臂白皙光滑又修長，是女人的手臂，右臂。那隻手輕輕搖晃，用食指指著小亘，然後向他招手，好像要他跟著走。

那手臂宛如泅泳在夜色中的細長白魚，逍遙地在黑暗中滑行，來到某處突然咻地一聲被吸入地面。於是，在手臂消失處開始發出白光，那光芒照亮了小亘的臉，亮得刺眼。他跑向那裡，霎時腳下好像有什麼東西碎裂，差點讓他跌倒，看樣子他差點一腳踩穿。

（是地下室。）

白天，那地下室掩埋在瓦礫堆之間所以沒被發現。小亘蹲下來檢查地板，立刻就摸到剛才差點踩穿密門的握把，光芒就是從這扇密門底下射出來的，一掀起門蓋，光芒頓時變得更強烈，眼前白花花一片，然後又悄然消退，彷彿光源變遠了。

底下有梯子蜿蜒。小亘把油燈掛在腰上，舉步往下走。他邊走邊數，數到超過四十階就決定放棄，太長了。這表示雖然不知道梯子的終點，但想必相當高。小亘不小心意識到這一點，不禁感到害怕，心想現在還是專心下樓就好。

走到滿身大汗氣喘吁吁時，他的鞋尖終於碰到跟樓梯不同的物體，他用雙手牢牢抓著梯子，扭頭往下一看，在燈光照映下出現了一個濕答答的岩場，看樣子已經到底了。

洞窟——對，樓梯的落腳處似乎一直蜿蜒通往黑暗的深處，那團白光彷彿在最深處的前方，那光芒比起剛在樓梯上看到時微弱多了，現在只能隱約可見。小亘把油燈移到手上重新握好勇者之劍，謹慎地往前走。四周牆壁的顏色感覺跟現世的墓碑——那好像叫御影石吧，非常相似。不知從哪滲出來的水滴個不停，浸濕了洞窟的牆面和地面，小亘試著輕觸一下，水好冰，湊到鼻尖聞聞味道，倒是沒有藥味，剛才急著出門忘了戴手套，千萬不能再隨便碰觸牆壁，有水的地方或許就有生物，縱使那玩意兒有毒或用刺螫人也不足為奇。走了一會兒，岩石通道以幾乎直角的角度往右轉，小亘在轉角處貼近牆壁仔細傾聽，然後立刻弓起身子提高警覺。

什麼都沒有，只有岩石鑿穿的通道繼續蜿蜒，也沒有任何人影，小亘吐了一下舌頭，他早就想這樣耍酷了。這條通道比剛開始走的感覺還窄，天頂也較低矮，忽左忽右，忽寬忽窄逐漸歪斜，小亘終於走到底，眼前有一面岩壁，在與地板的交界處有一個洞勉強可容納一人鑽過，從那裡隱約洩出一線白光。

（感覺蠻詭異的。）

小亘不想鑽進那個小洞，可是不鑽入就無法前進，但即使他再怎麼張望，也找不到其他路徑繞行。沒辦法。他把油燈往腳邊一放，趴在地上，朝小洞的另一頭窺視。通道果然繼續蜿蜒，遠處有微光，還有一股微弱的風吹來。好！他下定決心鑽進小洞，岩壁很薄，匍匐前進沒多久，一下子就鑽過去了。

眼前不是普通的通道，天頂大約有嘎薩拉旅館的三層樓高度，形成一座圓頂大廳，而且內部相當寬敞，大約有小亘學校的操場那麼大，如果蓋起獨棟的透天厝，這裡面應該容納得下十棟吧。

（沒想到地底下竟然有這種像廣場一樣的洞窟。）

小亘一邊擦汗一邊驚訝地環視四周，在廣場對面並列著兩個繼續通往深處的通道入口，右邊的隧道比較大，前面堆疊著某種金屬物的殘骸，左邊的小隧道什麼也沒有，只有白光從深處溢出。不知從哪兒傳來微弱的流水聲，小亘感到口渴，可是這裡的水不能喝。

對了，油燈。正當他蹲下把手伸向剛才鑽過來的洞穴彼端，那盞油燈竟然當著他的面被拿走了。有一隻黝黑乾癟宛如木乃伊的手臂伸過來，抓起油燈的握把就從眼前消失了，就這麼一眨眼工夫。

剛才那個到底是什麼？那是誰的手臂？不，那眞的是手臂嗎？

身爲高地人，是否再度鑽出小洞回到另一頭？那隻詭異的手臂說不定是怪物身上的，也或許是盜賊；木乃伊盜賊。總之，一定得奪回油燈。

可是，這裡很亮。前方的通道也被白光照得通明，即使沒有油燈也能安然步行。不管怎樣還是姑且繼續前進吧，就這麼辦。我可是積極地當機立斷喔，絕不是怕遇上那隻乾癟手臂的主人喔。

小亘握著勇者之劍，一步一步地走到廣場中央。走到這裡，才發現右邊隧道前堆放的金屬物好像是標槍；只是把金屬磨成像竹籤一樣尖銳，那種極原始的標槍。此外，廣場右後方的岩壁上還可看到以前設置某種大型機關所留下的痕跡。岩壁上有某種鑿痕，也許是因爲燃燒火把吧，層層煤灰附著在同一個位置，使得岩石都變色了。小亘仔細觀察，並沿著痕跡的輪廓，在空無一物的部位劃上輔助線後，發現這裡好像有類似現世教堂祭壇的東西。

說不定這裡就是卡庫塔斯．微拉和信徒們的禮拜堂。

（可是，爲什麼會有標槍呢？）

在小亘內心出現兩種想法——查看一下右邊隧道，還是繼續朝左邊隧道前進，這兩種念頭開始糾結在一起。

這時，右邊隧道出現了某種東西。是人影，一個衣衫襤褸的人。原來還有人住在這裡，那人把像竹籤般的粗糙標槍當成枴杖撐著，一步又一步，晃著腦袋走來，模樣滑稽。從右邊隧道走出來，朝著右方牆邊——留有祭壇遺跡的地方走去。

等到對方走到足以看清模樣的距離，小亘頓時傻眼，雙腳宛如生根般動彈不得。那不是人，原本過去應該是人……那是一具骷髏，渾身纏滿破布，撐著槍緩步而行，每跨出一步，下顎的關節一鬆牙齒就會喀答喀答作響。

小亘的牙齒也開始作響，兩個膝蓋抖得厲害似乎想各自朝著不同方向逃命。

冷靜，我要冷靜，沒什麼好怕的。小亘在瞬間緊閉眼睛，如此告訴自己。我在「測試洞窟」戰勝過四神將的考驗，獲得了智慧與勇氣，更何況還有火龍的護持，我才不會輸給什麼死人骨頭。

抵達牆邊的骷髏撐著標槍晃了一會兒，終於發出喀拉喀拉的聲音瓦解，當場化爲一堆白骨。小亘鞭策著自己，不情不願地走向右邊隧道，入口處那些堆積如山的標槍不但骯髒還生了銹，隧道裡面很暗，肉眼只看得見入口周圍。不過，當小亘拔出勇者之劍以防有什麼東西出現時，劍身彷佛吸收了那團照亮洞窟廣場的白光，開始靜靜發光，雖然沒有油燈那麼亮，但足可做爲光源。小亘高舉著劍踏進隧道。

大約走了四、五公尺吧，隧道兩端出現了像是火車臥鋪的三層式木架，每一層都躺著人。

躺著的是骷髏，那是骷髏的臥鋪車。

突然間，小亘背後傳來喀答一聲，他猛然轉身，看到身後的臥鋪有一具腰部纏著破布的骷髏正用滑落的姿態跳下來，它沒像剛才那具骷髏一樣撐著槍，卻蹣跚地張開雙手，朝著小亘的方向倒下。小亘拼命往後一跳，連叫都叫不出來，雖然在千鈞一髮之際躲過骷髏的擁抱，可是那白骨指尖已經擦過小亘的鼻頭，骷髏像游泳似地划動兩手，發出喀答喀答的噪音當場倒下。

怎麼好像有蒸氣火車的聲音……想到這裡，才發覺是自己的呼吸聲。小亘用手背往額頭一抹，仰起臉。

映入眼簾的是令人難以置信的景象。床位上的骷髏乘客們正陸續地爬下臥鋪；有的骷髏扶著臥鋪扶手，有的骷髏抓著隔壁室友的脊骨，骨頭相撞的聲音，還有它們身上的破布與衣服碎片摩擦的聲音，就像無數隻飛蛾正在摩擦翅膀，沙沙作響。在它們洞開的幽黯眼窩中竟出現了不可能會有的眼珠，而且全都看著小亘，每具骷髏都想靠近他，令他毛骨悚然。

突然間他的雙腳又恢復力量，於是拔腿就逃，照理說他應該沒有走太遠，這時卻覺得出口遙不可及。禮拜堂遺跡的廣場微見光明，通往那裡的隧道就好比通往希望的逃生口，看起來更明亮了。他明明拼命奔跑，卻一點也沒有前進，宛如在夢中奔馳。那群骷髏一具接著一具伸出求救般的枯骨，抓住小亘的衣服，拽住他的腰帶，甚至想揪住他的頭髮。他自己都還來不及意識，就已發出尖叫。現在，他終於知道骷髏在祈求什麼了……，它們想撲向小亘，在小亘身上瓦解，用成堆白骨壓垮小亘。我不能跌倒，一旦跌倒就完了！

小亘在過度慌亂下，揚起下巴，速度變得更慢了。背後伸來一隻白骨手臂，抓住他的肩膀，他揮手打落時重心不穩差點跌倒，朝著空中亂抓一通才勉強站好。這時，他看到隧道出口正上方的牆壁上鑲著一個看似柵欄的東西，突然靈光一閃，這是閘門，只要逃出去放下閘門，就能把骷髏關在這裡，控制那玩意兒的裝置一定在某處！

他四處張望，終於發現隧道出口的內側牆上有一個纏著舊繩索的握把，繩索連接上方的閘門。他邊跑邊握好勇者之劍，用最大的力量猛然揮下，朝繩索砍去。手上傳來輕快的反應，繩索一砍就斷，咚地一聲塵埃四起，只見閘門已經筆直落下，頓時他感到眼前一黑。太快了！這樣的話，連我都會被關在這裡！

又有白骨手臂拽住他的衣襬，力道很強。他閉上雙眼，朝著落下的閘門和地面之間的縫隙往前一撲，閘門在他的腳尖後面險險落下，夾著落下的力道，在地面彈起約五十公分的空間，夾住幾具撲來的骷髏的手和頭，猛力關上。

趴倒在地面上的小亘，還來不及確認閘門是否關上，便爬到更遠的地方逃命，然後全身癱軟地勉強回頭望去。在那扇堅固閘門的彼端是堆積如山的骷髏，由於受到閘門的撞擊，骷髏紛紛支離破碎，至於那些還保有完整形狀的骷髏，正晃著頭骨或用手扒著那堆白骨，掙扎著想擠到前面。也有些骨骸被閘門夾住，只有頭和手留在外面，小亘戰戰兢兢地站起來走近骨骸。

它們正在掙扎，小亘一走近，它們就扭動指骨企圖抓住他的靴子，下顎還喀答作響，想咬他的腳尖。極度恐懼令小亘感到一陣作嘔，不得不倒退三步。

「你們到底是什麼人？」

就算問了，骷髏也不可能回答。

「你們在這裡做什麼？你們也是信徒嗎？被卡庫塔斯．微拉關在這裡？或者是你們自願被關？」

那些掙扎的臂骨和下顎動作逐漸變慢，最後終於靜止，變成洞窟地面上四處散落的普通白骨。

小亘不知不覺哭了出來，他摸摸臉頰察覺到淚水，大概是因爲害怕吧。其實不只是害怕，還有悲傷，他覺得這些骷髏很可憐。

他頹喪地往另一個隧道走去，內心就像下大雨時的排水溝，所有的感情洶湧而入，那當中也夾雜著他對卡庫塔斯．微拉這個沒親眼見過也沒親耳聽聞的陰險宗教家的憤怒，他不知不覺握緊了劍柄，用力到連手指關節都發白。

這次的隧道是個平緩的下坡。

（不曉得會通往哪裡？）

這條路有時候雖然得左彎右拐，不過大致上還算筆直。小亘一直走，隨著逐漸下坡，泛白的光似乎也愈益明亮，滲水的岩壁上到處都有壁畫和文字，那壁畫看起來像是在描繪遭受釘刑的人、朝祭壇跪拜，頭抵著地面的大批信徒、正要用斧頭斬下狀似達爾巴巴頭部的劊子手。至於牆上的文字則是以血紅色液體書寫，小亘看也不看懂。

壁畫上還有一個漆黑人影就站在雙手大張、伏地膜拜的信徒面前，但那體型看起來不像人，頭上還長角。在那個怪物背後有一個宛如太陽的東西在發光，怪物好像試圖隱藏那個發光體，不讓跪伏的信徒們發現。這個頭上長角的怪物就是卡庫塔斯．微拉嗎？小亘望著牆壁，突然全身發冷。

他在隧道途中還發現了另一件事。地面上散落著許多油燈、燭臺和火把的殘骸，看起來有一段時間了，不只被丟棄，還全都遭到破壞或折斷，有些油燈殘骸顯然是被甩到岩壁上砸壞的。以前，這裡曾經有許多人，他們如果要繼續往前走，似乎不被允許攜帶燈火。如果不在這裡捨棄光源，就不能往前走。

小亘打起精神，繼續穿過隧道。通道逐漸變窄，並且開始出現微妙的起伏，走到某處突然變成陡峭的上坡，在距離小亘頭頂大約五十公分處的岩壁上有一個洞，就像窗戶一樣，白光就是從那裡照進來的。他縱身一跳，雙手攀住洞緣，靠著腕力撐起身體爬上去，鑽過洞穴繼續前進，來到一個天頂挑高又寬敞得令人驚訝的地方。小亘不禁張口結舌，這地方無論寬度或高度，應該都有剛才那個看似禮拜堂遺跡的廣場兩倍大，而他現在就站在那個空間的正中央、一個宛如包廂的岩石突起處。腳底下是一潭水質清澈的地底湖，怎麼會有這麼美麗的湖水，而那道耀眼的白光就是從湖底溢出來的。

（好壯觀。）

地底湖的形狀是一個略圓的五角形，往下俯瞰，本身就像一顆巨大的寶珠，美得令人著迷。小亘看著看著，彷彿快要被吸進湖底。他勉強轉頭，環顧四周岩壁，看看是否有路徑可以往下走，四周都有像他站立的地方一樣突起的岩石，如果小心跳過這些岩塊，應該可以到達湖畔。

小亘留意著腳底並謹慎行動，花了很多時間才抵達湖畔的岩岸。即便如此，他依然緊張得上氣不接下氣。一站在水邊，白光變得更炫目，每次水波靜靜地蕩漾過來，便發出嘩嘩水聲。這裡是地底，明明沒有風吹來，這陣陣水波是從哪來的呢？說不定在地底湖中央有水不斷地湧出。

小亘把勇者之劍收回劍鞘，單膝跪地，右手伸向水面。冰涼涼的如絲般光滑的湖水，從手背浸入直至手腕，感覺好像碰觸到什麼神聖的東西。

白光的源頭，一定就在這湖底的某處。如果跳入水中，也許能發現什麼。可是這麼冰的水，如果不先暖身一下可能會抽筋吧……

小亘茫然地想著，一邊凝視著清澈閃亮的水面，突然感覺不只是自己在凝視，自己同時也被什麼凝視著。

（被什麼？）

被一顆大眼珠。不知何時，水面下出現了一顆像籃球這麼大的眼球，眨也不眨地凝視著小亘，連漆黑的瞳孔和眼白上細小的血管都看得很清楚。這奇怪的互瞪遊戲持續了幾秒鐘，小亘彷彿著了魔，好一陣子無法動彈，然後突然像醒過來似地一驚，急著把手從水中縮回。

此時，某個東西從水底以迅雷不及掩耳的速度衝出來扣住他的手腕，是那隻出現在教堂廢墟向小亘招手的白手臂，濕漉漉的皮膚閃著發亮的水滴。從近距離看來，那隻手極爲優美，顯然是女性的，但是強而有力。小亘連叫都叫不出來拼命掙扎，企圖甩脫那隻手。這期間，水面下的眼球仍在凝視著他。

「放開我！」

他尖叫著用盡全力扯開白手臂，立刻被一股更強的力道拉扯，肩膀關節都快被扯落了。就在他與對方死命拉扯之際，這回連雙腳也動彈不得。他嚇得半死，往下一看，這次出現的是一隻像木乃伊的黑手臂，從湖畔伸出來緊抓著他的左腳腳踝不放。

是那隻拿走油燈的黑手。仔細一看，這隻是左手。白與黑，原來是左右一對，它們合作無間，抓著小亘企圖限制他的行動。

「這是什麼東西啊！」

小亘尖叫著試圖用腳去踢，沒想到反而失去重心，一屁股跌坐在地上。那雙黑白手顯然覺得這是大好機會，於是更用力拉扯，想把他拖進水中！而那顆大眼球一直在觀察這幅景象。

「救命！」

小亘出於本能忍不住高喊，他的悲鳴在遼闊洞窟頂迴響著，彷彿在嘲弄著他。救命、救命、救命的回音，微妙地變換著音階，不斷在岩壁上碰撞。他掙扎著把左手伸向勇者之劍，只差一點點就能碰到了……

黑手用力把小亘的左腳一拽，這時，拉著他右手的白手在絕佳時機鬆手。小亘頓時仰面翻倒，腰部以下被拖進水中。

（糟了！）

白手再度出現在空中，就在小亘臉孔上方，像一隻邪惡的鳥凌空飛過，然後再度抓住小亘，它拽著小亘的前襟，打算把他拖到更深的水底。

頓時，小亘移動右手拔出勇者之劍，幾乎什麼都沒想，也沒瞄準目標就揮劍了。這次，劍似乎又自作主張，往那五指宛如可怕蜘蛛般張牙舞爪的白手臂畫出了銳利弧形，從手掌由左至右毫不留情地切開。

一陣可怕的叫聲轟然響起，把他的耳膜震到幾乎再也聽不到其他聲音。被劃開的手掌並未流血，只是從傷口處露出粉紅色的肌肉，彷彿想說什麼似地不停掀動。小亘毫不猶豫，這次朝著抓著他腳踝的黑手臂砍去。

湖面開始騷動，湖底湧起了層層波濤，霎時已捲起擎天水柱直沖天頂，像瀑布般的湖水當頭澆下，小亘雖然渾身濕透，但是左腳恢復活動了，他立刻爬起來飛快地退至水邊，握緊勇者之劍。水柱中出現一個巨大黑影，由於背對著發亮的湖中央，所以正面完全籠罩在陰影中，只能看出剪影，簡直像是一個穿著長袍的僧侶——除了它的體型大得驚人。它的頭緩緩晃動，然後發現了小亘，便睜開了眼睛，是剛才在湖底出現的那顆眼球，原本該是人臉的部位，只見那唯一的眼球閃閃發亮。

小亘扯開嗓門叫道：「你是什麼東西？這洞窟裡的骷髏全都是被你殺害的信徒嗎？」

黑色怪物並未回答，只有眼球滴溜溜地轉個不停。這時候，在空中飛舞的那兩隻手回到怪物身邊。小亘以為那兩隻手會跟怪物的身體接合，顯然並非如此，那兩隻手在原處飄浮，做出空中划動的動作並同時握緊拳頭，小亘甚至可以清楚看到手背上的關節突起。

（搞什麼？）

那兩隻手啪地張開手掌，就像變魔術憑空取出銅板或花束一般，射出了看似細針的物體，白手掌射出白針，黑手掌射出黑針。那批細針朝著小亘齊射而來。小亘急著逃走，一瞬間看清那無數細針每一支都像一隻手，是那白手和黑手的迷你版，就像不懷好意的小魚成群結隊地襲來。

小亘一邊舉起手護著頭臉，一邊拔腿逃往水邊，小手怪物也轉換方向追了過來。它們騰空飛襲時，還可聽見宛如小蟲拍翅的嗡嗡聲。小亘低著頭，揮舞勇者之劍，勉強躲開這群小手。如果不設法逃出去，一定會被這群小手抓住扯爛，每隻手的長度只有十五公分，那手指既邪惡又尖銳，有些捏住小亘皮膚，有些想戳爛他的眼睛，有些試圖鑽進他的衣服裡。

現在不能停下來，小亘拼命跑。

遠處響起咆哮聲，是那個杵在水邊的單眼怪物發出的聲音，看不出它的嘴巴在哪裡，它到底是怎麼發出聲音的？那分明是笑聲，它在看好戲，它覺得小亘被群手追逐落荒而逃的模樣很有趣。它大聲咆哮，然後動了一下，捲起漆黑的袍袖露出手臂。那兩隻高高舉起的手臂既像建築物腐朽的樑柱，又像是死掉的大蛇胴體，沒有手指，手臂末端的形狀像魚鰭。怪物舉起手臂猛力揮下，用力拍擊水面，啪答一聲，湖面再次濺起水花，噴到小亘頭上，就像被人當頭澆了一桶水。小亘睜不開眼睛，腳底滑溜溜的，萬一跌倒就死定了……

「喝！」

渾厚的聲音響起。下一瞬間，只見某種利器筆直越過洞窟的空洞，噗嘶一聲，刺進長袍怪物的左臂，怪物再次咆哮，這次是痛苦的叫聲。

「小亘，你沒事吧？」

小亘一邊驅散來襲的群手，一邊抬起眼。奇．奇瑪手握巨斧站在層層岩壁處，上面是扛著標槍的托隆，再上面則是屈膝而立的卡姿。

「我們馬上過去，加油！」奇．奇瑪話聲方落，便以完全與他的大塊頭不相稱的敏捷身手，在岩壁之間跳躍穿梭，來到湖畔。黑色怪物一拔出左臂上的標槍，便朝著奇．奇瑪丟回去，卡姿的皮鞭一揮，標槍還沒射到奇·奇瑪，已經被鞭子打落水中，托隆立刻丟出第二支標槍，險險擦過怪物的大眼珠旋即落地。

「來啊來啊，你這個臭妖怪！我要把你剁成肉醬！」

奇·奇瑪一衝到小亘身邊就護著他，然後像丟鏈球的選手以自己爲圓心，不停地掄動斧頭，把飛襲而來的黑白手群通通擊落。

「你、你、你們怎麼找到這裡的？」

安心和喜悅，令小亘頭暈目眩。

「我早就知道你在打什麼主意了！」

卡姿嚴厲地回答，接著往岩塊一踢縱身跳起，輕鬆閃過怪物那隻黑鰭似的手臂，凌空翻身在湖畔著地，她看也不看就察覺那隻白手從旁偷襲她的脖子，一鞭將它擊退了。

「這是什麼鬼玩意兒？是卡庫塔斯·微拉祭拜的怪物嗎？」托隆將第三支標槍扛在肩上，一邊瞄準著大眼球，一邊不停地移動腳步說道。「還是，卡庫塔斯·微拉本人變成的？」

「是什麼不重要！反正打敗它就對了。」

卡姿不屑地說著，這次一邊用鞭子捲住黑色左手，一邊用全身的反作用力往牆上一摔，黑手當下啪啦一聲被擊潰，像條抹布般頹然落下。湖畔的岩岸佈滿了被小亘的劍和奇·奇瑪的斧頭殲滅的小手屍骸，幾乎連立足的地方都沒有，卡姿和托隆絲毫不敢大意，與杵在水邊的黑色怪物正面對峙。

黑色怪物的眼球，似乎在輪番審視著嘎薩拉的高地人，滴溜溜地左右轉動，眼白佈滿了血絲。

怪物的喉嚨發出咕嚕聲，眼球在瞬間閉上，然後啪地暴睜。湖水又開始騷動，黑色怪物身上的長袍滑落掉入湖中。此時的光景令四人看得目瞪口呆，面露驚愕的表情。

長袍底下出現一個混合人與魚類特徵、外形可怕的生物，盔甲般堅硬的鱗片密密麻麻地覆滿全身，腹部兩側還長著魚鰭似的東西，當它緩緩一動，尖尖的前端就指向小亘他們。怪物舉起沒有被托隆刺傷的另一隻手，自行拿掉頭上包裹的長袍碎布。那隻眼球還是老樣子，頭頂上卻露出了兩隻角。小亘頓時想起在洞窟通道看到的壁畫。

眼球下面的臉皮往左右裂開，露出一張醜陋的大嘴，像是要吹口哨般噘起，臉頰一鼓，噴出火焰彈。

「小心！」

托隆和卡姿縱身躲開，火焰彈撞到壁面，牆壁立刻應聲瓦解，簡直像飛彈！小亘大驚，想扶卡姿站起來，自己卻跌倒了。下一發火焰彈朝著奇．奇瑪襲來，雖然在千鈞一髮之際閃開，但奇．奇瑪還是大叫「好燙！」

「我可受不了！」

托隆一站直身子，就拿起標槍瞄準眼球，這時火焰彈再度襲來。

「眞不敢相信，那到底是什麼鬼玩意兒！」

光是閃躲不停攻擊的火焰彈和崩塌的岩塊就費盡力氣了，怪物還不時用腹側的魚鰭偷襲，奇．奇瑪掄起斧頭想閃躲，斧頭前端卻被砍斷，斷斧凌空飛出，簡直就像斷頭台。眾人頓時落居下風，淪爲守勢，但仍努力站好，用標槍和鞭子攻擊怪物，繼續這場苦戰。失去斧頭的奇．奇瑪用雙手抓起岩石碎片丟擲。這時，小亘突然察覺到怪異之處。

顯然，怪物的弱點就是那顆大眼球。托隆和卡姿還有奇．奇瑪一直鎖定眼球出擊，可是從正面攻擊，對方很容易閃躲，小亘爲了轉移怪物的注意力，好幾次衝進湖中從旁邊丟擲岩石或是持劍揮砍，只要怪物在瞬間轉移注意力，就有機會攻擊了。然而，怪物看也不看小亘，雖然不時甩動魚鰭或揮舞手臂，但是它的頭始終沒有轉動，眼球也一直朝著湖畔。換言之，它一直背對著湖中溢出的白光。

小亘又想起在洞窟通道看到的景象——滿地都是遭到破壞的油燈和燭臺，隨後趕來這裡的三人也沒有拿燈，大概跟小亘一樣，都是在半路上被黑手或白手拿走了吧。

這個怪物……該不會怕光吧？

乍看之下，這傢伙好像在守護湖底的白色光源，爲了阻止外人靠近才擋在水邊，可是事實或許不是這樣，說不定正好相反。這個怪物該不會是不敢直視那道白光吧？

（好！）

小亘在水邊助跑，全速衝入湖中，才划動了一下，就看到湖底的岩場有某處深深凹陷，湖水特別深。他抬起頭深深吸一口氣，鼓起勇氣潛向該處。

在白光照耀的湖中，到處都是亮晃晃的一覽無遺，然而底部深深凹陷，幾乎難以分辨哪裡才是湖底。小亘用力划水，正好游到怪物的正後方，再次浮出水面。怪物正對著高地人噴吐火焰彈，小亘決定再度潛入水中。

一定就是這裡，在怪物的正後方。小亘一邊緩緩吐出氣泡，一邊繼續划水，朝深處游去。在學校，他再怎麼努力總是游不快，不過潛水倒是很拿手。

光，光！照耀著水面下的岩石，小亘彷彿受到某種東西催促，拔出勇者之劍。劍身立刻發出強光，小亘什麼也沒做，劍就自行移動，指向小亘的右斜前方。看來是要叫我潛到那邊。小亘用力踢水。

開始呼吸困難了，好像已經快沒氣了，再撐一下，再撐一下就好……

這時，他看到水底的岩場，只有那一塊特別平坦，而且像棒球那麼大的白珠子就躺在中間，綻放出明亮的光芒。小亘伸出左手抓住那顆珠子，右手握的勇者之劍彷彿很高興地釋放出更璀璨耀眼的光芒。

小亘一口氣浮上水面，肺都快爆了，全身渴求著氧氣。一衝出水面，他就不停地吸氣，即便如此，劍柄和珠子仍然緊緊握在手中。

白珠子一在水面上出現，洞窟內的光芒頓時變得更明亮，那隻獨眼怪物渾身打哆嗦地發出哀叫聲，小亘就在怪物的正後方，他立刻調整呼吸，再度潛入水中，繞到怪物前面。抓對時機最重要，他再度憋氣，在繞到怪物前面之前，他一直耐心等著，然後算準了那一瞬間，雙手高舉著發出白光的珠子，躍出水面。

珠子的光芒從怪物正面射向它的眼球，頓時眼球暴睜，怪物發出痛苦的叫聲撼動了洞窟天頂，然後它舉起那雙醜陋的手遮擋，試圖不讓光線射到眼睛。

「趁現在！」

隨著小亘的叫聲，托隆擲出標槍。那支標槍筆直地劃過天際，刺進眼球的正中央。

哇……！

怪物狂叫，試圖用雙手拔出標槍，然而這麼做只是徒勞，它的力氣逐漸用盡，就像洩了氣的汽球逐漸萎縮。

「噢……噢……噢……」

怪物的身體慢慢萎縮，叫聲也越來越微弱。不僅如此，那令人好奇是什麼樣的野獸才發出來的怪聲，也漸漸接近人類的聲音了。

最後，怪物終於縮成一般人類的大小，緩緩地沉入湖中。

2 book

第九章 逃出

（贏了！）

小亘緊繃的心情一放鬆，頓時腿軟，當場沉入水中。

「喂喂小亘，你振作一點！」

奇・奇瑪咚地一聲跳進水裡走近小亘，拎起他的後頸，把他拖回岸上。

小亘回過神時，才發現自己依然把那顆明珠緊抱在胸前，珠子靜靜地綻放光芒，還帶著些許暖意。

「那到底是什麼玩意兒？」卡姿依然殺氣騰騰地望著水面，如此低語。「還有，那麼多隻手，還有這種只有手的妖怪嗎？」

「在我看過的古老紀錄中，」托隆說。「有一篇文章記載，卡庫塔斯・微拉把身邊的信徒們稱為『善良的左右手』。」

「左右手？是喔。」卡姿唾棄地說。「這表示不需要腦袋嗎？即使變成死靈，也只能以手的形狀聽從怪物老大的命令行動，這也未免太窩囊了吧。」

這時，湖的對面又噴起水柱，眾人驚訝之餘立刻戒備。

「又有什麼妖怪嗎？」

不，已經沒有怪物了，是岩壁開始崩塌，大塊岩石碎片剝落，墜入湖中。

滋滋滋……好像有地震。

「糟了，這裡要塌了！」

托隆大聲說。彷彿就等這句話，部分天頂開始轟然塌陷，約有達爾巴巴腦袋大小的岩石紛紛掉落，小亘剛剛走下來時踩過的岩塊突起，彷彿也被隱形的手扯落般碎裂。卡姿立刻行動，雖然她的皮鞭末端碰到一塊岩石殘塊，但還來不及用鞭子纏緊凸起處，岩石就瓦解了，卡姿好不容易才收回鞭子。

「可惡！」她的怒罵聲方落，便傳來奇．奇瑪的吼叫。

「大家快來這邊！」

奇．奇瑪雙臂高舉，撐起一塊宛如桌面的平坦岩石，雙腳張開用力踏地。

「快躲到這裡！」

眾人一起跑向奇．奇瑪，地面上頓時發出轟然巨響，大塊岩石紛紛掉入湖中。

「你們看天頂！」

小亘聽到卡姿的叫聲，仰頭一看不禁啞然。在地底湖的正上方裂出一個破碎的大洞，從那裡可以覬見星空。

「是出口！」

小亘跑到奇．奇瑪身邊，一起高舉雙臂撐著岩石大叫。

「是啊，眞是可喜可賀啊。」卡姿驚險地躲過落下的岩石，一邊鑽到小亘身邊，一邊怒吼。

「問題是我們要怎樣上去？」

「這面牆好像還可以爬。」托隆仰望眾人身旁的岩壁。這裡是地底湖的最西端，跟他們進來的岩壁位置正好相反，雖沒有顯眼的凸起，但還算起伏不平。

「我先爬上去放繩子下來，你們再抓著繩子上來。」托隆解開腰上的繩索，一邊綁圈一邊說。

「把武器扔掉，盡量減輕重量。」

「讓我去！」小亘從托隆手上搶過繩索。「我的體重比托隆先生輕多了！」

「別傻了……」

「沒問題，如果我掉下來要接住我喔！」

小亘跳上大家撐起的那塊岩板，再從那邊跳向岩壁，他看過湯姆·克魯斯在動作片中就是這樣攀岩的。聽說阿湯哥沒有用替身，是自己親自上陣，既然同樣都是人，湯姆·克魯斯做得到我不可能做不到！

不過，現在不是強詞奪理的時機，在場的人都可以強烈感受到整座洞窟開始晃動，如果再磨蹭下去，恐怕連這裡也撐不久……，眼前的岩壁宛如繁殖的生物般，一道道裂痕正在逐漸增加中。

小亘爬上牆壁，幾乎無法思考，這時反而連恐懼都感受不到，腦筋一片空白。就只差一點點了……，再爬兩公尺就能搆到天頂的破洞邊緣。這時，一陣驚人的天搖地動，小亘失去了重心，一失手甚至連腳都踩空，就這麼被拋到了空中，眼底是那座地底湖，他即將和碎石一起墜入水中……

小亘想到這裡，突然被某種柔軟的東西抱住，便停留在半空中。

「抓緊！」

是女孩子的聲音，那是一隻覆滿柔順白毛的手臂，環抱著小亘的身體。是咪娜，她的腰際綁著繩子從天頂大洞的邊緣倒吊下來，用雙臂抱住小亘，背上還扛著一捆繩索。

「用我的繩索爬上來，往上爬！」

小亘抓住她腰上的繩索，努力撐起自己的身體，爬上垂吊的繩索。這時，又是一陣天搖地動。等到他從天頂大洞順利爬上地面之後，立刻從洞口邊緣俯瞰。咪娜就吊在天頂下面，左右搖晃正努力保持平衡，試圖把背上的繩索拋到下面三個人的位置。小亘抬頭環顧四周，這裡就是教堂遺跡的西邊……，整個岩場已經崩塌傾斜，咪娜吊著的繩索就緊緊纏繞在遠處岩場的一塊岩石上。小亘確認沒問題後，連忙回到洞口邊，盡量抓穩繩索免得咪娜一直搖晃。

咪娜甩動手臂，把繩索拋在托隆等人的正上方，直到他們抓住繩索，咪娜俐落地翻身，後腳搭在天頂大洞的邊緣，以後空翻輕快地跳到小亘旁邊。

「用力拉！」

「好！」

起先是卡姿，接著是托隆，他們抓著繩索依序爬了上來。這時，連站在地面上也都可以感受到整座岩場正在逐漸下沉，如果不趕快救出奇・奇瑪，地表也會塌陷。

「快點快點，動作快！」

奇・奇瑪用鉤爪抓著岩塊，以驚人的速度一溜煙爬上來，如果只有他自己，想必老早就逃出來了吧。在奇・奇瑪爬上地面的過程中，小亘嚐到了目前爲止最恐怖的滋味。啊！神啊拜託祢一定要救救奇・奇瑪，千萬別讓他死掉！

「嘿咻！」

奇・奇瑪躍出地面。托隆大吼：「大家都沒事嗎？」頓時，腳下的地面猶如沸騰的滾水開始嗡嗡震動。

「快逃！」

眾人拔腿就跑，即使不回頭看，也感覺得到崩塌的地面範圍已經逼近身後約一公尺處。小亘牽著咪娜的手，被奇・奇瑪拽著手肘拼命向前跑。

教堂遺跡的前方出現一座小岩山。「跳！」托隆大叫。「跳到那塊岩石對面！」

小亘被咪娜拉著，用自己都驚訝的敏捷身手躍向空中。凌空時，咪娜再次抱著小亘，似乎是在帶領他。轉眼間，既非頭下腳上摔個倒栽蔥，也沒有胸口著地滑行，而是一個翻身腳先著地，屈膝穩穩地著陸。

滾滾沙塵瀰漫。不過，崩塌的聲音已經停止，剛才飛越的岩場發揮了擋箭牌的功用。

「哎呀呀……看來我們撿回一命了。」

從一陣煙塵之間傳來卡姿的聲音，旁邊還發出噗咻一聲，頓時出現兩個小黑洞，那是奇・奇瑪的鼻孔。他一呼氣，那裡就塵埃四起，他和卡姿灰頭土臉，看起來跟岩石土塊沒什麼分別。

「小亘，你沒事吧？」對於奇・奇瑪的關心，小亘點點頭。雖然不知什麼時候跌坐在地，但他依然握著咪娜的手。

「咪娜也沒事吧？」

「嗯。」咪娜最若無其事。「可是，有一個人不見了……」

「對了，托隆呢？」卡姿癱坐在塵堆碎石土塊上，四下張望。「托隆，你在哪裡？」

一個悶悶的聲音從地面裂縫之間傳來。「如果妳眞的擔心我，就先讓開。」

卡姿往下一看，眾人也紛紛往下看。

「哎呀，天哪。」卡姿噗哧一笑。「對不起喔，托隆。」

卡姿坐在托隆身上。她一讓開，托隆就抖著鬍鬚爬起來。

「我活到這把年紀，還是第一次遇上這麼恐怖的情況。」他不悅地表示。

「喔，是嗎？還有一堆男人等著讓我踩呢，就算是一輩子只有一次也好。」卡姿咯咯笑著說，抹去臉上的塵土後，雙手叉腰站起。「這還眞是不得了。」

放眼望去，方圓一公里以內全都塌陷了，勉強還能走到教堂遺跡的邊緣，但是柱子都已倒塌，變成一堆瓦礫。

「小姐，虧妳及時趕到。」卡姿轉身對咪娜，用相當溫柔的語氣說。「妳是我們的救命恩人。」

咪娜惶恐地轉著大眼睛，看起來很害羞，尾巴尖端緩緩擺動。

「妳的身手眞靈巧。」托隆很佩服。「而且，玩繩子也很拿手。」

「可是，妳怎麼知道我們會來這裡？」

奇．奇瑪的問題讓咪娜像挨罵似地縮起身子。「對不起。」

「妳用不著道歉。而且，我們出來時掀起那麼大的騷動，就算待在診療所也會聽到。」卡姿咧嘴一笑。「妳聽說小亘隻身前往危險場所，就急得坐不住了吧，小姐。」

第十章 第一顆寶珠

咪娜那張貓臉上沒有覆蓋白毛的部位霎時通紅，小亘也感到臉頰發燙，這才發覺自己跟咪娜還牽著手，連忙把手一鬆。

「哈哈哈，小朋友也懂得害臊啊。」卡姿揚起下巴哈哈大笑。「你看你，臉都紅了。」

「別笑我了啦！」小亘惱羞成怒正要提出抗議時，突然一道炫目的光線射入眼簾，不禁有點慌亂。

「這是什麼？」奇．奇瑪大叫。「小亘，在你的上衣裡！」

他說的沒錯。在上衣內側、胸口附近正發出閃閃白光。

小亘赫然醒悟。是那顆珠子！他抓著繩索爬上來時，爲了怕弄丟，臨時放進上衣內。他伸手取出，珠子從指縫間漏出溫暖的光芒，接著離開小亘的手，以違反地心引力之姿飄浮在半空中，逐漸飄向必須仰望的高度，發出更耀眼的光芒，接著，那團白光幻化成一名穿白袍的女性。包括小亘在內，每個人都仰著脖子瞪大眼睛，連話都說不出來。

身穿白袍的幻影女子，看起來像是一名很年輕的僧尼，嘴角掛著微笑。她的眼眸一轉，凝視著小亘。

在小亘心中，聽到了年輕女子溫婉優雅的聲音。

（是你釋放了我吧。謝謝你，我眞心感謝你。）

小亘只能拼命眨眼。

（多年以來，我受制於卡庫塔斯·微拉的邪惡力量，被關在那個湖底。卡庫塔斯·微拉想利用我，把我帶到了地底，但我絕不原諒那個男人，也不答應那個男人的所作所爲。那個男人爲了滿足統治眾人、君臨眾人之上、受人膜拜的強烈慾望和邪惡的虛榮心，欺騙了無數人，不僅殺了他們，還把他們失去肉體的靈魂關在洞窟內，命令這些亡魂爲他服務。由於你釋放了我，使得那些無法逃離該處的亡魂也獲得拯救，此地終於可以得到淨化。）

小亘朝著發光女子的幻影搖搖晃晃地向前走一步。「妳是……什麼人？」

幻影女子，臉上浮現充滿慈愛的笑容。

（我是女神的神力之一，癒療精靈，白色力量。）

「癒療精靈……」

幻影女子雙手在胸前合掌做出祈禱的姿勢，閉上眼睛。

（同時，我將爲女神召喚的勇者開路。）

白光霎時變得更耀眼，接著開始收縮成一個光點，小小的，宛如星星，降落到小亘眼睛的高度，小亘伸出雙掌，接住那團白光，一顆指甲般大小的珠子在手中瞬間放出強光，然後靜止。

「這是第一顆寶珠。」小亘低語。

他任由珠子停在左手，然後拔出勇者之劍。劍鍔上星形雕刻最頂端的小洞突然銀光一閃，寶珠似乎在呼應它，跟著閃了一下，而後牢牢地鑲嵌在那個洞裡。勇者之劍，從內部靜靜綻放白光。也許是錯覺吧，劍身看起來好像變長了，同時也變得更輕了。

（這把劍，會跟著你一起成長。）

拉烏導師的話在耳畔深處甦醒。

在場沒有人說話。不知不覺，東方的天空開始泛白，漫天塵土也靜止下來，黎明的曙光使地平線變成一條閃亮的白線，新的一天即將開始。

咪娜小聲叫道：「啊！」

這次，輪到她的胸口發光，就在咪娜穿的粉紅色衣服底下，雖然遠比寶珠的光芒微弱，但溫暖的色調很相似。她從胸口取出一面如粉盒般小巧玲瓏的圓鏡，上面還繫著皮繩，掛在她的脖子上。

「這個……」咪娜瞪大了眼。「是我當作護身符的鏡子。」

「鏡子？」小亘連忙靠近她，勇者之劍再度發光，鏡子內側也溢出光芒。如此說來……這該不會就是……

「這個，該不會是『眞實之鏡』吧？」

咪娜聽到小亘的話，盯著鏡子點點頭。「嗯，這是我爸媽給我的，據說這是我們族人代代相傳的家族護身符。」

奇・奇瑪往小亘肩膀啪地一拍。「接下來，只差找出圖案了，小亘。」

不用主動找，眞實之鏡也會找到小亘，拉烏導師說的果然沒錯。小亘點點頭。

然後，當這一行人開始攀登岩場準備回嘎薩拉之際，走在前頭的托隆，一手叉腰俯瞰著底下說：「看樣子，不用找了。」

地面崩塌之後，教堂遺跡的樣貌驟然改變，滿地的瓦礫和塵土細砂形成了一個圖案，與勇者之劍一模一樣。

小亘一站在圖案中央，掛在他脖子上的那面眞實之鏡就開始發光。明明沒有人告訴他該怎麼做，他卻很自然地拔出勇者之劍，舉到頭上，閉上了眼。

劍尖劃過之處閃出光芒，接著地面上的圖案也開始發光，白色、紅色、藍色，又變回白色，最後發出金色光芒，然後圖案就消失了。

小亘睜開眼。

好黑，四周一片漆黑，他連自己站的地方都看不見，無論前後左右，連緊握在手中的勇者之劍，甚至自己的鼻頭都看不見。唯有胸前的鏡子在發光，而那道光芒筆直向前延伸，形成一條隧道般的光之甬道。

小亘邁步走進甬道。就他一個人，連腳步聲都聽不到，光之甬道外是無盡黑暗，或許這正是拉烏導師所說的，在兩個次元之間的久遠谷。

最後，前方出現的不是別人，正是那位拉烏導師。小亘連忙跑過去。

「導師大人！」

拉烏導師看起來心情不太好，好像有點無聊。

「你可讓我等眞久。」他邊打呵欠邊說。「才找第一顆寶珠，就費了這麼多工夫。」

「對不起。可是發生太多事了，我的頭快昏了。」

「算了，沒關係。」導師終於莞爾一笑。「沿著這條光之甬道走一會兒就有出口，再過去就是現世了。」

小亘很緊張，他感到喉嚨乾乾的。

「這條路會通往你現在想見的人所在的場所，應該不會迷路。快，快去吧。」導師推著小亘肩膀。「不過，你可別忘了。當你聽見光之甬道傳來叮、咚、鏘的鐘聲時，就是在提醒你該回來了。那個鐘聲起先悠揚和緩，隨著時間迫近，會越響越急。這時，你必須用跑的，否則甬道一旦消失，你就會墜入久遠谷。」

導師捏捏下巴。

「我也該走了，不等你回來了。你只能依賴鐘聲，千萬要注意，豎起耳朵仔細聽。」

「是，我知道了。」

小亘小跑步往前走。最後，在不遠處出現某個白白的東西，是甬道出口……，那裡有白色的東西，好白……

是醫院的病床。

小亘在病房裡，眼前是睡著的媽媽邦子。小亘站在媽媽的枕畔，這間病房是雙人房，不過隔壁床空著，只有媽媽一個人。燈是關著的，窗簾外是夜空，從窗口稍微向外看，大約有三層樓的高度，可以看到整排路燈。「幻界」和現世的時間果然有落差。

「媽！」小亘小聲喊。媽媽睡得正香。

跟他出發前往幻界之前相較，媽媽看起來似乎毫無改變，只是變得更瘦削。床頭板掛著寫有主治醫生名字和入院日期的牌子，是內科醫生，入院日期是媽媽開瓦斯自殺的那一天。

大概是有人叫了救護車吧。

太好了。他感到膝蓋發軟。啊，太好了，謝謝那個好心人……

好像應該把媽叫醒說明原委，小亘就是爲了這個才回來的，可是不知爲什麼，他既說不出話也碰不到媽媽。異常難過的情緒和「至少媽現在睡得很香，在醫院裡受到保護，所以已經不要緊了」的安心感混雜在一起，令他百感交集。

枕畔擺著插在牛奶瓶中的紅花、面紙盒，床腳邊有個紙袋。探頭一看，裡面放著毛巾和包妥的內衣，還有媽媽的皮包。

小亘在皮包裡找到媽媽的通訊錄記事本和一支小小的原子筆，他從記事本上撕下一張紙，在上面寫道：

我很好，沒事，我一定會回來的，請耐心等我。　小亘

他把便條紙摺成小小的，放入媽媽手中，然後在瞬間緊握著媽媽的手，媽媽嗯了一下，輕輕地翻了個身。

小亘等了一會兒，可是媽媽沒有醒來。此時，傳來叮、咚、鏘的鐘聲。

有誰來看過媽媽嗎？千葉的奶奶和魯伯伯呢？小田原的外公外婆呢？大家一定都很擔心吧。爸爸呢……

小亘一想到爸爸，投入幻界冒險之旅的這段期間原已忘懷的情緒又在霎時甦醒，幾乎擊倒了他，他只能雙手握拳，默默地等待心中的風暴平息。

比剛才更急促的鐘聲響起了。

要等我喔！一切一定會好轉的，我一定會讓情況好轉的。一定，一定，我一定會抵達命運之塔的。小亘在心中如此低語，轉身離去。

第十二章
咪娜

小亘一跑回光之甬道，不知不覺已經回到了圖案所在的那個教堂遺址。明明用跑的，卻不喘也沒流汗。

岩場上，奇．奇瑪靜靜地佇立著，旁邊就是咪娜纖細的身影。在荒地的黎明逐漸展露的曙光中，兩人的臉孔形成陰影，看不清楚表情。小亘默默地爬上岩場，奇．奇瑪和咪娜互望了一眼，然後奇．奇瑪默默搖頭，或許是在暗示咪娜「最好什麼都別問」吧。

「卡姿和托隆已經先回去了。」他用一貫開朗的語氣說。大概是在小亘面前故意裝做若無其事的樣子吧。「我們也回去吃早餐吧。」

於是他們邁步走過岩場，埋頭前進並留意腳下的動靜，不知不覺天已經大亮。小亘回頭望著荒地、草原、岩場，望著「幻界」大地，吹過草原的風刺痛了他的眼睛。會流淚，都是因爲這陣風，小亘這麼告訴自己，因爲景色太美——霎時他的腦海閃過一個念頭，絕不是因爲也想讓躺在病房裡的媽媽欣賞所以才落淚，因爲我已經不是愛哭鬼了。

即便如此，小亘還是滿臉淚痕，眼淚不聽使喚地滑落臉頰。奇．奇瑪停下腳步，守望著這樣的小亘，然後才又開始緩緩邁步，他用眼色告訴咪娜：「就讓他盡情地哭吧。」

咪娜原本跟在奇・奇瑪後面，但她遲疑了一下又悄然回到小亘身邊。

「小亘，你見到你媽了嗎？」

小亘嗯了一聲，用力點頭，抬起手臂狠狠地擦臉。

「是嗎，太好了。」咪娜溫柔地輕撫著小亘的背。

「可……可是她在睡覺，所以……沒說上話。」小亘哽咽著說。「況且要在短時間內說明這麼多事，實在太難了。」

「說的也是。不過，小亘媽媽一定會明白的，即使在睡覺，也一定能感覺到小亘來過。」

小亘揉揉眼睛，回頭看咪娜。對方像是鼓勵他似地微笑。

「做媽媽的，聽說都是這樣，即使分隔兩地，心靈還是能跟小孩相通。所以小亘，你要打起精神。如果垂頭喪氣，你媽一定也會感受到。好嗎？」

小亘眨眨眼，滴落最後一顆淚珠。「嗯！」

教堂遺址的井水經過診療所醫生的分析，確定含有驅蟲劑的強力農藥成分。此外，醫生聽說小亘在地底下的祭壇發現了大批信徒的骨骸，表示也想檢驗一下。

「檢驗骨頭很可能會發現有殺蟲劑的殘留，因爲他們可能都是喝下那種水才死的。這麼一來，至少可以揭穿卡庫塔斯・微拉假『治療』之名在那裡進行的勾當。」

「事到如今，好像有點於事無補。」

小亘回想當時的經歷，忍不住一邊打哆嗦一邊咕噥。可是醫生豎起雙耳，鄭重其事地說：「的確，就算事後做再多調查，也無法讓他們起死回生。可是，如果能揭發更多事實，讓大家知道卡庫塔斯·微拉到底是什麼樣的人，那麼下次再有這種傢伙出現時，或許大家就不會受騙了。」

咪娜原本已經癒合的傷口，經過洞窟這番大顯身手，舊傷又有點裂開。她被醫生罵了一頓，背上還被塗了一種會刺痛的藥，惹得她哇哇大叫。不過，跟剛見面時比起來，她已經變得開朗多了。

咪娜是從哪來的？爲何會跟北方的安卡族難民少年在一起？爲什麼她的身手如此矯捷？還有，爲什麼她會把眞實之鏡當作護身符掛在身上？小亘心裡有一大堆疑問，於是那天下午，他和奇·奇瑪一起來到咪娜的病房。

而咪娜或許也察覺到小亘對許多事情都充滿疑惑吧。

「像我這樣，就是所謂的隱瞞身世吧！」她顯得有些羞澀，但還是主動回答。「在南方大陸，原本就沒有所謂的喵族。」

三百年前，嘉瑪·阿格里亞斯一世在北方大陸的那場內戰中成爲勝利者，建立了現在的統一帝國，由於他採取偏激的安卡族中心主義對各族施壓，當時有爲數更多的難民紛紛冒著生命危險逃到南方。

「我的祖先也是這樣逃過來的。現在，南方大陸的喵族大部分都是當時那些難民的後代子孫。」

咪娜的祖先們在商業國家波古落地生根，據說咪娜的曾祖父極有生意頭腦，從事農產品批發生意非常成功，全族過著和平富裕的生活。

「喔？那咪娜是千金小姐囉。」

奇·奇瑪的讚嘆令咪娜害羞一笑，但笑容隨即消失，那雙寂寞的眼眸凝視著半空中，像在搜尋遙遠的過去。

「在我七歲那年，我記得當時的天氣非常熱。我們……包括我爺爺奶奶爸爸媽媽，一共五個人，住在郊外某個小湖畔，就在那裡……有天晚上……遭到攻擊……」

因爲咪娜當時還太小，所以她也記不得詳細經過，只記得半夜突然被媽媽叫醒，然後媽媽厲聲叫她躲在床底下，在爸媽沒來找她之前，不管發生什麼事都不能出來，即使聽到有人喊她的名字也不能應答，當時媽媽露出她從未見過的猙獰表情，而且似乎也很害怕，然後……

「那時，媽媽就把這個給了我……」

咪娜輕觸脖子上的眞實之鏡。

「她叫我帶著這個，說這是我的護身符，還叫我一定要珍惜。看到媽媽眼中有淚，我怕極了，吵著要跟著她，可是她已經走出房間。」

幼小的咪娜聽從囑咐一直躲在床底下。寬敞的家裡，傳來陣陣踱步聲，又有人怒吼，還有此起彼落的尖叫聲，她雖然怕得要命，但還是忍住哭泣蜷縮成一團。

小亘想起媽媽在毆打爸爸的情婦掀起騷動時，自己也是躲在床底下嚇得縮成一團。當然，兩者狀況截然不同，當時的他只是想逃離眼前的糾葛，毫無生命危險。即便如此，他還是覺得多少能夠體會咪娜的感受。

「然後，我聽到三、四個人的腳步聲，在家裡四處奔跑。」咪娜小聲繼續說。「好像在找什麼。全都是男人，他們彼此大聲問答，我還聽見某人對某人下達命令，我更害怕了，連氣都不敢吭，在床底下縮成一團。」

可能是沒找到目標吧，侵入者開始破壞屋裡的東西，掀翻家具。咪娜耐心地躲著，最後，屋內開始飄出一股煙味。

「我偷偷從床底下爬出來，探頭察看走廊，我看到火焰，到處都著火了……」

這時，屋外的遠處傳來猛烈的敲鐘聲，是消防隊！

「我跑到陽台一看，消防車正朝這邊駛來，我完全沒發現天快亮了，亮得足以看到車輪揚起滾滾灰塵。」

咪娜被消防隊救了出來，但大火吞噬了整間房子，根本來不及搶救。事後在火場中找到了咪娜的爺爺與奶奶的屍體，卻找不到她爸媽。

「大人告訴我，強盜殺了我家人、偷走財物，在我家放了一把火就跑了，還說我能獲救算是不幸中的大幸。」

咪娜一家住的地方與熱鬧的城鎮不同，左鄰右舍離得很遠，現場也沒有目擊者，當地分局似乎只能根據咪娜的證詞，做出這樣的結論。

「可是如果真是這樣，那我爸媽在哪裡？我怎麼也想不通，而且闖入我家的那些男人似乎在找什麼，那跟我媽交給我的護身符有沒有關連，這讓我耿耿於懷。」

咪娜被一個在波古首都蘭卡做生意的親戚收養，即使過了好幾年，她還是忘不了那起事件。那晚到底發生了什麼事？爸媽怎麼了？現在是不是還活著？她有一股衝動想要找到他們、揭開真相，終於在十一歲那年，她逃出了親戚家。

「我這人真的是很莽撞。」咪娜羞澀地笑了。

「就是啊。」小亘也笑了。「妳有地方去嗎？」

「完全沒有。不過，當時正好有一個大型馬戲團到蘭卡表演。收留我的那個親戚，除了批發食品也經營餐廳，他還招待了大批重要客人去看馬戲表演，所以我也經常進出馬戲團，也跟團長見過面。」

於是咪娜動起了腦筋。如果跟著馬戲團就可走遍全國各地，不僅能打聽很多情報，還可以認識許多人，倘若老是待在同一個地方，過去的謎團永遠解不開。若是在旅行的過程中，說不定能找到什麼線索。

「於是，我就主動找上團長，說明原委，懇求他收留我在馬戲團工作。」

幸好，這個布布賀團長很有人情味，很快就答應了咪娜的請求，他唯一的條件就是咪娜必須在馬戲團好好工作，還得繼續學習讀書寫字。

「馬戲團啊。難怪妳身手這麼矯健。」

奇・奇瑪兩手一拍，恍然大悟。可是，小亘還是有些疑問無法釋懷。

「咪娜，妳一直待在那個馬戲團喔！」

「嗯。那個馬戲團叫做艾蕾歐諾拉飛天馬戲團，招牌秀是安排特技員在極高的地方盪鞦韆、表演空中雜耍。團名也是由此而來。」

咪娜看起來有點得意。

「我也會用繩索表演空中雜技喔。是團長先生親自教我的，還蠻受歡迎的喔。」

「妳跟那些安卡族少年是在哪認識的？怎麼會跟他們在一起？妳好像一直受他們控制。」

咪娜的表情頓時一沉。「那是因為……我自己太笨了。」大約一年前，那些少年還在波古國內的難民收容所裡，艾蕾歐諾拉飛天馬戲團曾經去做過表演，咪娜就是在那裡跟他們認識的。

「那些小孩說……從北方逃來之前，他們的父母是異族管理局的官員，所以知道很多不為人知的事。」

所謂的異族管理局，據說是北方帝國的某個政府機構。在北方，安卡族以外的種族統稱為「異族」，他們的日常生活都由這個管理局掌管。

「什麼狗屁管理。」奇．奇瑪忿忿不平地撐大了鼻孔。「政府沒收個人財產，把人關進收容所強迫勞動，這算哪門子的管理！我聽水人族的難民說，政府強迫他們興建風船、做維修，卻連個像樣的工具都不給他們，要他們不眠不休連續工作二十四個小時。每天都有五到十個人累倒，不但沒有送醫，也沒有做藥物治療。聽說如果身體太虛弱，就任由他們在野外風吹雨打，一旦死了就扔進海裡！有人還親眼看到這麼死掉的水人，屍體堆積如山！」

咪娜垂著眼點點頭。「我也聽過很多類似的說法。」

「那兩個人說他們知道什麼？」小亘催促她。

「據說北方帝國會偷偷綁架逃往南方的異族子孫，把他們帶回北方。」咪娜的聲音有點顫抖。「據說從二十年前就開始了，那兩個小孩的父母就是在收容這種肉票的特殊機構裡工作，所以才會知情。」

小亘和奇．奇瑪面面相覷。

「那兩個小孩聽了我的遭遇以後，說我爸媽一定也是被抓回北方，所以火場裡才會找不到他們的屍體。我也覺得這就是我苦尋已久的答案，爸媽說不定都在北方帝國，說不定還活著。」

咪娜的眼神發亮。

「可是，北方帝國政府爲什麼要做這種事？」

「不知道。那兩個小孩不知道詳情，不過，有一個較早偷渡的難民是他們父母以前的上司，說不定比較清楚，只要見到那個人應該可以打聽到很多消息，所以我就……」

「嗯嗯嗯。」奇・奇瑪沉吟。「於是妳就相信他們說的，幫助他們逃走是嗎？然後在他們的花言巧語下一起犯案？」

咪娜沒有回答，頭低得幾乎看不見臉。這就是她的答覆。

「那，那個飛天馬戲團的人現在一定也很擔心妳。」小亘說。「妳是不告而別的吧？」

「嗯！如果說出來，我猜他們一定會阻止我……」

「那是當然囉，要是我也會阻止妳，妳居然會把那種小鬼的話當眞，咪娜妳果然是個千金小姐。」

奇・奇瑪大概只是想取笑她，咪娜卻滿臉羞愧。

「不過，我還是打聽到一點消息。那兩個小孩也不全是瞎掰的。」

據說是名爲「席格朵拉」的特種部隊以一種難以理解的暴行將逃往南方的難民強制押回。

「那些人是軍人嗎？」

「跟帝國軍無關。雖然現任皇帝阿格里亞斯七世與帝國統帥阿賈將軍是從小一起長大的，但聽說交情不太好，這一點即使在北方國民之間……當然不敢大聲張揚啦……但是大家都知道。」

在北方帝國，據說相當於這裡的修騰格爾騎士團與高地人的治安組織，隸屬於帝國軍的下級機關，沒有獨立的權限。於是阿格里亞斯七世自行組織了一支特種部隊，不用經過阿賈將軍的授權也能直接接命令這支軍隊。這就是「席格朵拉」。

奇．奇瑪長長的舌頭往頭頂舔了一下。

「怎麼了？你的表情怪怪的。」

「嗯，因爲我覺得這名字很討厭，居然叫什麼『席格朵拉』。」

北方帝國認爲創造幻界的神是老神，女神只是欺騙老神的僞神，並把主張這種說法的「老神信仰」奉爲國教。

「席格朵拉，就是老神發現被女神欺騙之後，挾怒返回時，身邊跟隨的怪物名字。據說它有三個毛茸茸的腦袋和六隻腳，尾巴末端分叉各有一個蛇頭。原本，在我們水人族的傳說中，那只是一種棲息在深淵、專吃迷途者靈魂的醜陋野獸。」

「有三個頭……六隻腳……」

「它總是餓得驚人，什麼都吃，一旦發現獵物，就算追到天涯海角也絕不會放過。所謂的席格朵拉，在古老的安卡族語中，就是『不祥的獵犬』之意。」

咪娜的父母，被這個隱喻著可怖怪物的組織抓去了……

「小亘，我想拜託你一件事。」咪娜的大眼睛看著小亘。「你能不能帶我去旅行？」

小亘被她這麼認眞盯著，不禁臉紅，心臟也撲通亂跳。

「啊？去……去旅行？妳要同行？」

「拜託拜託！我保證，我一定幫得上忙！如果跟著你，比起跟馬戲團旅行，我可以走得更快更遠，對吧？所以……」

咪娜邊說邊靠近。小亘嚇得頻頻退縮，差點從椅子上跌落。

奇・奇瑪露出特大號笑容，一把抓住小亘後頸。

「可愛的小女生這樣拼命拜託，怎能扔下人家不管嘛，對吧小亘？」

「呃，嗯。」小亘抹去臉上的汗水。「況且咪娜還是我的救命恩人呢。」

「太好了，謝謝！」

咪娜高興地跳了起來，但小亘又說：「不過咪娜，在我們出發之前，妳應該先通知飛顛馬戲團，讓他們知道妳平安無事。」

「是飛天馬戲團啦。」咪娜吃吃笑。「不過，小亘說的沒錯。」

「那，妳看這樣好不好？我們一起去找那個什麼飛天馬戲團。這樣咪娜可以見到團員，小亘也能趁機收集新的情報，這個主意不賴吧？」

第十三章 在瑪奇巴鎭

等到咪娜的傷勢完全康復，他們三人就離開交易之城嘎薩拉。奇．奇瑪特地挑選擅長山路與長途旅程的達爾巴巴，把卡姿準備的少許日用品裝在載貨台上。一路上當然是由奇．奇瑪駕駛，不過在路面平坦的地段，小亘也學著駕馭達爾巴巴。

坐在載貨台上的咪娜悠哉地欣賞風景，不時還以令人驚豔的美聲高歌一曲，那旋律和小亘爸爸在現世家中聽過的中南美音樂「Folklore」頗爲相似，時而哀怨時而奔放，讓三個人的旅途好不熱鬧。

咪娜離開飛天馬戲團也快一年了，就她的記憶所及，團員現在應該正在波古的某處表演。按照嘎薩拉的直線距離，小亘一行人決定先去最接近那哈特和波古國界的瑪奇巴鎭。瑪奇巴是一個佔地雖小但畜牧業盛行的城鎭，小亘在嘎薩拉吃過不少肉類料理，據說主要都是由這裡供應食材。

「波古在四國之中是面積最小的國家，飛天馬戲團的公演無論在哪裡都大受好評，如果他們現在正在波古的某處，我想消息一定也會傳到瑪奇巴附近。」

瑪奇巴鎭的建築物以紅磚和原木搭建的簡樸房舍爲主，正如咪娜所料，他們在造訪的第一家達爾巴巴屋，打聽到風格華麗、藝高膽大的飛天馬戲團早在四天前經過瑪奇巴，而且公開表示將在瑪奇巴往北翻越一個山頭的某個湖畔紮營，並爲那一帶的村落、行旅商人、在野外獨自觀星的讀星台學生及在邊境工作的關卡人員舉行一場優待的特別公演。

「哇，太好了！」咪娜拍手慶幸。「沒想到就在這麼近的地方！」

「你們看過那場表演嗎？」

對於奇・奇瑪的問題，達爾巴巴屋的人們紛紛搖頭。

「沒人看過。不只是我們，瑪奇巴鎮沒有人有那個閒工夫看表演。」

據說是因爲山上失火了。這家店的老闆指著城西往西南方向一帶的連綿山巒。

「只有那一片山燒得精光，對吧？別座山都沒有那麼嚴重，原本現在正是綠意盎然的季節。」

原來如此，老闆說的沒錯。大約有三座小山那麼大的面積變得光禿禿的，相當殺風景，山坡的土壤層都裸露出來了。

「是嗎，那都是火災燒過的痕跡啊？」

老闆聽到小亘的話，連忙搖著手說「不不不」，接著用興奮的語氣說：「如果只是普通的山林火災，就算燒得再厲害，山坡上的樹木和草皮也不可能完全消失吧？那是因爲發生了更嚴重的事。」

除了城外西南方失火的群山，瑪奇巴四周的景色綠意盎然，遼闊無垠的草原上還有許多牧場。放眼望去，圈養家畜的木柵欄簡直像塡字遊戲的方框，裡面有許多很像羊的動物。畜牧業者的倉庫和貯藏室散見各處，尖聳屋頂的頂端閃著亮光。

「這裡飼養的動物叫做穆馬。」奇・奇瑪指著畜圈內群集的白毛動物說道。「肉質鮮美、毛皮強韌可以加工製成各種產品，而且不易生病繁殖力強，好處多多。」

達爾巴巴屋的老闆點點頭。「咱們瑪奇巴鎮都靠這些穆馬吃飯，穆馬的飼料則是山腳下盛產的牧草。這片綠色對瑪奇巴的畜牧業者來說，是有錢也買不到的珍寶。」

三天前的半夜，那座山頂附近突然起火，不巧強烈的南風吹下斜坡，使得火勢一發不可收拾，消防隊連火場都很難靠近。爲了避免延燒，只能把山腰到山腳一帶的樹木砍倒。鎮上的居民爲了把受驚嚇的穆馬趕離火場，全體出動搞得人仰馬翻。

然而，延燒速度太快，只見火勢越來越猛烈。

「天亮時，情況未見改善，再這樣下去，不僅西南方的山會燒光，就連東邊的山也會波及，大家嚇得半死，到時候連瑪奇巴鎮也會有危險，搞不好整個城鎮都被燒毀。雖然我們叫老弱婦孺往鎮北逃，剩下的鎮民聯手滅火，但傷患越來越多，我們已經束手無策，甚至無法減弱火勢。那股熱風好像火龍的鼻息猛烈地往下吹到山麓，漸漸地，我們連站都站不穩。」

這時……，一名在瑪奇巴鎮唯一的旅館留宿的魔導士自告奮勇要處理，他說他有辦法撲滅這場山林大火。

「但是他又說，他的方法可能會使那些燒過的山麓有好幾年長不出牧草，問我們在不在乎。」

達爾巴巴屋的老闆用手指搓搓鼻下，聽他講到這裡才發現他的襯衫底下隱約可見繃帶一角，手臂上也有燒傷的痕跡。

「如果放著不管，西南部的牧草地全都籠罩在熱風中，最後還是得報廢。到時候，說不定過了好多年也沒辦法復原。既然如此，不如接受那個魔導士的提議。你說是吧？」

老闆環視著小亘他們，咧嘴一笑。

「可是，我們……應該說，以鎭長爲首的鎭上大老們，一時沒辦法決定，因爲那個魔導士是個小孩。」

達爾巴巴屋的老闆粗大的手指指向小亘。

「大概像小兄弟你這麼大的安卡族小孩。剛開始讓大家比較驚訝的，反而是他沒被帶離避難，竟然還留在旅館裡。」

小亘瞪大了眼，不由得向前一步。「那個魔導士是不是穿著黑色長袍？腰上繫著皮帶，還拿著一根頂端鑲有晶亮石頭的黑杖？」

這次輪到老闆一臉驚訝。「小兄弟，全讓你說對了，你認識那個小小魔導士嗎？」

奇・奇瑪默默地從背後用力抓緊小亘肩膀，插嘴說：「對了老闆，後來到底怎樣？你們就交給那個魔導士處理嗎？」

「啊？噢，是的。」達爾巴巴屋的老闆點點頭。「那時，即使待在鎭上也熱得讓人受不了，感覺頭髮和衣服都要著火了。不過，當時誰都沒有把『那就拜託你』說出口。正當大家畏畏縮縮不知如何回答之際，那個小小魔導士說：『傷腦筋，眞是一群麻煩的人。』然後就往失火的群山方向走去了。」

小亘很高興，果然是美鶴，這不正像是那傢伙會說的話嗎。

「後來怎樣了？」咪娜探出身子。

「喔，那魔法可厲害了。」老闆的鼻頭冒汗。「現在回想起來還覺得眼花撩亂呢。他右手持杖，左手在空中寫字，還像大聲像唱歌一般有節奏地唸著聽不懂的話。」

當時，最先出現的是龍捲風，它就突然出現在燃燒的西南山嶺上空，籠罩了整座山。

「龍捲風把燃燒的群山封住，直到山麓部分。我們四周的空氣突然降溫，變得一點也不熱，那股熱風也消失了。」

魔導士一揮杖，手杖頂端的寶石便發出光芒，耀眼得幾乎無法逼視，眾人不由得蒙住雙眼，這時一頭青龍凌空而出。

「我看到了，親眼看到了，那就是傳說中的海龍大仙。沒錯！」店老闆握緊拳頭激動地說。「那個魔導士手杖上鑲的石頭，一定蘊藏了海龍大仙的神力。」

青龍扭動長長的軀體，繞著封鎖烈焰的龍捲風不停地打轉。這時，龍捲風內側開始注入清澈的水，然後化為細沫再變成雨水，降落在瑪奇巴鎮上。

「接著，龍捲風開始移動。」

它離開山區，騰空浮起，移往海上，移往再大的地獄之火也能熄滅的遼闊海洋。

「大家像傻瓜般地愣在那裡，等我們察覺撿回一條命時，天已經亮了。小小魔導士也消失了，只剩下那座禿了頂的山。」

據說鎮民至今仍然亢奮不已，只要一碰面都會提起這件事。所以，你們如果想知道更多細節可以四處問問。老闆如是說。

事實上，用不著他們主動問起，瑪奇巴鎮上的人全都沉迷於談論這件事，一看到小亘他們這些外來客，就抓著他們談起這件事。等他們在旅館安頓下來時，已經對於事情經過瞭如指掌。

小亘很興奮，高興極了，在聽別人敘述的過程中，好幾次都差點脫口而出：「那個小小魔導士是來自現世的旅人，是我的朋友。」可是，奇．奇瑪每次都會無言地阻止他。後來，奇．奇瑪在旅館房間是這麼說的：「之前在嘎薩拉鎮是因爲事態演變身不由己，但是今後，你的『旅人』身分，最好盡量避免讓其他人知道，萬一搞得人盡皆知，說不定會有危險。」

小亘這才稍微冷靜一點。接著他想起拉烏導師說過的話——不能去找美鶴。

「奇怪了。導師大人說過，我跟美鶴的幻界是截然不同的世界。他還說，幻界會隨著旅人變換模樣。」

咪娜傾起纖細的脖子。「說不定，你跟你朋友……他叫美鶴是嗎？兩人的年紀還小，所以可以一起旅行？」

「不會吧。如果是這樣，拉烏導師大人應該一開始就會告訴我了。」

「如果事先告訴你，驚喜不就減半了，還是你自己發現的感覺更棒，所以導師大人或許是故意跟你說反話。」

咪娜的話打動了他的心。「如果有美鶴同行，那我大概輕輕鬆鬆就能到達命運之塔，因爲那傢伙的魔法眞的很厲害。」

咪娜笑了。「你也有你拿手的本領呀。上次逮捕那兩個威脅我的人，你不就沒有使用魔法。」

在旅館裡，山林大火和年幼的偉大魔導士比火災的話題更「火熱」，甚至有些鎮民沒事也特地跑來旅館跟房客談論這件事。在你來我往的交談中，小亘還聽到那個小小魔導士在火災發生之前，曾打聽過前往波古西北部歷歷斯鎮的路線。

「那個歷歷斯很遠嗎？」

「如果想直走會很辛苦，因爲中間隔著一條格蘭岱拉河，水流太湍急無法搭橋，天候不佳時連船隻都沒辦法出航，如果運氣不好恐怕要等很久。比較保險的走法是先翻越南邊的山，從西南部繞一圈過去，因爲這樣走陸路也行。」

如果要先翻越南邊山頭，就會經過飛天馬戲團表演的地方，這下子正好。雖然導師大人那樣說，但小亘還是很想去追美鶴，於是他找奇・奇瑪商量。

奇・奇瑪笑咪咪地說：「既然如此，那就試試看吧。好不容易打聽到消息，況且我也有點好奇你朋友是什麼樣的『旅人』。」

在場的客人紛紛議論著山林大火的原因，有人臆測也許是早一步離去的飛天馬戲團拔營時沒把火苗熄滅，這下子可惹惱了咪娜：「布布賀團長對這種事情向來很小心，這是絕對不可能的！」

這下子，小亘和奇・奇瑪還得花一番工夫安撫大發雷霆的咪娜哩。

2
book

第十四章
飛天馬戲團

綠林彼端傳來熱鬧的音樂，隨風搖擺的樹木，似乎也正配合著充滿節奏的鼓聲愉快地晃動著。

我們啊　與旋風爲伍
我們啊　與旋風共舞
放眼天下　古今獨步
獨一無二
飛天馬戲團
請看　睜開您的眼睛
請看　爺爺奶奶找回青春
請看　小朋友們也最喜歡
艾蕾歐諾拉飛天馬戲團
我們的表演　即將開始

「哇～」咪娜的笑顏如花朵般綻放。「是帕克他們在唱歌。」

森林很茂密，樹木高聳參天。小亘緊跟著咪娜雀躍的步伐走了一陣子，來到某處視野豁然開朗，他忍不住發出歡呼聲。

在倒映著藍天的湖面上，搭了一座大型的水上舞臺，幾根支架上掛著鮮豔的東西，仔細一看，原來都是身輕如燕的大人和小孩。他們穿著五顏六色的服裝，站在高高的踏腳台和柱頂上，有的懸空垂吊、有的單腳站立，個個身手俐落，正在搭建舞臺。這期間還一直以完美的合聲歌唱，光是這樣就好像觀賞了一場有趣的表演。

「小亘，你看，那就是我以前坐的鞦韆！」

咪娜手指之處，是一座用細鐵絲纏繞而成、狀似新月的鞦韆，在整個舞臺上看起來高出一截。

「哇，這可真是壯觀！」

也許是奇・奇瑪的讚嘆聲太響亮，隨著吹過湖面的清風傳了過去吧。一名正在咪娜的鞦韆旁工作、身穿鮮紅衣裳的小人兒轉頭看著小亘他們，接著高叫：「啊，是咪娜！」

咪娜也對他揮手。「帕克！」

「喂，咪娜回來了！」

穿紅衣的小人兒用宏亮的童音一邊叫著，一邊跳下高台。正在工作的其他人也停下手，紛紛看著咪娜和小亘他們。歌聲停止，取而代之的是此起彼落的呼叫聲和質問聲──咪娜，咪娜妳回來啦、妳跑到哪去了，害我們擔心死了……。咪娜朝湖畔跑去，小亘他們也緊隨在後，三人被一陣熱情的歡迎包圍。

「我不告而別，眞的眞的很對不起大家。」

咪娜含著淚光低頭道歉。一隻如團扇般的大手輕撫著她的頭。

「雖然看了妳留的字條，但我們還是不瞭解情況，所以都很擔心妳，幸好妳平安無事。」

艾蕾歐諾拉飛天馬戲團的團長布布賀，體型比奇．奇瑪大了一號。小亘覺得他的臉看起來很像現世的豬先生，那張臉威嚴十足，不過笑起來讓人產生一種難以言喻的安心感。他的年紀，如果按照現世人類的說法，大約有五十歲，可是長年鍛鍊的精壯體格，身上連一公分的贅肉都找不到。

那個咪娜稱作帕克的少年端坐在團長身旁，他比小亘他們年紀還小，頂多只有小學一年級吧，一頭紅髮如燃燒的火焰，滿臉都是雀斑。本以爲他是安卡族小孩，仔細一看他身後還拖著一條長長的灰尾巴，一雙看似機靈的眼睛閃閃發亮，環視著咪娜和團長，尾巴還一直動個不停。

「咪娜不在的這段期間，我啊，一個人學會了各種技巧喔。雖然很寂寞，但我還是耐著性子努力練習。」團長和咪娜歡喜敘舊告一段落，帕克立刻插嘴。「我學會了空中三迴轉！雖然只有一次成功，但我眞的學會了。可是，團長說我要表演這招還太早。」

帕克嘟著嘴，這次輪到咪娜摸摸他的頭。「可是帕克，你變得好會唱歌，就算隔得老遠，我還是立刻認出了你的聲音，你不只會雜耍，說不定還能當歌手呢。」

「眞的嗎？」帕克跳起來。「那我也要在臺上唱歌！」

飛天馬戲團的團員們在湖畔搭起大大小小的帳棚，大家都圍坐在布布賀團長的帳棚裡，帕克就在大夥兒身旁蹦蹦跳跳，直到布布賀團長吩咐他跑腿，他才不甘不願地走出帳棚。

「傷腦筋，這下子總算可以好好說話了。」團長說著，看著小亘和奇．奇瑪的臉。

「聽說咪娜承蒙你們照顧，眞是不好意思。謝謝你們。」

小亘搖搖頭，先聲明其實是咪娜救了他，於是將之前的經過娓娓道來。他一說完，布布賀團長再次慈祥地撫摸咪娜的頭。

「原來是這樣啊……沒想到妳爸媽的事，讓妳鑽牛角尖到這種地步。」

「不是這樣的，團長，是我自己太笨，不懂得分辨那些男孩說的是眞是假。」

「所以妳今後想要跟這位『旅人』同行是嗎？」

咪娜坐直身體。「是。」

布布賀團長的小眼睛定定地看著小亘的眼眸。「旅人啊，你願意讓咪娜與你同行嗎？」

「當然。」小亘用力點頭。

「那麼，就沒什麼問題了。」布布賀團長露出大大的笑容。「不過，你們既然來了，今晚就在這過夜，欣賞一下我們的彩排。明天就要正式公演，所以今晚的彩排完全比照正式演出，你們就是觀眾。」

「哇，太好了！小亘、奇．奇瑪，你們一定要留下來看。」咪娜樂得蹦蹦跳跳，那模樣比剛才的帕克還誇張，她高興地說：「團長，那我也可以客串一下嗎？」

「我們在洞窟已經見識過咪娜的身手了。」小亘笑著說。「不過如果可以的話，我倒是很想看看咪娜的表演。」

「嗯，我也是。」奇．奇瑪也點點頭。

「那好，妳先跟鞦韆組的團員討論一下。」

布布賀團長把咪娜送出去，便帶領小亘和奇・奇瑪來到一座空帳棚。等他們安頓下來之後，一個老婆婆端著香味四溢的茶走進來。

「噢，是阿婆啊。妳想得眞周到。」

布布賀團長欣喜地招呼老婆婆進來，勸小亘他們喝茶。

「這種茶可以消除疲勞，你們喝喝看。」

被稱爲阿婆的老婆婆體型非常嬌小，滿臉皺紋，就像一團揉皺的紙。雖然是安卡族的長相，又有點像青蛙。

「我這老太婆，是特地來看旅人的。」

老婆婆說著，仔細打量小亘，讓他覺得很不好意思。然後，老婆婆劈頭就問：「拉烏導師大人還好嗎？」

「咦？是。老婆婆，您認識導師大人嗎？」

「我們認識快八百年了。他啊，從以前就不擅長雷魔法，現在還是這樣嗎？」

小亘笑了。「這我不清楚。」

老婆婆悠然地說：「你呢，是來見女神大人的。不過，如果見不到打算怎麼辦？」

「這個嘛……」小亘看著奇・奇瑪，他也很困惑。

「我以爲一定會見到，所以沒想過這個問題。」

他回答得很老實。老婆婆爽快地「哼」了一聲。

「那麼，老太婆我就沒有別的要問了。」

她當下掀開布走了出去。小亘茫然地眨眨眼，布布賀團長露出苦笑。

「對不起喔。畢竟她年紀大了。」

布布賀團長客氣地說著，鄭重轉身面對小亘。「我聽說『旅人』之路本來就很嚴苛。你也知道咪娜的命運很坎坷，如果帶她一起去，說不定旅途上會更危險。你聽那孩子提過『席格朵拉』嗎？」

「嗯，我聽說了。」

「這樣你也不在乎？」

「我無所謂。」小亘斷然點頭。「我也不知道帶著咪娜能不能幫她找到爸媽，但一路上至少可以互相幫助。」

「這樣的話，那我也無話可說了。」布布賀團長慈愛地笑了。「彩排開始之前，請你們好好休息。團裡的成員們也很希望見見兩位，你們可以自由參觀。」

小亘和奇．奇瑪恭敬不如從命，果眞四處參觀，也和團員們聊了很多。譬如團員總共有五十人，團名「艾蕾歐諾拉」，是布布賀團長亡妻的名字，這次湖畔演出之所以延期，也是因爲那場山林大火云云。

「驚人的熱風也吹到這邊，湖面波濤洶湧，別說是搭建舞臺了，連小船都划不出去。」

奇．奇瑪和水人族的團員一見投緣，還跟著學起對方的拿手好戲——活力四射的標槍舞。小亘趁他們倆耍槍弄棍之際，繼續在團員之間詢問有沒有看過一名穿黑衣的小小魔導士，但是並沒有人看過。大家還直呼可惜，嚷著好想見見這麼厲害的魔導士。

夕陽西下，滿天星斗在夜空中閃爍，彩排終於開始了。主持人說完開場白，燈光打亮了舞臺，音樂響起，跳舞女郎依序登場唱著小亘在森林裡聽過的那首歌，他看得入神，打從心底享受這場只為他們舉行的豪華演出。

照理說咪娜應該來不及練習，沒想到還是稱職地扮演了當家花旦的角色。她穿著華麗衣裳，從令人雙腿發軟的高處輕快地躍下，在兩座鞦韆之間擺盪，在空中扭身，擺出一個漂亮的姿勢，頓時令人捏了把冷汗。當她跟帕克聯手，騰空翻身從鞦韆躍向另一座鞦韆時，小亘不禁手心冒汗，兩人在聚光燈下成功落地時，小亘猛力拍手拍得都發疼了。

最後，咪娜在臺上一邊撒花一邊高歌，臉上充滿了快樂的表情。小亘不由得這麼想，其實咪娜不去旅行，一直留在這裡應該更幸福。但她不得不去，不得不查明的謎團驅使她前進。如果我處於咪娜的立場又會怎麼做？小亘想。

他一直這樣自問自答，直到表演結束，他難掩興奮地在帳棚躺平，後來，一股安逸的睡意來襲，他在星星守護下終於睡著了。

這時，老婆婆獨自站在布布賀團長的帳棚旁。結束巡視返回的團長看到老婆婆便出聲喊她：「阿婆，妳怎麼了？」

老婆婆原本駝背的矮小體型似乎縮得更小了，她抬眼仰望著夜空，突然舉起手，指向空中某一點問：「團長，你看到了嗎？」

布布賀團長也仰望夜空。天空的景色宛如漆黑光滑的布匹上撒滿了璀璨華麗的寶石碎片，美不勝收。

「妳說哪顆星星，阿婆。」

老婆婆依舊仰著頭說：「團長還是看不到吧。」

團長和老婆婆並肩而立。

「不過，那的確是北方的凶星。」老婆婆斬釘截鐵地說。「我這老太婆還看得見，絕不是我老眼昏花。」

老婆婆似乎有點悲傷。

「那個『旅人』是半身。凶星出現就是來通知。」

「是嗎？」布布賀團長回答。「但願咪娜不要吃苦就好。」

老婆婆沒有回答。然而，她那凜然的眼眸仍定定地仰望著北方夜空。

第十五章 營地

前往歷歷斯不只是走山路穿越森林，還要翻山越嶺，沿著溪流跋涉岩場。「幻界」富於變化的大自然，美麗、嚴酷，還有點惡意，小亘想。就跟現世的自然環境一樣。

在漫長的旅途中，如果沒有經過小村落，他們就搭帳棚過夜。紮營、生火、在河邊釣魚、在深山尋找無毒果實與菇類……，這一切，小亘都是跟奇・奇瑪學來的。咪娜也跟著一起學，不過論到升火煮飯，咪娜打一開始就比奇・奇瑪厲害。

奇・奇瑪原本就是在南方大陸各地運送物資的達爾巴巴車夫，去過許多地方，知道很多城鎮村落，可是，即使見多識廣的他也沒造訪過歷歷斯。

「歷歷斯有自行發展的運送工會，所以很少與達爾巴巴屋打交道。無論是進口工藝品材料的珠寶原石，或是出口工藝成品，都需要專用的貨車和捆包用的箱子與墊布，運送程序也不一樣。我即使經過附近也都在趕時間，沒空拜訪。」他高興地說。「好期待喔。」

對，歷歷斯是工藝之城。他們以金屬和木石皮革爲材料，製造各式各樣工藝品，從身上佩戴的飾品到餐具、建築物的裝潢零件等應有盡有，不僅質感高雅、高明的技術更能將精良的設計化爲實體。這不是魔法，全部都是手工完成。

歷歷斯出產的精良工藝品，透過風船商人的介紹在北方大陸也名聞遐邇。在當地，尤其是項鍊和戒指這一類女性飾品，據說交易價格是一般的十倍。這幾年，北方大陸的有錢人都想要湯尼．方隆這名年輕工匠所設計的「天堂」系列飾品。

「聽說那邊還掀起一股流行風潮呢。我認識的風船商人也拜託我，如果有機會經過歷歷斯附近，順便去方隆的工作坊看看，因為方隆是一個人在做，據說一年頂多也只能做出十件作品，只有運氣特別好才能買到。」

「不能事先預訂嗎？」咪娜坐在台車上一邊搖晃一邊問。女生就是女生，一談起飾品就滿臉欣喜。

「他不接受預約。方隆這個工匠聽說脾氣挺古怪的。」

傳言說客人得跟他當面聊過，能獲得他青睞的，才能買到他的作品。

「就算客人準備了大把鈔票，只要他不喜歡這個人，他就不理人家。相反的，如果他跟客人很投緣，聽說只收工本費就出售，好像還會替人家免費製作呢。」

「好奇怪的人。」

聽著兩人的對話，小亘想。歷歷斯既然是這種專門製作美麗工藝品的城鎮，一定會使用各種金屬和寶石作為材料吧，說不定可以在那裡打聽到小亘非找到不可的第二顆寶珠之相關消息。美鶴已經搶先一步前往歷歷斯的事實也強化了他的推測。

拉烏導師大概也要美鶴去找寶珠吧。可是那傢伙的黑杖上已經鑲上一顆足以熄滅瑪奇巴山林大火的大寶珠了……

小亘他們來到距離歷歷斯鎮只剩下一天的地方時，正好那裡發生了一起小意外。兩頭達爾巴巴拉的大型貨車在街上意外翻覆，車上載運的岩鹽大量撒出，必須先以人工方式將岩鹽塊清除乾淨，再把翻覆的貨車扶正移開，目前還不確定要花多少時間才能處理完畢，這段期間，道路全面禁止通行。

這條路前面就是沙沙亞國和波古國的國界，設有關卡。南方大陸的聯合政府雖然很注重各國的獨立性，不過由於政局穩定，人們來往四國之間並不需要太複雜的手續。正因如此，奇・奇瑪他們才能縱橫各地。在邊界的關卡，基本上只會確認通行人數和載運貨品是否與通行證上登記的一致。

小亘一行人反正都過不去，與其四處閒逛打發時間，不如幫忙清理街道。就在大家揮汗搬運岩鹽之際，關卡那邊跑來兩名職員，在街道旁的茶屋擺起一張桌子，宣佈封路期間將在這裡受理通關手續。這麼一來，等街道一通，就可以疏導通關人潮，避免造成另一波混亂，也可以節省雙方不少時間。這個非常善體人意的貼心措施令小亘很驚訝。

「現世的公務員絕對不可能這麼好心。」

那兩名關卡公務員的確是「飛越」山嶺而來，因爲他們倆都是卡魯拉族。小亘隔著小桌子和他們面對面時，腦中浮現當初誤闖幻界時，差點淪爲螺絲野狼獵物的鮮明情景。

「喂，喂，我臉上沾了什麼東西嗎？」

戴著夾鼻眼鏡的卡魯拉族公務員如此問小亘。看來小亘似乎很不禮貌地一直盯著對方的臉。

「啊，對不起。因爲我想起以前，跟你同族的某人曾經救過我。」

「喔！那眞是那眞是……」

「喔！太巧了太巧了。」

兩名公務員拍著翅膀高興萬分。

「服務大眾是我們謹記在心的宗旨。對了，你當時遇到什麼麻煩？」

「啊，沒有啦，呃，我被螺絲野狼攻擊……」

「喔！」那兩名公務員發出感嘆聲。

「螺絲野狼！」

「好久沒吃了！」

「好懷念那味道！」

「我們偶爾也該返鄉一趟！」

「不不不，爲民服務是我們的職責！」

「不然，起碼也得叫他們寄些螺絲野狼肉乾過來！」

辦好手續一離開，奇・奇瑪就摀住胸口「噁！」地發出呻吟。

「我聽說卡魯拉族最喜歡螺絲野狼肉的那股騷味，看來是眞的。」

「卡魯拉族的故鄉就在螺絲野狼出沒的沙漠旁吧？」

「聽說在溪谷上方，沿岸最陡峭的地區。不過，很多卡魯拉族都像他們一樣，離鄉背井當了公務員。因爲鳥人很聰明。」

「唉，奇・奇瑪……」小亘問。「我正好想到一件事想問你，你可別生氣喔。」

「什麼事？」

「那些叫什麼卡魯拉族的鳥人，如果跟你們一樣開始發展貨運業，你不覺得他們會成爲你們的頭號勁敵嗎？」

奇．奇瑪仰起下巴哈哈大笑。「這個用不著擔心，絕對不可能。因爲他們沒力氣，他們絕對沒辦法像我們一樣搬運重物。」

原來光靠翅膀還不行。

「人各有優點，也各有安身之處嘛。」奇．奇瑪得意地說。「我想想看喔，如果說要成爲我們生意上的勁敵……」

他摸摸下巴，有點賣關子地陷入沉思。

「除非出現一種很聰明的生物，跑得比達爾巴巴更快，又不用像達爾巴巴那樣需要照顧，只要跟牠說目的地，不用控制牠，牠自己就可以抵達目的地。」說著，他嘻嘻一笑。「不過你放心，慈愛的女神大人早已算好了，祂不會讓我們水族人沒飯吃，所以並沒有創造出這麼便利的生物，今後應該也是如此吧。」

是啊，小亘點頭同意，突然閃過一個念頭，但他終究還是沒有說出口。

（可是，奇．奇瑪。在現世就有一種跟你剛才說的交通工具很相似喔。不過那不是生物，是一種「機械」。）

不，說得更正確點，那不只是機械，還得跟「動力」這玩意兒一起考慮。總之，現世的確有那種東西。

（如果，幻界也發明了機械這種東西？或是人類從現世引進來？）

小亘這麼一想，不知爲什麼心裡頗不是滋味，於是默默地回去搬運岩鹽。

人陽下山了，人們在街道的茶屋四周搭建了一座小小的帳棚村，小亘他們也搭起帳棚，向鄰居借用日用品，一起生火煮飯熱鬧非凡。夕陽西下、夜幕低垂，大夥兒該回帳棚睡覺時，從街道的瑪奇巴那頭突然出現點點火光，穿過山路朝著這個臨時搭成的帳棚村接近。

「那是……」原本正在打呵欠的咪娜，瞪大了雙眼彷彿要看穿遠方似的。「是修騰格爾騎士團。」

夜色中，帳棚村裡的人們紛紛伸長了脖子、挺直腰桿，凝視著逐漸接近的光點。不久，人們看到的不只是火把的光，甚至騎士肩上的銀色盔甲和護頰在火光的照耀下也清晰可見。

「咦，他們跑到這種地方會有什麼事。」小亘身旁的行旅商人嘀咕著。「而且，居然還是隊長大人親自帶隊。」

「什麼?你說隆梅爾隊長也來了?」關卡公務員從茶屋裡走出來，又拍起翅膀。「那我們得去打個招呼!」

「要打招呼，最好還是把茶屋老闆叫來吧。」某個行旅商人悠哉地雙手交抱著說道。「因爲你們鳥人的夜視力不太好。」

「有道理!你說的沒錯!」

來者共有五名騎士。一人領頭，後面跟著四個人。由於每個人都戴著頭盔，所以看不清楚容貌，不過他們騎的達爾巴巴在額頭上都垂掛著繪有五片花瓣徽飾的布。在嘎薩拉時，托隆曾經告訴過他，那的確是修騰格爾騎士團的標誌。

茶屋老闆連滾帶爬地跑出來，跑到距離帳棚村還有好一段距離的地方迎接騎士們。他們只交談了幾句話，領頭的騎士及左後方的隨行者就跳下達爾巴巴，和老闆一起走了過來。

「那個帶頭的就是隆梅爾隊長？」小亘問行旅商人。

「對，就是他。」

「臉又看不清楚，你怎麼知道？」

「因為他的頭盔形狀不同。你仔細看，那個頭盔很像龍頭吧？那是隆梅爾家族代代相傳的武士頭盔。」

「大叔，你懂得好多喔。」

行旅商人驕傲地撐大了鼻孔。「我啊，現在雖然只是個行旅商人，不過以前為了當讀星者也苦讀過書，我還去過沙沙帀留學咧。因為對讀星者來說，歷史也是一門很重要的學問。」

兩名騎士還沒走到帳棚村的營火足以照亮面貌的地方就先脫下頭盔，兩人的身材都很高大，比矮小的茶屋老闆足足高出了兩個頭。

「我們是修騰格爾騎士團第一游擊隊。」

帶頭的騎士用宏亮的聲音報上名字。

「我是隊長隆梅爾，這是副隊長拜斯。今晚，我們在格蘭岱拉河渡航事務所接獲報告，聽說這裡發生達爾巴巴車翻覆的交通事故，導致街道無法通行，所以特地來調查損害情況。各位，我知道你們在執行道路復通作業很辛苦，但還請各位撥出一點時間，協助我們進行偵訊調查。我們現在要在此地紮營，如果有任何傷者，請你們現在就告訴我。」

他說話的態度很客氣，一點也不高傲，令小亘有點意外。驚訝的不只是小亘，除了那名行旅商人，大家都顯得倉皇失措。對一般人來說，難得有機會跟修騰格爾騎士團接觸。

不過，大家還是遵照騎士們的指示，爽快地提供協助。騎士們展開調查工作，他們脫下了頭盔，也卸下了身上的盔甲，雖然感覺上似乎比較方便行動，但他們的言行舉止還是一樣地拘謹有禮。

小亘他們搭的帳棚緊鄰騎士團的帳棚，但不知為什麼，騎士團一直沒有傳訊他們。已經接受過調查的人，表示並沒有被問到什麼，紛紛帶著略顯安心的表情回到自己的帳棚。

「只不過是一輛達爾巴巴車翻覆，居然讓隆梅爾隊長親自駕臨。」

奇．奇瑪頻頻表示不可思議，但他的心思似乎有一半都飛到了騎士們的座騎身上，嘴裡還唸著：「毛色果然光亮，不曉得能跑多快，擅不擅長爬岩山，眞想檢查一下牠們的蹄子……」露出垂涎欲滴的表情。

等著等著夜已深了，咪娜倚著小亘，頻頻打起瞌睡。她看起來似乎睡得很舒服，連小亘也忍不住想睡了。就在這時，拜斯副隊長突然過來喊他們：「接下來換你們了。」小亘只是嚇得差點跳起來，咪娜卻眞的跳了起來，那驚人的彈力令副隊長一驚，霎時擺出戒備姿勢。

「哇！眞糟糕，對不起對不起！」

咪娜面紅耳赤，用手蒙著臉。害得小亘等人不得不低著頭忍住笑，隨著同樣憋著笑的副隊長離開。

騎士團的帳棚小巧玲瓏，裡面有一張摺疊式木桌，隆梅爾隊長就坐在桌後的摺疊小木椅上，旁邊坐的是五人當中最矮小的年輕騎士，大概是負責記錄吧，他面前攤著一本很像橫式帳簿的大本子，手拿著筆，扉頁上早已寫滿了字。

「拜斯好像在笑。」

三人往指定的小椅子一坐，隆梅爾隊長便如此開口：「你們到底用了什麼魔法？那傢伙可是向來不苟言笑的『鐵石心腸』啊。」

咪娜的臉變得更紅了，不過她的臉紅似乎不只是不好意思，因爲隆梅爾隊長實在太英俊了，五官輪廓分明，就連眼角的皺紋都充滿了魅力，年齡大約跟魯伯伯一樣吧。

「對了，你們是高地人吧。」隊長的藍眼睛沒忽略小亘手上的火龍手環。

「最近，我聽說嘎薩拉鎮有個少年破了神秘的連續殺人案，還入籍高地人，應該就是你吧？」

小亘正面對著隊長，點點頭。「對，是的。」

「我還聽說那個少年是來自現世的『旅人』。這也是眞的嗎？」

在隆梅爾隊長面前應該不用隱瞞吧，小亘再次回答「對」。隊長的表情不變，眼角的皺紋也文風不動，可是坐在旁邊負責記錄的騎士卻縮起下巴似乎倒抽了一口氣，筆尖的墨水還滴了下來。

奇．奇瑪可慌了……，雖然這根本用不著慌張……，他那長長的舌頭咻地飛出來舔了一下頭頂。

「對不起。」

「不好意思。」

年輕騎士和奇．奇瑪同時說出，騎士的臉頓時羞紅，咪娜忍不住竊笑，又因爲自己的失禮，臉變得更紅了，年輕騎士也開始坐立不安，最後連隆梅爾隊長也噗哧笑了出來。

「傷腦筋！大家翻山越嶺趕路，又一本正經地接受偵訊，連喘口氣的時間都沒有，而且現在又這麼晚了，大家一定都累了吧。」

以前，小亘在現世時如果很晚還沒睡，反而會特別清醒，變得很亢奮。在幻界大概也一樣吧。

這下子，大家頓時坐得比較舒坦，偵訊也加快了進度。雖然小亘他們沒有目擊達爾巴巴車翻覆的經過，但是後來的騷動大致都知道。

幾乎無人受傷算是不幸中的大幸，隆梅爾隊長說。

「各地的街道最近頻頻發生達爾巴巴車翻覆事故，有些顯然是人爲刻意造成的，因此我們正在謹愼調查。」

原來如此，難怪他們會連夜趕來。

「可是，隊長竟然親自出馬，大家都很驚訝。」

聽到奇．奇瑪這麼說，隆梅爾隊長看著小亘的臉。

「因爲我想趁這個機會，順便見見卡姿提過的『旅人』。按照你們從嘎薩拉鎭出發的日程，我想你們現在應該走到這附近。」

「卡姿跟你提過我嗎？」

「對！她說了很多喔。說你『明明很愛哭，那張嘴倒是伶牙俐齒，是個人小鬼大的臭屁小子』。」

隊長模仿卡姿的語氣說道。他的眼睛在笑，小亘也笑了。

「你剛才的語氣，跟卡姿一模一樣。」

「因為我認識她很久了，也可以說是多年的死對頭吧。」

經他這麼一說，小亘才想起托隆曾經說過，「棘蘭的卡姿」以前被隆梅爾隊長甩過，所以才會把修騰格爾騎士團貶得一文不值。

「對了，我還有一件事想請教。你們之前曾經經過瑪奇巴鎮吧？」

「對，有經過那裡。」

「那麼，你們遇上了那場山林大火？」

「沒有！我們抵達瑪奇巴鎮時，那場火已經熄滅了。」

隆梅爾隊長的眼睛閃出一瞬光芒。「那你們也聽說那場火是一個路過的魔導士撲滅的？」

小亘點點頭，把自己在瑪奇巴鎮聽到的再敘述一遍，隊長興味盎然地聽著，年輕騎士則拼命運筆如飛。

「海龍的力量……，是水的大魔法嗎……」隊長低語。「那個魔導士也是少年……」

「嗯，是的。」

「這表示他也是『旅人』囉？」

「是的，他是我朋友。比我早來一步。」

不知為什麼，隆梅爾隊長的眼中霎時閃過陰影。剛才小亘承認自己是『旅人』時，他可沒有這樣。「你見過那個朋友了？」

「沒有，可是我想見他，所以正在追他，才會來到歷歷斯。」

隊長緩緩地點頭，手搓著下巴，稍稍皺了眉。「你……不，拉烏導師……」隊長說到一半，看了一下身旁的年輕部下。「不，算了，反正這跟事件無關。耽誤你們這麼久，不好意思。」

隊長說天亮以後檢驗過翻覆的貨車，他們就要趕往瑪奇巴鎮，調查山林大火的原因。小亘直說你們好忙喔，隊長搖搖頭。

「最近我們忙著討伐數量越來越多、越來越殘暴的怪物，把維護治安和搜查工作通通都交給高地人，這樣是不對的。」

「我想起來了，帕克他們也提過。」咪娜說。「聽說在馬戲團舉辦公演的城鎮，一定會發生一兩起怪物傷人案，他們說以前從來沒有發生過這種情形。」

「我們也遇過。」奇．奇瑪點頭。「我一到達爾巴巴屋休息，也多半都會聽到這樣的謠傳，例如生性溫馴的山老鼠竟然成群結隊攻擊烏代。我在嘎薩拉鎮時，爲了擊退發飆的螺絲野狼也吃了不少苦頭。」

「對，那時光靠我們應付不了，還得請求高地人支援。」隆梅爾隊長露出苦笑。「我還被卡姿狠狠數落一番。怎麼，原來你也待過那個討伐部隊啊。麻煩你們了，多虧有你們幫忙。」

小亘一行人回到帳棚內，奇．奇瑪和咪娜倒頭就睡，小亘卻睡不著。剛才隆梅爾隊長臉上的表情……，當他聽說美鶴也是「旅人」時，眼神出現的陰影令小亘耿耿於懷。隊長特地翻山越嶺趕來的眞正原因似乎就隱藏在那陰影中，或許是他多心，但他就是有這種直覺。

狹窄的帳棚內，想翻個身都不行，小亘嘆了一口氣坐起來，偷偷溜出帳棚外。再這麼磨蹭下去就要天亮了，但他就算躺著也睡不著，還不如看星星，或許心情會平靜些。

沒想到，外面已經有人搶先一步，不是別人，正是隆梅爾隊長。他一個人站在臨時帳棚村旁，側著臉，雙手交抱胸前，定定仰望著北方夜空。
不愧是習武之人，他立刻察覺到小亘。
「睡不著嗎？」
「嗯，我也不知道爲什麼。」
「一定是目睹了那起大事件。看看星光轉換心情也好。」
隊長一個人在這幹嘛？他的側臉若有所思，不知道在想什麼。
小亘想不出適當的話語發問，又覺得好像不該隨便亂問。隊長畢竟是肩負守護南方大陸如此重責大任的人，獨處時也難怪會表情沉重，可是……
兩人並肩仰望夜空一會兒，便各自回帳棚去了。小亘的胸口留下一個極小的、說不上是什麼的疙瘩。

2

book

第十六章 歷歷斯

小亘從山丘上眺望著歷歷斯鎮，感覺這裡不像是首次造訪，好像以前也來過。那景色很眼熟，家家戶戶都是彩色的三角形屋頂、有鐘樓的教堂建築、鋪紅磚的道路、翠綠的樹木，還有身穿寬鬆外袍、緩步而行的人們，臉上充滿了開朗的表情。

（對了，這跟「復活邪神II」裡出現的魔法學校之城．瓦伊茲坦一模一樣。）

「好美的地方。」咪娜也心醉神迷。「一定是因爲城市這麼美，才能製造出美麗的工藝品。」

他們三人首先前往歷歷斯鎮的分局。如果打算長期滯留，可以在這裡討點工作。

「哇，你們是高地人啊?這眞是太意外了，我果然活得夠老。」出來迎接小亘他們的分局主管是個童山濯濯的安卡族大叔，他自稱是潘。「其實，我姓塔茲，名字是潘斯卡羅夫麥艾爾艾特斯特拉夫斯基，可是太難記了，大家索性就喊我潘。」

這裡登錄了四名高地人，包括所長在內全部都是安卡族。原本，歷歷斯鎮的居民就有八成都是安卡族，據說其他種族的人數極少。

「工藝是安卡族人的天職。你看，我們的手和手指形狀比較適合做這種精密作業。像小姑娘妳這種喵族，還有這位高大的水人族老兄，如果整天守在爐火旁焊燒玻璃或寶石，一定會被熱昏。」

潘所長個性豪爽又愛講話，不停地詢問小亘他們旅途上的見聞。瑪奇巴鎮的山林大火和達爾巴車翻覆意外，所長都是初次聽說，他瞪大了眼睛滿臉驚奇。小亘覺得此人眞悠哉，跟卡姿差太多了。

「歴歴斯向來很和平，說到最近發生的案件，頂多只有小朋友去森林採果不小心迷路，以及政府機關旁邊的工作坊意外爆炸吧。」

爆炸不算是大案子嗎？

「那只是工人製造煙火一時失手，沒人受傷，又發生在夜裡，那場面可漂亮了。」

分局裡還有好幾個空房間可以供他們過夜，而他們在滯留期間必須分擔巡街等等業務，也得値班。潘所長正在說明工作內容之際，一名長髮烏黑的美少女端茶進來。

「啊，這是我女兒，她叫艾爾莎，在這裡打雜。」

「大家好，歡迎你們遠道而來。」

她一微笑，右臉頰就浮現一個酒窩，年紀約十五、六歲吧，如果是現世的女孩，應該上高中了。她臉上的皮膚光潔無瑕，令人聯想到高級中國餐館裡薄如花瓣的純白餐具，因爲實在太完美了，簡直不像是眞的。

接著，小亘突然想起了大松香織。這兩人長得完全不一樣，可是，精靈般的纖細和楚楚可憐的氣質卻很相似，彷彿不屬於這個世界，美得縹緲虛幻。

（不知道香織現在怎樣了？）

咪娜看到小亘一直發愣，乾咳了一聲，用手肘戳戳他。

「你不是要打聽美鶴的事？」

差點忘了。小亘費了好大的力氣才把凝固的視線從艾爾莎臉上移開，連他自己都懷疑是不是發出啪地一聲。

「像小亘這個年紀的魔導士？不知道耶。」潘所長傾著渾圓的腦袋。「這裡跟嘎薩拉鎮不一樣，我們不在入口檢查出入者，所以不會馬上知道來了什麼樣的客人。我再去幾家旅館打聽看看好了。」

「這樣嗎……」雖然小亘本來就不預期能見到美鶴，但還是有點失望。

「不過，魔導士少年應該很惹眼，如果那孩子還待在歷歷斯，應該不用費多大的勁就能找到，我們好歹也是高地人嘛。」

距離定時巡邏還有一段時間，所長建議他們不妨先出去散散步，熟悉一下環境。於是，奇・奇瑪立刻探出龐大的身軀問道：「那麼所長，我們想去湯尼・方隆的工作坊，你可以告訴我們在哪嗎？」

頓時，潘所長像果實般渾圓的瞳孔立刻變成陰險的鉤爪形。「什麼，方隆？」

正在為其他高地人遞茶水的艾爾莎當下失手摔落茶杯。

「對不起。」

所長迅速斜視慌張撿拾茶杯的艾爾莎，等他轉過頭重新面對奇・奇瑪時，已經恢復原本和藹的眼神。

「那男人的工作坊就在市場北邊。你們一去就知道了。」

歷歷斯鎮大致上形狀像個蘋果，果核部分匯集了分局和政府機關、醫院、學校、鎮長官邸。此外，從核心往果皮方向延伸，有東南西北四條大道。每條大道都有名字，市場佔了北邊「紅磚工匠街」的大部分，呈細長帶狀延伸。換言之，是一條大規模的商店街。此外，這條北方大道的尾端，也就是蘋果的果梗處，矗立著一座大鐘樓教堂。

午後的陽光照著高聳的教堂尖塔，在城鎮落下陰影。方隆的小小工作坊，就位於陰影中的暗巷角落，在東倒西歪、櫛比鱗次的房舍之間，既未掛出招牌，也沒有作品裝飾，座落在龜裂紅磚的雙層建築一樓，只有一扇飽經風吹雨打、紋飾早已褪色的木板門。

路上來往的行人很親切，小亘等人向他們打聽方隆的工作坊立刻得到答案。不僅如此，還有人怕他們迷路自告奮勇帶路。不過，當對方指著那扇門說就是這裡時，小亘他們還真有點不敢相信，這個在北方帝國享有極高知名度的藝品創作工坊，怎麼看起來如此寒酸？

「不管怎樣，先敲敲門吧。」奇・奇瑪握起粗硬的拳頭走近。這時，門突然朝外啪地打開，正好撞上他的鼻子。「啊，好痛！」

「哇！」門內也有人叫道。

奇・奇瑪的臉孔和身體包覆著非常堅韌的硬皮，門撞到他鼻子後猛力反彈，似乎又撞到了裡面那個開門的人。

「真是抱歉，不好意思。」

奇・奇瑪彎下巨大的身體探頭一看，門的陰影處站著一個似乎痛得用手摀鼻的青年，正戰戰兢兢地探出臉。

「咦，你們是誰？」

青年以訝異的眼神觀察著小亘他們，他也是安卡族，身材修長，穿著黑色衣褲，外面套著一件及膝的白色圍裙。一頭烏亮的黑髮攏在腦後綁成一束，那股氣質很像現世裡的音樂家或功夫電影明星。

「你是湯尼．方隆先生嗎？」咪娜精神抖擻地問。「我們特地從嘎薩拉過來，想參觀一下你的作品。」

「喔，你們是客人啊。」青年搓著鼻子，用鬆了一口氣的語氣說道。「那就請進吧。雖然沒什麼值得一看的作品，不過你們既然都來了。」

他替小亘他們開門，往旁邊退了一步。「不過，我待會兒還有事要出門，所以沒有太多時間陪你們……」青年說到一半，突然打住，眼神變得很銳利。他瞪著小亘。不，說得更正確一點，他是瞪著小亘左手戴的火龍手環。

「你們是高地人嗎？」他用跟剛才截然不同的語氣質問。「是不是？那個手環是高地人的標誌吧？」

小亘不知所措。「呃，對，沒錯。」

方隆猛然搖頭甩動腦後的馬尾，擋住了已經走進室內的奇．奇瑪。

「那就很抱歉，我不能讓你們進來。」他連珠炮似地說完，臉色變得很蒼白，看起來很生氣。

「可是，爲什麼？」

「我們好不容易才來……」咪娜鍥而不捨。「為什麼高地人不能進去？方隆先生你討厭高地人嗎？」

湯尼．方隆宛如黑寶石般的眼眸蘊藏著猶如閃電的強光。「妳還問我為什麼？哼，你們沒見過潘所長嗎？」

「當然見過了。」奇．奇瑪回答。「我們還跟所長打聽你的工作坊呢。」

「你是說那傢伙告訴你們怎麼走？」方隆像要咬人似地咄咄逼人。「少騙人了！」

「我沒騙你。不過，他只說在市場角落，沒告訴我們詳細地址，所以我們沿路問了很多人才找到這裡。」

「是真的，我們真的很想參觀你的作品，只是不知道買不買得起……，我們猜想一定很貴。」

方隆咬著嘴唇，用力搖頭。「就算你們出再高的價錢，我也不會賣給高地人，連參觀都甭想。好了，你們快走吧！」

門啪地狠狠關上。

這驚人的變化令三人目瞪口呆。附近住戶紛紛從破舊房舍的門窗探出臉，但立刻又縮了回去，大家似乎都明白是怎麼回事。從上面的某處還傳來竊笑聲，連紅磚工匠街市場的喧嘩聲也彷彿在嘲笑他們。

奇．奇瑪喀嚓一聲閉上大嘴，依然看著眼前的門說：「你們兩個先退到旁邊去吧！」

小亘和咪娜面面相覷，往旁邊退了一步。

「謝了。」奇．奇瑪露出牙齒嘻嘻一笑，然後兩手握拳，一邊數著「一步，二步，三步」，一邊走到窄巷的對面。

「奇．奇瑪眞是的，你想幹什麼？」

聽到咪娜這麼問，他弓起背，一邊擺出「預備——突擊！」的架勢一邊回答：「這麼薄的門，就算五扇疊在一起我都能打破！」

說著，他已經開始助跑了！

「不行啦！」

「哇，住手！」小亘和咪娜同時抱緊他的脖子不放。奇．奇瑪像獵犬般咆哮著，咚咚咚地原地踏步，上下甩動著兩人。

「爲什麼不行？」

「不能動粗！」

「誰叫那傢伙那麼沒禮貌，那是什麼態度？我可受不了那種生意人的嘴臉。像他那種人，如果不狠狠賞他一拳，我看連女神大人都會看不過去。」

「各位，請等一下！」

從窄巷另一頭傳來女人的呼喊聲，他們轉身一看，艾爾莎甩著長髮，撈著裙子下襬，跌跌撞撞地跑過來。

「艾爾莎小姐？」小亘他們又是一驚，愣在現場，這又是什麼情況？

艾爾莎一跑到三人身邊，便雙手撫著胸，痛苦地喘息。

「呼，呼，各位，方隆他……」

「他給我們吃了閉門羹。」奇．奇瑪氣得從齒縫擠出聲音，小亘雖然很清楚他是一個多麼善良的人，但是他那口森然利齒看起來實在太凶狠了，被他這麼一威嚇還眞恐怖。艾爾莎一邊痛苦喘息，一邊含淚道歉。

「對、對不起。要是我、跟你們一起來……」

說到這裡，她就身子一軟當場昏倒了。

「對不起喔，你們一定嚇了一跳。」

艾爾莎躺在方隆工作坊角落的一張硬床上，雖然已經清醒了，但臉色依舊比床單蒼白。

艾爾莎昏倒時，方隆聽到小亘他們的驚叫聲衝出來一看，立刻大叫艾爾莎的名字，然後衝過來抱起她，把她抱進工作坊內。小亘三人也在混亂中跟著方隆走進工作坊。不過，在艾爾莎清醒之前，方隆一直守在她身邊，甚至不讓小亘他們靠近床邊。

「他們一定是情侶。」咪娜在小亘耳邊囁嚅。「可是艾爾莎是分局主管的獨生女……，嗯……看來這中間似乎很複雜。」

艾爾莎一醒，立刻發現方隆及小亘他們都在身邊，便急著想替方隆介紹。

「別管這個了，妳現在還好嗎？」方隆擔心地按住想要起身的艾爾莎。「妳的心臟不好，不可以用跑的，要我講幾遍妳才懂？」

艾爾莎微笑。「對喔，對不起。眞是的，我只有心情還跟小時候一樣好動。」

「妳是來追我們的吧，謝謝！不過，妳眞的沒事了嗎？」小亘在方隆身後說道。方隆立刻猛然轉身，冷酷地說：「都是你們害的。」

「哎喲，湯尼。拜託你別再這樣好不好。」艾爾莎撒嬌地拉起他的手，一邊說：「小亘他們是從嘎薩拉鎮過來打聽朋友消息的，才剛抵達歷歷斯，雖然他們確實是高地人，但他們跟我爸才見過面。」

在她溫柔的勸誡下，方隆稍微垂下眼，但仍不滿地嘟著嘴。「可是，高地人全都一個德性。」

「沒那回事。雖然我沒去過嘎薩拉鎮，不過聽說那裡很熱鬧吧。人口眾多，不分出身背景和種族外貌，大家和和氣氣地一起生活，對吧？」艾爾莎來回看著小亘三人的臉，熱情地問道。看到他們一起點頭，她用雙手握緊方隆的手，仰望著他的臉。

「看吧，湯尼。也有這樣的地方呢，所以拜託你，不要因爲小亘他們是高地人就討厭人家。」

「請問……」奇．奇瑪一邊用鉤爪的爪尖搔著臉，一邊語帶顧忌地問道。「不好意思打個岔，我們到現在還沒搞清楚是怎麼回事。」

「說的也是喔，對不起。」艾爾莎恍然大悟似地羞紅了臉，她扶著方隆的手起身，在床上坐著。

「艾爾莎的父親——分局主管，和方隆先生之間好像有什麼意見不合。」咪娜說。

「什麼意見！」方隆又激動起來。「種族歧視者說的話根本不配當作正經意見！」

「就跟你說不要這樣突然發脾氣。」艾爾莎笑了。小亘和咪娜也忍俊不禁，這下子連方隆也露出尷尬的表情。

「他是我父親，我實在難以啓齒……」艾爾莎垂著臉開始說。「我爸，認定除了安卡族以外，其他種族都非常頑劣。」
「可是潘先生是分局主管耶，如果他的想法這麼偏執，豈不是不能保護全城？」
「所以，在歷歷斯，除了安卡族以外，其他居民都不能依賴高地人。」方隆苦著臉說。「即使遭小偷、遇搶，住處或店裡被人縱火，只要受害者不是安卡族，歷歷斯的分局就不管。不僅如此，如果犯人是安卡族，分局還會吃案，把犯人放走。」
「太過分了！」奇．奇瑪大聲說。
「相反的，安卡族以外的他族居民犯罪，如果受害者是安卡族，或是不小心傷了他們，損害他們的財產，立刻就被逮捕。有時甚至不等審判就當場革殺，也有人在警局的拘留所被嚴刑活活打死。」方隆握緊拳頭。「最近這種傾向越來越嚴重，安卡族居民一旦受害，警方甚至不做調查就立刻認定是其他種族的居民幹的。然後，只憑住在受害者附近或貧困缺錢這樣的理由就定罪，把對方帶往拘留所，接下來就是那套老把戲。」
這簡直像種族隔離時期的南非嘛。小亘問。「那麼，在日常生活中也會遭到歧視嗎？」
方隆有點詫異。「一點也沒錯。你怎麼知道？」
「我只知道以前在其他地方也發生過類似的事。」
在現世，他也只是在電影裡看過。
方隆雙臂交抱，走到窗邊望著外面。「這條大路被稱爲紅磚工匠街，因爲歷歷斯鎭剛成立時，建造鎭上建築物的紅磚工匠們全都住在這裡。家家戶戶都在燒紅磚揉泥塊，所以滿天灰塵，噪音也很大，磚窯的熱度使得這裡終年酷熱。當鎭上的建設告一段落，紅磚工匠離去之後，這裡就成了窮人的住宅區。」方隆轉頭看著小亘他們。「剛才你們在外面沒發現嗎？從窗口和門口看你們的那些人都是其他種族，對吧？」

被他這麼一說還眞是如此。

「我是住在這條大街附近唯一的安卡族。」方隆低聲說。「其他種族的人口不到歷歷斯鎮總人口數的二成。聽說以前還多一點，可是有些人因爲不滿鎭上這種不公平的待遇，所以憤而離去了。如果還年輕、有地方可以投靠，或是有能力在其他地方找到工作那還好，有許多人因爲種種苦衷無法這麼做，於是就被迫遷到這條紅磚工匠街兩旁的貧民區。你如果去其他街道走走看，就會發現那些氣派的豪宅和門面稱頭的店鋪都歸安卡族所有，其他種族必須從擁擠又不衛生的貧民區出門找工作，賺取當天糊口的工資。當然，那些都是打零工。在歷歷斯，只有安卡族才能找到穩定的工作，所以其他種族的人當然都很窮。」

「這是惡性循環。」艾爾莎痛苦地低語。

「這是種族歧視，跟老神信仰有什麼關係嗎？」

小亘的問題令艾爾莎和方隆面面相覷。

「小亘，你很瞭解老神信仰？」

「是奇．奇瑪告訴我的。」

奇．奇瑪頓時成爲大家的焦點，他害羞地把對小亘解釋過的話又重述一遍。

「這樣啊……，嘎薩拉鎮的情況也這麼嚴重啊！」

「不過，在嘎薩拉沒有這麼明目張膽，大家都對老神信仰抱持著戒心。畢竟，那牽涉到北方帝國。」

艾爾莎點點頭。「就是啊。我也常覺得，現在的歷歷斯似乎跟北方帝國把安卡族以外的人關進拘留所或殘酷虐殺的情況很像。雖然規模較小，但是手法很類似……」

「北方老神信仰的影響固然不能否認，不過歷歷斯原本就是歧視外族思想很嚴重的地方，究竟是基於什麼原因我也不知道。早在一百五十年前，最早來到這裡開墾的拓荒隊，就跟其他地區的拓荒隊一樣，都是由各種族組成的。」方隆說。「拓荒隊在環繞歷歷斯的岩山各處發現了寶石礦山，於是情況開始改變。爲了找到礦脈，必須深入地底挖掘，力氣大、體力夠的獸人族最適合這個任務。另一方面，把挖出來的原石琢磨加工，最適合手指靈活的安卡族。就這樣，他們開始在工作上有了區分。」

「喔，所以才有了現在的工藝之都歷歷斯是吧。」咪娜說。「那些礦山現在怎樣了？獸人族還在那裡工作嗎？」

方隆搖頭。「礦山在發現後的八十年間就已經被挖光了，從此呈封閉狀態。那原本就不是大規模的礦脈，儘管現在還能發現零星碎片，可是份量不足以做生意。現在，歷歷斯加工的寶石大多是從阿里奇塔進口的。」

最終只剩下安卡族的統治權——事情就是這樣吧。

「啊，對了。」奇．奇瑪突然怪叫。「我雖然跑遍了南方大陸，卻是頭一次來歷歷斯。這是因爲阿里奇塔出口的珠寶原石都是透過你們工會直送的吧？」

「沒錯。這也是因爲本鎮的當權者——那些工藝品工會的首腦們都是偏激的種族歧視主義者的緣故，他們不想讓水人族踏入這個城鎮。」

「雖然說經營達爾巴巴屋好像是我們的專業，不過安卡族也不全然沒有從事這一行的業者。」奇．奇瑪說。「嗯……原來是這麼回事。我以前都沒發覺。」

「外地人恐怕很難瞭解歷歷斯的實際情況。」艾爾莎悲傷地搖頭，美麗的黑髮滑順地擺動。「來這裡拜師學藝的全都是安卡族，因爲這裡也沒有其他値得發展的產業，所以事實上人口的流動率很低。」

「可是，如果潘所長是這麼偏激的歧視主義者，爲什麼看到我跟咪娜沒有露出不高興的表情？」咪娜聽到奇．奇瑪的話，尾巴忽地轉了個圈呼應。「那是因爲你們是外來的高地人，如果他表現得太明顯，會得罪嘎薩拉的分局。」

的確，卡姿若知情八成會帶著鞭子衝過來。

「姑且不管能不能馬上消除這種歧視思想，可是與案件調查及維護治安有關的重要業務居然任由他們這樣亂來，高地人不可能坐視不管。你們怎麼不向波古分局的首長投訴呢？」

方隆又恢復原先冰冷的眼神觀察小亘。「你以爲我們沒試過這個方法嗎？」

「我們試過了，試了很多次。」艾爾莎接著說。「可是，司魯卡首長好像不想追究這個問題，也許是抱著息事寧人的態度吧。」

「才不是，那傢伙也是種族歧視主義者。」方隆氣得恨不得吐口水。「聯合政府創立修騰格爾騎士團時，爲了究竟要採用跟高地人一樣的混合種族，還是按種族區分再改變名稱，曾經引發激烈的爭論。最後雖然用投票表決，但當時爲了徵求意見問過高地人首長，其中只有司魯卡首長贊成種族區分。」

「對了，修騰格爾騎士團也全部都是安卡族。」小亘自言自語。「可是，我覺得好像沒有必要按照種族區分吧。」

「欲加之罪何患無辭。他們也可以說裝備無法統一，或是生活習慣不同會影響團體生活。」方隆再度怒火中燒。「不管他們用什麼名義，一旦按照種族區分，業務內容也會依種族劃分。就像現在的修騰格爾騎士團，剛成立時明明也有安卡族以外的成員，可是現在他們既無盔甲也無頭盔，只能從事一些災難救助或重建、開拓山林之類的工作。提到修騰格爾騎士團，已經成了那些身穿銀色盔甲、自命不凡的安卡族代名詞了。起先才不是那麼回事。」

「我漸漸覺得，」奇．奇瑪突然咕噥。「我們幾個最好不要在這裡待太久。對吧，咪娜？」

咪娜似乎陷入沉思，尾巴動個不停。

「方隆先生，你沒考慮過離開這個鎮嗎？」

方隆聽到小亘的問題，和艾爾莎再次四目相對。一直凝視著自己尾巴的咪娜，彷彿要充當他們的發言人，以同一個姿勢簡短地表示：「他總不能丟下艾爾莎小姐一個人離開。對吧？」

「可是，你們可以私奔呀，對吧？」

小亘連忙這樣補充，艾爾莎淚眼盈盈地看著他。「我當然想跟著湯尼。可是，我不能丟下我父親，我希望他能及時清醒。」

「妳希望他能瞭解種族歧視是錯的，是嗎？」

「對！其實我父親也不是打從以前就有這種思想。」

「那他是什麼時候開始改變的？」

「大約七、八年前吧。當時我母親病逝了……」艾爾莎眼神飄移不定似乎正在追溯記憶。「後來，可能是爲了排解寂寞吧，他開始熱心參與教堂活動，就是那座有大鐘樓的教堂。」

「可是那不是女神大人的教堂嗎？」

「是啦……可是，這件事說來話長，總之在歷歷斯不盡然如此，那地方也是供奉執掌寶石之美的精靈所在地。」

說的也是，嘎薩拉根本沒有什麼教堂。

「女神大人的教諭其實很單純。」艾爾莎稍微立正，如歌頌般繼續說。「地上的生命啊，彼此慰藉、互相幫助、繁榮，在光明之下集合。」

「只有這樣？」

「對呀。基本上只有這樣。除此之外還有一些瑣碎的戒律，不過最大的禁忌，就是仿造女神的模樣塑像以及爲女神建造大教堂，這兩點嚴格禁止。因此，不管去哪個城鎮，都看得到很多宣揚女神大人教諭的書籍，也可以在任何地方取得；鎮上的廣場還有民眾聚集歌頌女神大人，或是舉行各種小型宗教活動；到處都有集會場所，但就是沒有教堂，只有歷歷斯才有。」

按照剛才的說法，那座尖塔和大鐘樓等於是在違反女神大人的教諭。這太奇怪了。

「我父親開始上那所教堂以後，似乎在那裡認識了某人，才會被灌輸現在的這種想法。雖然沒有明確的證據，但我猜一定是這樣。」

去教堂一探究竟吧，小亘如此決定。

小亘三人一回到分局，巡邏時間正好到了，潘所長正在等他們。

「對了，你們見到方隆了嗎？他有點怪怪的吧！」

照理講回答潘所長這個問題很自然，但是小亘剛才聽方隆說了那麼多內幕，現在要據實以告有點困難，而且還面有難色。

「怎麼，你們沒見到他嗎？」潘所長的眼神帶著刺探。「艾爾莎該不會說要陪你們一起去吧。」

「艾爾莎小姐替我們帶了路。她不僅人長得漂亮，還是一位非常溫柔親切的小姐。」眼看小亘吞吞吐吐，咪娜果決地代他回答。「不過，她沒跟我們一起去，而且方隆先生也不在家，害我們白跑一趟。」

「嗯……這樣啊。」小亘覺得所長的眼神似乎溫和了點。「如果有時間，你們可以趁巡邏空檔再去找他一次，這點時間應該還有吧。」

所長在桌上攤開地圖，詳細說明分局裁定的各個巡邏區以及接下來要帶小亘他們同行的巡邏路線。紅磚工匠街沒有包含在裡面，教堂也是。

「我知道了，那就拜託您了。不過所長，」小亘說。「我很想參觀教堂。那座尖塔和大鐘樓眞的好氣派，我在其他地方都沒看過，可以進去參觀一下嗎？」

所長笑了。「現在要巡邏，參觀等明天再說好嗎？」

小亘還是不死心地拜託所長通融，對方還是扭扭捏捏，就是不肯答應。

「那座教堂只有信徒才能進入。」

「可是那不是女神大人的教堂嗎？我們都是信徒。」

「歷歷斯的教堂不同。女神大人禁止人們為祂建造教堂，你在學校裡應該學過吧。」

「既然如此……」

「那座教堂是專為西斯提娜這位美之精靈所建造的。西斯提娜，在我們面前現身時，會化身為安卜族的年輕姑娘或美少年。不過基本上，祂只出現在技藝純熟的工藝師傅面前。」

「西斯提娜，在歷歷斯比女神大人的地位還崇高嗎？」

「沒那回事。不過，對工藝師傅來說，祂可以賜予創造美感的技術和才華，比任何神祇還值得感激，所以人們才會建造教堂供奉祂。」

沒時間閒聊了，趕快出發吧——在所長的催促下，三人跟著他展開巡邏工作。首先，他們繞行鎮中心的分局和政府機關，然後朝紅磚工匠街的反方向走去。道路兩旁聳立著白石堆砌而成的建築物，窗口晾曬著衣物，屋裡不時傳來孩子們的嘻鬧聲。在建築物之間的縫隙和隨處可見的小廣場上種滿了灌木與花草，襯托著鋪石路，這是一個整潔美麗的城鎮。

「這一帶是集合住宅。」潘所長愉快地望著四周說。「在歷歷斯工作的年輕夫婦或是育有子女的老夫妻僅付低廉房租就可以住下。這裡看起來整潔又舒適吧！歷歷斯靠著發達的工藝品產業致富，所以才能在這些公共設施上投注資金。」

當然，所長沒騙人，就連小亘也想在這種地方住下。可是，這裡的居民都是安卡族，他意識到這一點，再跟紅磚工匠街髒亂的環境比較，心裡實在不是滋味。他們四人走著走著，在路邊站著聊天的年輕家庭主婦，還有圍成一圈玩耍的孩童們，一看到奇．奇瑪和咪娜，不是頓時愣住，就是嚇得躲在別人背後，或是皺起眉頭。小亘察覺這些人的反應，更讓他耿耿於懷，如同心頭被戳了一根拔不掉的棘刺。

「從這條路轉入南巷，就會通往獨棟樓房的住宅區。」潘所長如此說明，邊走邊愉快地揮手，回應居民不時傳來的問候。「那裡啊，算是豪宅區，住的都是歷歷斯有名的工藝師傅和販賣工藝品的富商。這些商人在首都蘭卡也多半有房子，這裡等於是別墅，所以幾乎都是奢華的豪宅，你們看了一定很驚訝。」

即使所長已事先告知，豪宅區的氣派依舊令他們震驚。小亘想起現世中在電視新聞上看過的首相官邸，也想起在社會課的校外教學日參觀過的濱離宮（註）。

「怎樣？很漂亮吧。」潘所長像是炫耀自家房子般地自豪。「這裡的治安也很好。你們對歷歷斯還不熟，所以就負責巡邏這一帶好了。」

「我和咪娜在這附近走動沒關係嗎？」奇．奇瑪提出一個很符合他單純個性的問題。「這裡住的都是安卡族耶。」

註：位於東京都中央區的舊離宮。

小亘和咪娜頓時交換眼神。所長似乎毫不在意，雙手叉腰哈哈大笑，聲音大得很詭異。

「用不著擔心。你們是高地人，況且這個豪宅區裡也有很多其他種族的人，只不過都是幫傭就是了。」

最後那句話像從齒縫間擠出來似地破碎。

「好了，那我們繞回去吧，來回走一遍，你們應該會記得更清楚。」

一行人穿越共同住宅街時，走在最後面的奇．奇瑪突然大叫「好痛！」停下腳步，同時，打在他臉上的某物體也反彈落在地面上。所長彎下腰想撿，咪娜早已經颼地伸出尾巴，捲起掉落的東西。

「哇，這是什麼？好尖喔！」咪娜用指尖捏著用尾巴捲起的東西。「應該是碎石塊吧。」

那是一塊約有現世的五百圓銅板那麼大、表面凹凸不平的半透明石塊，幸好砸中的是奇．奇瑪，他喊聲「好痛！」就沒事了，如果是咪娜或小亘，搞不好會受傷。

「可惡，這是誰丟的？」奇．奇瑪氣得挺起胸膛，環顧四周住宅的窗口。「從上面丟石頭，如果是惡作劇也未免太可惡了，如果存心挑釁那就太卑鄙了！」

小亘突然開始擔心。雖然從住戶的窗口看不見人影，但丟擲石塊的傢伙或許正躲在某處，還在伺機攻擊，下一顆石頭說不定就會砸到咪娜頭上了。

「走吧，奇．奇瑪。」

「是啊，已經耽擱不少時間，還是快走吧。」潘所長嘴上這麼說，語氣卻悠哉異常。不僅如此，好像還有點幸災樂禍。「沒事，這只是小孩子的惡作劇，你別生氣嘛。」

奇．奇瑪雙手叉腰俯視著所長。他比所長高了一大截。「丟石頭的人或許以為只是惡作劇，被打到的人可是會受傷的耶，怎能不管呢，所長。」

「那你不要巡邏這一帶好了。」所長面無表情地回嘴。「像你和這位小姐的種族在這裡很少見，所以孩子們大概很好奇吧。反正又沒有惡意，也不知道是誰調皮搗蛋，我要怎麼抓人？對了，我看你們兩位就負責紅磚工匠街好了，那裡的種族比較多。」

隔天早上大家在分局用完早餐，小亘就跟著潘所長進行上午的巡邏工作。

昨晚他和奇．奇瑪及咪娜商量過，決定暫時先聽從所長的提議，所以兩人表面上若無其事地笑著跟所長打招呼，其實心裡非常生氣。咪娜打算一邊巡邏紅磚工匠街，一邊蒐集當地居民到目前為止被潘所長誣陷或吃案的具體證據。

「不過妳一定要小心，千萬不能讓自己陷入危險。」

「這我知道。沒問題，交給我吧。」

至於小亘這邊也努力迎合潘所長，試圖瞭解歷歷斯鎮那不為人知的部分。

所長一邊巡邏，一邊針對小亘的身世問東問西。「旅人」身分必須保密，所以小亘正為了該怎麼回答大傷腦筋。（我生於那哈特國，父母本來在嘎薩拉經營旅店，但在我出生沒多久就病死了，所以我被分局收養，由分局主管撫養長大。）他聽卡姿說過，分局主管有時候也會收留走失孩童或孤兒，將他們撫養長大，於是他就改編成自己的故事。

「難怪你小小年紀就能做個稱職的高地人。」潘所長高興地說。「安卡族的小孩本來就很優秀嘛。聰明又有勇氣。」
「哪裡，我只是個窩囊廢。」
所長哈哈大笑。「如果真是窩囊廢，不可能從嘎薩拉大老遠跑來這裡旅行，還帶著那種大包袱。」
一時之間，小亘沒聽懂「大包袱」指的是奇．奇瑪和咪娜，只好陪笑來爭取時間，等他會意過來時，臉上的笑容在瞬間凍結。
潘所長一直冷眼觀察小亘的反應。他嘴角泛著笑，眼神卻毫無笑意。
「你是個聰明的孩子，我想大人的忠告你應該聽得進去。」
路旁商店的老闆正朝他們打著招呼說「執勤辛苦了」，所長一邊揮手還禮一邊如此說道。他的嘴巴幾乎動也沒動，聲音小得只有小亘才聽得見。
「一個像樣的安卡族高地人，如果跟水人族和喵族走得太近，可不是什麼好事喔。在嘎薩拉可能是因爲人口流動頻繁，所以比較不礙眼吧。」
「在這裡很礙眼嗎？」
「嗯，昨天那個水人族被丟石頭，你還記得吧？」
「那不是惡作劇嗎？」
所長故意誇張地瞪大眼睛。「那當然是惡作劇，是小孩子調皮搗蛋。不過，小孩最純眞，他們不講大道理，自然分辨得出好人與壞人。」
潘所長一臉「剩下的不用我說你應該也懂吧」的表情，冷冷一笑。小亘感到一陣噁心。

「接下來可以去參觀教堂嗎？」他按捺著情緒，如此表示著。「我很想親眼見識一下美之精靈西斯提娜的雕像。」

「喔，沒問題。」

教堂就在對面，但是所長並沒有經過紅磚工匠街。他先回到鎮中心，在那邊兜了一個大圈子。不過幸好是走這條路，反而讓小亘更清楚紅磚工匠街的環境跟其他街區比起來有多糟。聳立在鎮北的教堂很礙眼地遮住了整片天空，傲慢地俯瞰著以紅磚工匠街爲中心的「貧民區」，對於必須活在教堂陰影中的居民來說，這是一種多麼鬱悶的感覺。

小亘正面仰望教堂，聯想起「復活邪神」系列中出現的神聖教會、石壁、巨柱，四處鑲嵌的彩色玻璃描繪著長髮飄逸、身裹長袍的赤足處女（可能就是西斯提娜吧）或在草原上奔馳，或彈奏豎琴，或將雙腳浸在泉水中，在匍匐的信眾前高舉著燃燒的火把等等各種情景。

遊戲中的神聖教會雖然沒有設定是哪個宗教，但是有一位親切的神父，每當主角完成一項任務前去拜訪，他就會傳授一種珍貴的神聖魔法。更棒的是，還會幫主角恢復體力！不過，不知這個歷歷斯教堂又是怎樣？

莊嚴美麗，自然不在話下，好像在詢問一百名跟小亘同齡的小孩「教堂是怎樣的建築物？」然後把答案匯集而成似的，形象完美極了。

「很棒吧？」潘所長驕傲地鼻孔翕張著說。「正式名稱叫做西斯提娜．特雷巴德斯教堂。特雷巴德斯是歷歷斯古時候的地名。西斯提娜，過去就是從那裡的泉水中誕生的精靈，傳說祂汲取泉水獻給女神大人，因此獲准隨侍在女神身邊。」

「眞的很美。」小亘說。「不過，只爲了西斯提娜就建造這麼氣派的教堂，女神大人不會生氣嗎？」

「女神大人所在的命運之塔，想必比這座教堂氣派上千倍，所以沒關係。」所長不當一回事地回答。「女神大人之所以禁止人們爲祂建造教堂，據說是因爲祂認爲自己創造的野放種族，反正也沒有能力建造出多麼氣派的建築物。」

聽起來，他似乎在蔑視女神和女神的創造物。

「進去參觀吧。到時候你會更驚訝。」

小亘推開大門，一踏進教堂內部，五顏六色的光芒便灑落在他頭上。光線透過彩色玻璃照亮了教堂內部，中央有一條走道，兩旁排列著許多給信徒坐的長椅，走道盡頭有一座祭壇，正面是鮮豔的彩色玻璃，前方聳立著西斯提娜的石像，石像腳邊堆滿了新鮮的花束。

四處可見低頭祈禱的年輕人以及坐在椅子上安靜讀書的老人。小亘躡足走到祭壇前面，再度仰望西斯提娜的雕像。

那是一個五官端整秀麗的長髮美女，身上的長袍拖著水袖和長長的下襬，右手拿著鑲寶石的杓子，左手握著一支手鏡，由於她朝空中高舉做出奉獻的姿勢，上臂從捲起的袖子露了出來。

「那支手鏡可以反映人心的美醜。」所長說明。「右手的杓子是用來擊退想要危害美麗事物的邪惡之物。」

小亘又往前走一步，從上到下仔細打量這尊石像。由於石像周圍堆滿了花束，這時才察覺這個西斯提娜並非站在地面上，而是站在某個東西上面……，不，是踩著什麼，而且腳上還穿著一雙看似堅固的涼鞋。

小亘蹲下身，輕輕撥開花束，石像底下於是露出了一張跟奇·奇瑪酷似的水人族臉孔，痛苦地扭曲著，緊貼在後的，是一個看似托隆的獸人族，仰起下巴正在掙扎。

原來這尊西斯提娜石像正踩著他們的腦袋和胸口。

小亘不加思索地猛然站起，潘所長從背後把手搭在他肩上。

「怎樣，很精采吧？」

話聲方落，祭壇右邊就響起另一個呼喚聲。

「原來是潘所長，歡迎您大駕光臨。」

一名身穿白色法衣的老人，拿著一支跟西斯提娜手裡的銀杓很像的銀杓走了過來。

「打擾您了。」所長客氣地鞠躬致意，然後對小亘說：「這位是戴蒙祭司大人，是這所教堂身分最崇高的人。」

戴蒙祭司笑容滿面地回禮。他的身材修長，光可鑑人的禿頭有著完美的頭形，兩道濃密的灰眉下有雙炯炯有神的眼睛。小亘感受到一股凌人的氣勢，撇開年齡不說，這個人的內在似乎不像「老人」，他給人一種剽悍的感覺，如果用勇猛來形容，或許有點誇張……

「沒那回事。我只不過是精靈西斯提娜的僕人。」

「喔，說的也是，不好意思。」

「這是新來的客人嗎？」戴蒙祭司看著小亘。那雙眼睛跟潘所長一樣冷靜，好像在鑑定小亘的身價般。

所長一介紹小亘，祭司就驚訝地縮起下巴。

「喔，小小年紀就當上高地人眞是了不起，我還以爲是來學習工藝的學徒。」

「小亘正在四處旅行打聽朋友的消息。不過，他想去湯尼．方隆的工作坊，那個男人挺古怪的。」

「喔，方隆啊！」戴蒙祭司用杓尖觸額，搖搖頭說：「像他那麼受到西斯提娜眷顧的工藝師傅還眞不多見。同時，像他這樣不肯理解西斯提娜恩賜的人也相當少見。」

小亘打從心底湧起一大堆話想說。好好反駁回去！

他竭力忍住，再次仰望西斯提娜石像。「這座雕像的臉好像有點像艾爾莎小姐耶。」

潘所長笑翻了。「眞是不敢當，不過我很高興。」

「艾爾莎本來就很美嘛。」戴蒙祭司也說。「的確，她就像西斯提娜的轉世，美麗的化身。」

「可是，艾爾莎小姐不只是對我，對奇．奇瑪和咪娜也很親切，這點就跟西斯提娜不同了。」

這番話脫口而出，小亘連忙閉嘴，他感受到所長和祭司的眼神溫度似乎降了十度。不過，兩人都保持微笑。

「那我先走了。」小亘說著深深地鞠了一個躬。

一走出教堂，大鐘樓的鐘聲響起，像是從丹田發出來的低音，從很高的地方像是瞄準小亘般地一聲又一聲地落下，小亘用雙手摀住耳朵，頭也不回地離去。

第十八章
美鶴的消息

此地不宜久留，小亘說。他不想破壞奇．奇瑪和咪娜的心情所以沒說詳情，只把在教堂看到西斯提娜石像的事情告訴他們，他覺得這樣就夠了。

「可是，這樣不就不能找美鶴了？」咪娜一臉擔心。「我看還是再忍一下吧。我們一點都不在乎。對吧，奇．奇瑪？」

「對呀！我們在紅磚工匠街才開始收集證據……」奇．奇瑪張開大手。「我們打聽到好多好嚇人的消息。那裡的居民眞的受到很不公平的待遇，我們不能坐視不管。」

「當然不能不管。但是，這已經不是憑我們三個人就能處理的工作了，還是找卡姿商量吧。既然不能指望波古的司魯卡首長，那就透過嘎薩拉的分局，向那哈特的基爾首長投訴，這樣子絕對比較好。」

奇．奇瑪不可思議地打量著小亘。「難得看你這麼沒志氣耶，小亘。」

「我有不祥的預感。」小亘斬釘截鐵地斷言。「越早離開這裡越好。我們向方隆先生和艾爾莎小姐保證還會再回來，然後就出發吧。」

由於三人已經用過晚餐，所以就待在分局裡的房間。雖然他們盡量壓低嗓門交談，但是當門外響起所長的聲音時，三個人的反應還是跟接受修騰格爾騎士團偵訊時一樣，嚇得差點彈到天花板。

「不好意思打擾你們，可以說幾句話嗎？」

所長一進房間就用銳利的眼神看著奇．奇瑪與咪娜，他們就坐在地上鋪的柔軟座墊上。

「小亘，我已經打聽到有個少年很可能就是你的朋友，目前正在歷歷斯鎮外停留。」

小亘站起來。「眞的嗎？在郊外哪裡？」

所長把帶來的地圖放在地上攤開，用手一指。

「在本鎮的北方有個『精靈森林』，那裡長滿了斯拉木。」

「斯拉木？」

「那是西斯提娜最愛的香木，她的杓子就是用斯拉木做成的。所以我們製作教堂聖具時，也只能使用指定的斯拉木和銀礦。」

據說，那座森林裡有一家歷歷斯最古老的特里安卡醫院。

「那是一家很好的醫院。因爲斯拉木的香氣可以治病。」

「美鶴就在那裡嗎？」

小亘急著打聽。他怎會待在醫院，該不會受傷了吧？

「少年的名字我還不確定，但我聽說是一個身穿黑袍，年紀跟你一樣大的魔導士，所以我想應該不會錯。他並沒有受傷或生病，只是迷了路，偶然來到醫院停留幾天，消除旅途疲勞吧。我是聽居民說的，他們剛好有家人在特里安卡住院，他們對流浪的魔導士很好奇，聽說大家還一直挽留他，吵著要聽他講旅途上的見聞。」潘所長咧嘴一笑。「太好了！這麼快就打聽到消息，明天一早你們就趕緊出發吧。就算那個魔導士不是美鶴，反正那裡離歷歷斯也不遠，到時候你們可以再回來。」

小亘打從心底感到高興，沒想到對方主動送上一個好理由讓他們離開。長這麼大，他第一次有這麼不愉快的經驗——想到這裡，他倏然想起田中理香子上門興師問罪跟媽媽扭打的情景，那時也好恐怖，讓他感到好無力，好可悲，躲在床底下的那段期間感覺自己窩囊得要死。

「小亘，太好了。」咪娜緊緊抱住小亘。等小亘回過神來，才發現潘所長正以冰冷的眼神看著他。

翌日，爲了避免跟所長打照面，他們決定天一亮就離開分局。早班警員是一名擅長槍械的高地人，滿臉睡意地迎了出來，他們跟他打個招呼就匆匆出發。

「路上小心吧。」

警員嘻皮笑臉地說著，便走進了小亘他們借用的房間。在離開分局前，小亘趁其他兩人不注意偷偷回頭看，那名警員正把奇・奇瑪和咪娜用過的毛毯和座墊從窗口扔出來。小亘咬著嘴唇，後悔自己不該多看這一眼。

一行人離開歷歷斯鎭，在平地走了一陣子，精靈森林突然從低緩的丘陵地中出現，從遠處根本看不見，這一點令三人都很驚訝，頻頻拿出地圖比對。

「斯拉木啊。」奇・奇瑪傾著脖子感到不解。「既然是用來製作精靈杓子的材料，說不定有什麼魔法。」

說不定可以見到美鶴，小亘在喜悅中突然有種不祥的預感。

第十九章 魔法醫院

斯拉木確實散發出很好聞的香氣，像香水般濃郁，樹幹和樹枝又細又長，隨風扭動著軀體，宛如舞蹈般優美。樹上長滿了密密麻麻的尖瓣葉片，獨不見開花，應該是樹木本身散發出香氣吧。

達爾巴巴車進入森林沒多久，咪娜就嚷著「鼻子痛」。

「我不太喜歡這種氣味，太濃了。」

「會嗎?」奇．奇瑪抽動著鼻孔。「我倒是沒什麼感覺。」

「那是因爲你已經習慣了。可是，我們喵族的嗅覺比你們靈敏一百倍，所以會受不了，我覺得好噁心，頭好暈。」

「那正好，反正我們就要去醫院。」

這時，他們從那宛如舞伶纖指般的枝葉間隱約窺見一棟灰色方形建築物。

「啊，是那個吧?」小亘傾身向前。「我看看。」奇．奇瑪說著舉起鞭子，撥開達爾巴巴車上的茂密枝條。「噢，就是那個吧。」

泛白的灰色岩石。那棟建築物很像用骰子形的石塊隨意堆成三層樓高度，牆面開了很多扇窗戶，窗內亮著燈。現在明明是早晨……，他們走到這裡才發現，自從進入這座森林，天色似乎變得格外昏暗。

他們在車上仰頭一看，竟然看不到太陽，剛才天空明明那麼晴朗，這是怎麼回事？藍天也蒙上陰影，彷彿覆上了一襲白色面紗。

「奇怪了，明明沒有起霧。」

奇・奇瑪一邊握好韁繩一邊嘀咕。達爾巴巴噗嚕嚕地低吼，頻頻跺足，不管奇・奇瑪怎麼安撫，牠只肯前進幾步便又原地踏步。

「喂喂，你在怕什麼？」

奇・奇瑪開始撫摸達爾巴巴的耳後。達爾巴巴不僅繼續踏步，還慢慢後退。

咪娜原本縮在載貨台上，用雙手摀著鼻子，這時候啪地起身豎直耳朵。「好像有什麼東西！」

小亘也感受到那股氣氛。在哪裡？在這裡……，那裡也有，這裡也有，似乎席捲了四周。空氣流動著，忽前忽後，樹林嘩啦嘩啦作響，釋放出強烈的香氣。

咻！

什麼東西淩空而來。下一瞬間，咪娜大叫一聲摔下車。

「咪娜！」

達爾巴巴車緊急煞車，小亘跳到地上，只見咪娜俯臥在前輪旁，暈了過去，不知爲何臉頰還滲出血。

這下子輪到駕駛座上的奇・奇瑪「哇！」地一聲發出怒吼。

「小亘快趴下！」

奇．奇瑪邊叫邊回頭，發現自己的右肩已經中了一支箭，色彩濃豔的鮮紅色箭羽躍入小亘眼簾。

「是從樹上射下來的，快躲到車子後面！」

奇．奇瑪掙扎著想跳下駕駛座，但在小亘看來，他好像喝醉了，又好像在划水。

「這下子……糟了……」

尖銳的咻咻聲接二連三傳來，小亘伏身躲藏的載貨台架上連中了好幾支箭，有一支箭甚至擦過小亘鼻頭，射入森林下方的草叢中。

「這是……麻醉藥……」

奇．奇瑪從駕駛座摔落。小亘奮不顧身狂奔到他身旁。奇．奇瑪緊閉雙眼，齒縫間還露出一截長舌。

「奇．奇瑪，振作點！」

小亘在大叫的那一瞬間，感覺右腿有一陣火燒般的痛楚，低頭一看，腿上已中了箭。這真是難以置信的景象。鮮紅的箭羽、銀色的箭尾，箭頭戳進小亘的腿肉中，頓時流下一行鮮血，好像在等候小亘親眼確認似的。他移動身體想拔箭，卻流出更多血，把長褲都染紅了。一時之間，他感到天旋地轉，從上往下，又由下往上，濃郁的斯拉木香氣撲鼻而來，舌頭麻痺了，指尖也不聽使喚，膝蓋開始喀答顫抖……

啪答一聲，小亘雙膝跪地，然後慢慢往前傾倒，就像打瞌睡時上半身倒在桌上一樣，他的身體正好疊在奇．奇瑪的背上，奇．奇瑪一呼吸，他的身體就跟著上下起伏。

（不要緊，他沒死。）

小亘就在閉上眼睛的前一秒，從靠近地面極爲有限的視野中，看到一雙穿著皮編鞋的腳；堅硬的鞋子、粗大的腳。

「我只要小鬼，另外兩個不用管，森林自然會收拾他們。」

冷酷的聲音如此命令道。小亘失去意識，墜落到黝冥的黑暗中。

傳來耳語般的細小聲音。沙沙沙，沙沙沙。

小亘睡著了，就躺在客廳的地板上。每次這樣都會被媽媽罵。要睡午覺就到沙發上睡，別賴在地上，你對灰塵過敏耶，萬一又得了過敏性鼻炎怎麼辦！

可是小亘就是喜歡木頭地板那種硬梆梆的觸感，夏天很涼快、冬天躺在暖氣口旁好溫暖，地板又寬敞，可以盡情伸展手腳，身體也不會陷下去，望著高高的天花板好痛快……

可是，今天感覺身體有點痛，而且這沙沙聲吵死人了，到底是什麼？也許是小飛蟲從窗戶飛進來了，正繞著臉孔飛來飛去吧。我得趕走牠……我要揮手……趕走牠……

「小亘，小亘，快起來。」

上方傳來清晰的呼喚聲，這甜美的聲音好像在哪聽過；是女孩的聲音、可愛女孩的聲音。

「快起來快起來，小亘，你得趕快逃走。唉，振作點！不得了啦！」

與其說被這聲音斥責，還不如說是耳朵嗡嗡作響，小亘睜開乾澀的眼睛。逃走？爲什麼？我只是在我家客廳睡午覺……。身體好痛。咦？這不是木頭地板，是純白地板，而且腿好痛，右腿痛死了，像被鐵爪抓傷似的，怎麼回事？

沙沙沙，沙沙沙。小亘感覺耳邊和脖子後面好像有什麼在蠕動，他嚇了一跳，睡意頓時全消。

小亘想起身，卻被腿傷的痛楚痛到跳起來，定睛一看，長褲上裹著層層骯髒的破布，表面還滲出黏答答的血。

小亘彷彿挨了一巴掌似地想起來了，他記得達爾巴巴車遇襲、咪娜及奇．奇瑪中箭、他自己昏倒前看到的那兩隻腳，還有那冷酷的說話聲。

他現在置身於一個正方形的房間，地板、牆壁和天花板跟他看到的那家醫院一樣，都是用白色石頭建造而成，難怪會覺得堅硬冰冷。還有一扇看似沉重的金屬門，當然是上鎖的，對面的牆上開了一扇小窗，那高度以小亘的身高勉強可搆到，上面還嵌著粗大的鐵條。

而沙沙聲及不停蠕動的東西就是滿屋子的枯樹葉，看來似乎是斯拉木的枯葉，即使葉片乾枯了那獨特的氣味依然揮之不去。

「啊，太好了，你現在覺得怎樣？有沒有難受得要命？」

甜美的聲音從窗戶那頭傳來，有人在窗外，那個甜美的聲音……

「小亘，是我。還記得嗎？」

是妖精！不，只不過他猜是妖精。可是對他來說就是妖精！

「喂，妳怎會在這裡？這裡是什麼地方？奇．奇瑪和咪娜沒事吧？到底是怎麼回事？」

甜美的聲音鬧彆扭似地壓低了音量。「小亘最討厭了，人家在問你還記不記得我。」

小亘努力爬到窗下，貼著牆壁撐起身體，放聲高喊：「對不起！可是我現在實在沒心情，妳不是來救我的嗎？」

「我救不了你。」對方答的很乾脆。「因爲我沒辦法。」

小亘愣了半晌說不出話，好不容易才開口問：「那，妳至少先跟我講發生什麼事了。我被麻醉箭射中以後，就被抬到這裡來嗎？」

「對呀。」

「另外兩個人呢？」

「不知道。」甜美的聲音哼了一聲。「原來你喜歡那種有尾巴的女生啊。我好失望喔。」

「就跟妳說不是這樣！」小亘眞的在咬牙切齒。「這裡是哪裡？我是不是在那家醫院裡？」

「對。這裡也是斯拉森林的正中央。」

「妳也是被抓來的？」

「才不是。」

小亘緊貼著牆。「那妳能不能想想辦法？弄到鑰匙……」

「就跟你說我沒辦法嘛。」甜美的聲音不耐地說。「我只是來鼓勵你的。我怕你不趕快醒來會有麻煩，才拼命爬到這裡來的，你應該要感激我。」

「還叫我感激……」小亘瞪著窗口。可是，「爬到這裡」是怎麼回事？

「小亘，你不能在那裡呼吸喔，最好盡量在窗邊換氣。」

「爲什麼？」

「斯拉木的氣味對頭腦不好。」

小亘的背緊貼著牆，凝視著屋內四處散落的枯葉，大堆枯葉隨著窗口吹入的微風沙沙移動。

「對頭腦不好？」

「會精神錯亂。」甜美的聲音說。「那是拷問犯人時用的香木。」

小亘正想大聲叫她閉嘴，那扇看似厚重的門，外面突然響起喀答喀答的聲音。小亘原本就緊靠著牆壁，搞得他後腦勺隱隱作痛，現在更拼命後退。卡鏘吱呀一響，門朝外開啓，從縫隙間伸進一隻手臂，一個大塊頭男人拿著弓箭槍走了進來。

那男人穿著工作服和堅固長靴、滿臉鬍子。那雙長靴跟小亘在森林裡目擊的那雙鞋子一樣。

他舉起弓箭槍，架妥的箭尖瞄準小亘的臉，如果是瞄準胸部還好一點。鬍子男無言地退到門邊，第二個人走了進來，身材遠比鬍子男矮小瘦削，身上穿的跟小亘在歷歷斯的西斯提娜・特雷巴德斯教堂遇見的戴蒙祭司穿的服裝很像，是那種下襬很長的長袍。不僅如此，右手拿杓、左手持手鏡的架勢，跟西斯提娜雕像一模一樣。

「看來你已經醒了。」長袍男子用奇怪的高亢聲音說道。「你知道這裡是什麼地方嗎？」

小亘拼命蠕動著僵硬的舌頭，總算勉強擠出聲音：「特里安卡……醫院。」

「原來如此。看來你沒失去記憶。」

長袍男子微笑。仔細一看，其實他是一個長相秀氣的美男子……不，說不定是個女孩子。

「我……我是來找朋友的。」小亘顫抖著說道。「我聽歷歷斯分局的潘所長說，特里安卡魔法醫院有一個少年很像他，所以我才會來這裡。」

長袍男子依舊面帶微笑，朝小亘走近。他一邁步，滿屋子的斯拉枯葉就像在替他開路般自動往兩邊靠攏。

「我們也接到潘所長的通知。他說有一個心懷不軌、雙眼充滿殺氣的女神魔使已經踏進我們的聖地。」

「潘所長竟然這麼說？」小亘瞪大了眼。「可是，叫我們來特里安卡魔法醫院的也是他呀！」

這時，小亘終於恍然大悟。我們被騙了，所長在說謊，他根本不知道美鶴的下落，爲了把我們騙入斯拉森林，好讓這些人逮捕我們，才捏造那種謊言！

「原來是陷阱……」

小亘抖著聲音低語，長袍男子依然笑容滿面，再朝他走近一步，並彎下身子把臉湊近小亘，小亘幾乎能感受到他的鼻息。

「你是『旅人』，沒錯吧？」

小亘沒回答。潘所長應該不知道他的身分。

「就算你不吭氣也瞞不了我們。」長袍男子繼續說。「我們很清楚你在嘎薩拉鎮做了什麼，我們早就掌握情報了。潘所長只是假裝不知道，其實他一開始就一清二楚。」

原來如此。都是因爲他沒遵守奇．奇瑪的忠告，才會在這種地方碰到這麼倒楣的事。

「如果我是『旅人』呢？」小亘按捺著害怕的心情反問。「這對你們有什麼不利嗎？難道會妨礙你們？」

長袍男子的臉上依舊掛著微笑，平靜地回答：「『旅人』是吾等永世的仇敵。不誅滅旅人就等於違抗了老神的教諭。」

他說起話來文謅謅的，小亘聽不太懂。誅滅是什麼意思？不過，唯有一點他很清楚。這些人果然……

「你們都是老神教的信徒吧？」

長袍男子點點頭咧嘴一笑。「你說對了。」

「歷歷斯鎮歧視他族的情況之所以越來越嚴重，也是受到你們的影響吧？西斯提娜．特雷巴德斯教堂，也是為你們而建的吧？表面上是供奉西斯提娜，其實那是老神的教堂吧？對不對？」

長袍男子沒有回答。不過，從他的眼神就可以瞭解了。

「我懂了！你們在西斯提娜．特雷巴德斯教堂秘密進行老神教的傳教活動，潘所長也在那裡被洗腦變成信徒。」

「看來還挺聰明的。」

長袍男子這句話不是對著小亘說的，而是對著他身後手持弓箭槍的男人說的。那個鬍子男二話不說，舉起弓箭槍瞄準小亘的臉。

這時，長袍男子的手突然一動，小亘還以為他要拿杓子打人，連忙舉起手護頭。然而，小亘猜錯了，長袍男子只是把手鏡伸到小亘面前。

「你看，這就是確實的證據。」長袍男子像在唸咒語般，配合著節奏說道。「邪惡的女神魔使！分辨聖潔靈魂的眞實之鏡映不出你的身影！」

的確，手鏡裡空無一物。縱使湊近一看，近得連鼻頭都快貼上去了，鏡子裡出現的也只是背後的白石牆壁。

「你的氣數已盡。女神的魔使啊！汝將在吾等手中，回歸汝原本的污泥與罪障塵土！」

長袍男子蒼白的臉頰泛起紅潮，一邊高聲叫著一邊挺起身子，把杓子和手鏡高舉過頭。小亘趁機用全身的力量把他推開，突襲成功。男人哇地大叫一聲倒下，身後的鬍子男也跟著一起倒地。鬍子男摔了一個跟頭，發出「碰」地撞擊聲。小亘跳起來，縱身撲向那扇門。

「別想逃！」長袍男子還趴在地上，高聲大叫。

他把杓子往地上一敲，頓時揚起一陣風，滿屋的枯葉隨風捲起，在屋內堆成兩座小山。小亘雖然一時之間看傻了眼，但馬上抓住門把連滾帶爬地衝到走廊上。

在平坦的石牆走廊一側還有無數扇門，跟他剛剛逃出的那扇門一模一樣。另一側的牆面上連一扇窗子也沒有。小亘左顧右盼，只見白色走廊的前方一片昏暗，不知道延伸到何處。不管怎樣，他決定往右跑，右腿好痛，那條走廊無止盡地筆直延伸，兩旁是門扉和白牆，相同的景象似乎沒完沒了。

突然間，在小亘前方三公尺處有一扇門用力打開了，力道過猛撞到了牆，又緩緩地彈了回去。這時，門縫間出現一大坨枯葉，無數片枯葉匯集成一具人形，高度比小亘高出一倍，碩大的腦袋、往前平伸的雙手，就像懷舊電影中出現的僵屍男，擋在小亘面前。

小亘急急停下腳步，猛然回頭差點扭到脖子，在他身後的每扇門也一一開啓，而且從門裡走出一模一樣的枯葉怪人。

長長的走廊上瀰漫著濃郁的斯拉葉氣味。小亘感覺頭重腳輕，一陣暈眩，視線模糊。

「哎德洛．哇啦．沙布塔魯嗡嘰．西咕嚕。」長袍男子不知何時已站在走廊盡頭，胸前交叉握著杓子和手鏡，高聲祈禱：「森林精靈請現身吧，擊敗邪惡女神派來的戰士啊，請跟我們一起高聲吶喊，歌頌正義的勝利！」

枯葉怪人群頓時張嘴大叫，如同撕裂特大塊布匹的合聲響徹走廊，然後朝著小亘一起撲過來。

小亘清醒時，眼前一片漆黑。

右腿的傷勢隨著脈搏鼓動陣陣刺痛，他感覺好像躺在地面上，有種堅硬的觸感，手不能動，被綁起來了嗎？腳也不能動，抬不起來。

小亘迷迷糊糊地一翻身，發出噹啷一聲，是那種掛著鎖鏈的聲音。不過話說回來，這裡怎麼這麼暗？對了，是被什麼東西蒙住頭。

不遠處傳來低沉的吟誦聲，不只一人，是眾人的聲音，距離這裡沒多遠，是從哪傳來的？右邊？左邊？前方？後面？

一陣腳步聲響起，小亘感覺有人出現，有一隻手伸過來抓住他的後衣領，粗魯地把他拽起來。然後，那隻手似乎又在小亘脖子後面解開什麼東西。霎時，眼前突然不再黑暗，果然被東西罩著頭，現在那玩意兒被拿掉了。小亘在室外，此刻已經入夜了，他看到了特里安卡魔法醫院，也看得到斯拉森林。

他現在被大批群眾包圍，這些人都穿著像特大號米袋的衣物，人手一支蠟燭，頭上罩著只有眼部挖洞的白頭罩，看不見臉孔，但顯然都是安卡族。

原來，這些人都是把特里安卡魔法醫院當成大本營的老神教信徒。咒語般的歌聲就是他們發出來的，他們把小亘圍在中央，用手銬和腳鐐銬住小亘的手腳。

小亘感覺斯拉樹葉的氣味仍殘留在鼻腔裡，頭昏腦脹。

「站起來。」

在小亘身旁拋下一個聲音。那裡也有一名相同裝扮的信徒，兩隻巨大的手從米袋般的衣服下露了出來。

「起來。」

那隻巨大的手抓著他的衣領讓他站起來，那是一隻手背和手指都長滿濃密黑毛的手。如果沒看到那些黑毛，會以為那隻冷硬的大手是隻泥做的假手。

「往前走。」

大手一動，把小亘推往圓圈的一端，小亘踉蹌跌倒，旋即又被拽起來。

「別惹麻煩。站起來好好走。」

小亘蹣跚向前，勇者之劍就繫在腰際，可是手銬的鎖鍊太短，手搆不到。他一籌莫展，腦筋一片空白，只好慢呑呑地往前走，信徒們的歌聲頓時變大，形成大合唱，在圓圈的一端出現缺口，小亘看到某樣東西。

他懷疑自己是否看錯了——原來是這麼回事，小亘想。即使頻頻眨眼，不停咳嗽，用力搖頭，眼前的東西仍在，沒有改變。

是斷頭台；大閘刀。他只在漫畫和電玩遊戲中看過，就是那種斬下犯人首級的行刑裝置。

那個長袍美男子現在只有單手握杓，臉上依舊帶著微笑，就站在那不祥裝置的旁邊。他在長袍上又罩了一件深酒紅色的袈裟，營火正在他身後熊熊燃燒著，火焰的光芒使他看起來好像籠罩在金色光環中。

小亘再也無法前進一步，膝蓋發軟就這麼愣在原地。你的氣數已盡，女神的魔使。在黑夜中，長袍男子的聲音在他腦中甦醒，就像漫畫的對白一般清晰。仰頭一看，斷頭台的刀刃在火焰的照耀下閃閃發亮，簡直像是在對小亘咧嘴，露出親切的笑容。

怎麼可能！他腦袋裡只想得到這個。怎麼會這樣？我到底做錯了什麼？

「看來妖邪者也會害怕啊。」長袍男子用溫柔的口吻說。「不過你不用擔心，只要你受女神操控的肉身毀滅，你就獲得淨化。在偉大老神的庇護下，你聖潔的靈魂將可再度投胎到這個幻界，而且是以你渴望的形體。」

「我才不幹咧。」他不禁脫口而出。「你們根本沒有權利殺我，我又不是老神教的信徒，我是來自現世，爲了改變自己命運而來的『旅人』！」

長袍男子再次微笑。「我們跟邪教的俘虜無話可說。」

「你少自以爲是！」小亘大叫，起先是對著長袍男子，接下來則是對著四周的信徒們。「你們知道自己在做什麼嗎？你們明白這是怎麼回事嗎？爲什麼……」

這時，小亘看到斷頭台彼端還有一名穿著同樣服裝、衣袖挽起、手握斧頭的信徒，話說到一半便不由得打住了。那把斧頭將會砍斷吊著大閘刀的繩子……

「說夠了沒！你這骯髒的魔鬼。」

一隻手從小亘背後用力一推，使他雙膝跪倒，在場的信徒們開始起鬨，並發出喜悅的歡呼聲。

此時，小亘又被拽起來，拖往斷頭台。他雙腳用力撐地，手肘向外撐開竭力抵抗，可是對方力氣太大了，他根本不是對手。一陣灰塵揚起，信徒們仍在一旁興高采烈，小亘感到暈眩想吐，他浪費太多力氣了，這樣下去不行，可是又有什麼辦法？

他正逐漸被拖去斷頭台。不要，死也不要，這太荒謬了！他扯高嗓門叫得越大聲，信徒們的歌聲就越響亮。

「給你一個機會吧。」長袍男子湊近小亘身邊說。「爲了讓你的靈魂淨化得更完美，讓你早點投胎回到幻界，你在處決之前必須說實話。快，說吧。另一個『旅人』在哪裡？」

小亘全身寒毛豎立，這傢伙竟然問起了美鶴！他想把美鶴也抓來處死！

「鬼才知道！」

「喲，你倒是挺倔的嘛。」

「就算知道也不告訴你！」小亘啞著聲音大叫，朝著長袍男子臉上吐了一口口水，連他自己也嚇了一跳。我竟然做得出這種事，從來沒有人教我這樣做。

長袍男子緩緩抬起手擦臉，露出了誇張的笑容。「可悲的犧牲者。你受女神蠱惑，靈魂已經腐敗。看來，你是聽不進我們的正義之聲了。」

「誰說你們代表正義！」

長袍男子鄭重地回答：「因爲我們是老神的使徒。」

「我可不承認！」小亘用盡全身力氣放聲大喊。「你來自北方帝國吧？你想宣揚的根本不是老神教，其實是安卡族的歧視主義吧？」

長袍男子臉上的笑容頓時消失了，嘴角也抿成一線。

「說！」他發出低沉的聲音。「快招出另一個『旅人』的下落。」

「不要！」

「你不說，我們就自己找，我們一定會找到他。不過，這樣可能就要流很多血了，可能還會看到火燄四起，哀嚎遍野喔。」說著他笑了。「而這些都是你害的。」

小亘愕然。看到火燄？

「瑪奇巴的山林大火……是你們幹的嗎？」

長袍男子沒有回答，反而問他：「快說！還有一個人在哪裡？」

「在這裡。」漆黑的夜空中，響起了一個凜然的聲音。

第二十章 美鶴

小亘茫然地張嘴，仰望夜空。聲音是從哪來的……，在那裡，就在特里安卡魔法醫院的樓頂，可以俯瞰中庭斷頭台的最高處。那裡有一個小小人影，身上穿著幾乎融入夜色的漆黑長袍，手握長杖，杖上的寶珠散發出湛藍的光芒。在那光圈中……

美鶴悄然地佇立著。

「是你！」長袍男子轉頭仰望樓頂，發出驚愕聲。看得出來，斷頭台旁的劊子手以及抓住小亘脖子的巨人，一時之間慌了手腳。

「邪教的使徒，你在吾等聖域幹什麼！」長袍男子高聲叫道。「快給我下來，我叫你下來！你污穢的身體竟然敢踏入聖域，你知道你在幹什麼嗎？」

圍成圓圈的信徒亂了，蠟燭的火光搖晃，有些甚至快熄了。美鶴動也不動，臉上依然掛著那種瞧不起對方的慣有笑容，明明隔了這麼遠，小亘還是看得很清楚。是美鶴手杖上的寶珠所散發出來的強光。他那種挑動嘴角、似笑非笑的笑容，令人覺得好懷念、好可靠，小亘不禁胸口發熱。

可是，現在不是感慨的時候，連美鶴都快自身難保了。

「美鶴，快逃！」小亘使出全力大聲喊叫。「不要待在那裡，你快逃，逃到安全的地方找人來支援！」

美鶴轉頭，看著小亘，露出另一個懷念的表情，嘆了一口氣。一副「被你打敗了」的樣子。

「你要我去找誰來支援？」他慢條斯理地反問。「我離開這裡去求救，你可能已經被砍頭了。」

「我又不是那個意思！」

「你明明就是這個意思，眞笨！照理說，你應該不是這種犧牲小我的個性。」美鶴嘆了一口大氣。「你還是一樣喜歡當濫好人。」

「現在不是聊天的時候……」

「的確不是，這我知道。」美鶴不屑地說著，用沒有持杖的那隻手筆直地指向長袍男子。

「樓頂的魔法陣是你這臭小子畫的嗎？。」

只不過被美鶴一指，長袍男子就如同中箭般慌張，臉部表情扭曲。「你……你叫我臭小子？」他在慌亂中踩到自己的長袍下襬。「你以爲你在跟誰說話？」

「就是你這臭小子呀。」美鶴的聲音聽起來就像那種信念堅定、斥責學生毫不遲疑的老師，充滿了威嚴感。

「我是不知道你畫這個是想召喚什麼東西啦，但是你畫錯了。」美鶴嘿嘿地冷笑著。「不但方位偏了，連線條的長度也不對。你在哪家魔導院學的？你眞的畢業了嗎？」

「你……你這小子。」長袍男子滿臉通紅，當下衝到醫院建築物旁，好像恨不得立刻用手攀牆爬上去。不過，他只是在原地不停地跺腳，似乎沒有這樣的體力和爬牆技術。「你想侮辱我？」

「我只是問你，隔太遠了我聽不清楚。喂，你能不能上來一下？用空氣梯那一招應該很容易上來吧？」

這次，長袍男子的臉色蒼白，信徒們的圓圈徹底瓦解，變成歪歪扭扭的半圓形，現在全場的焦點已經不是長袍男子，而是美鶴了。

「怎麼，你不會唸空氣梯的咒語嗎？」美鶴故作驚訝地問。「你這人還眞麻煩，老神不是既爲天神同時也是最偉大的魔導士嗎？這就怪了。」

美鶴故意摸摸下巴，做出沉思的模樣。「我看你啊，才是被假冒老神名號的魔鬼蠱惑了吧？」

「你……你胡說什麼！」長袍男子揮起杓子。這時，美鶴的手離開下巴，以食指用力朝頭上一指，開始唸誦起短短的咒語。下一瞬間，一道閃電劃過天際，筆直地朝長袍男子落下。

「哇！」長袍男子慘叫一聲，仰面翻倒。那道閃電射出令人目眩的閃光，猛烈地撞擊地上後消失，可是仍然留下清晰的痕跡，是一個洞，像被尖銳的刺槍戳出來的洞。

「下一次我可不會射歪喔。」美鶴說。「如果不想變成焦炭，就趕快替小亘鬆綁。」

長袍男子癱倒在地上，雙手撐地，口中哇哇亂叫。美鶴的視線移到小亘那邊……，小亘身旁的巨人。「那邊那個大塊頭！」

小亘聽見巨人在頭罩下倒抽了一口氣。

「把小亘的手銬腳鐐拿掉。」

巨人對於美鶴的命令幾乎毫不遲疑地遵從，他那粗大的手指笨拙又抖個不停，以致無法把鑰匙插進枷鎖的鎖孔。

「急死人了，我自己來。」

小亘從他手中搶過鑰匙，自己打開枷鎖。美鶴看了，再次將手指往頭上一指，這次是指向斷頭台，落下的那道閃光分毫不差地劃斷斷頭台的繩子，射向台上。小亘在閃光中看到斷頭台的閘刀落下，與台座狠狠嵌合，也看到手拿斧頭的劊子手倒在台座後方。

「好險。」美鶴自言自語地咕噥，稍微換了一下位置，然後對著小亘說。「我想你可能根本就不知道，這裡是這些人設下的結界內部。」

「結界？」小亘大聲反問。

「是的。對於張設結界的魔法來說，這只是最初級的本領，不過斯拉木大概發揮了作用吧。」

「我聽不太懂耶。」

信徒們捧著蠟燭的雙手已經垂下，就像在觀賞一場溫布頓網球總決賽似的，靜靜地旁聽兩人的對話。

「什麼特里安卡魔法醫院，根本就不存在。」美鶴繼續說。「以前是有啦，但現在只剩下醫院廢墟。這些人就把廢墟圍在結界內，當成他們的大本營。」

他單手叉腰，哼了一聲，說：「麻煩的是，真的有這麼一片斯拉森林，裡面充滿了魔性。要想破壞這個結界，光是那個嚇得腿軟的魔導士唸幾句咒語還不夠。你懂嗎？喂！」

美鶴喊那個長袍男子。

「雖然這本來是你設下的結界，但是你聚集了太多斯拉木的魔力。」

「你……你少臭屁。」長袍男子的模樣很狼狽，只有聲調稍微提振了一點。「在我說來這簡直是奇恥大辱，給我殺了他們！」

他掙扎著站起來，開始唸誦某種咒語。屋頂上的美鶴，倚著手杖津津有味地俯視著他。

此時，斯拉木的枯葉彷彿被長袍男子的咒語吸引，紛紛從四面八方飛來。一轉眼就形成了兩具人形。是之前襲擊小亘的枯葉怪人。不管再看幾次還是一樣噁心，小亘不禁後退，而原本在他身旁的巨人早已逃到信徒的圈子那邊。

「我最忠實的僕人啊，打倒惡徒吧！」長袍男子指著美鶴。

枯葉怪人一摸到醫院外牆，就像猴子般開始攀爬。美鶴睜大了眼望著這景象，似乎覺得很有趣，但當他們只差一步就要爬上屋頂時，美鶴立刻在胸前畫手印，倏然揮起手杖。

「汝等接我內心意志之箭！」

他快速唸誦的咒語才剛說完，枯葉怪人立刻靜止，並且開始用一樣的速度往下爬。

「幹……幹嘛？」長袍男子這下可慌了，他又踩到自己的衣襬，這次真的跌了個狗吃屎。此時，兩具枯葉怪人襲來，長袍男子的慘叫劃破黑闇。

「Vanish（消失吧）！」

美鶴高聲一喊，抓著長袍男子正想扭斷他脖子的枯葉怪人霎時失去形體，又變回了一堆枯葉。

「好了，那就這樣。」美鶴說著，把手杖扛在肩上。「我可要警告你，不管你再召喚多少個，結果都一樣，那只會讓你耗盡能量。」

現場的信徒們掀起一場騷動，紛紛扔下手中的蠟燭。畢竟對方人多勢眾，是要聯合採取行動嗎——小亘連忙擺出戒備架式。然而，他立刻啞然失笑。

信徒們一個接一個趴倒在地，有人雙手抱頭乞求饒命，也有人磕頭如搗蒜。當然，膜拜的對象不是長袍男子，而是樓頂上的美鶴。

小亘笑著仰望美鶴。「我沒事了。謝謝！」

然而美鶴臉上毫無笑意，表情比剛才還可怕，他像卸下包袱般把肩上扛的手杖放下，擺出一夫當關的架勢。

「眞會見風轉舵。」他像是要吐口水般不屑地說。「誰比較強，就立刻跟著誰。只要盲目附和，不管做什麼都心安理得嗎？」

「美鶴？你快下來！」

美鶴冰冷的視線落在小亘身上。

「戲演完了，但還有破壞結界的工作要做。」

「啊？」

「我會在這種地方耽擱，也是因爲斯拉森林的魔力太強，費了不少工夫才逃出來。不過現在既然有這麼多人的人氣……」

小亘朝建築物走近一步。「你在說什麼？你想怎樣？」

美鶴又移動了幾步，換了一個位置站好，他像走上打擊區的打者，雙腳穩穩地站著。

「利用人氣當能量，施展魔法破壞結界……，再使出剷平森林，散盡樹葉的魔法。」

「美鶴……」

「很抱歉，」美鶴瞥了小亘一眼，冷冷一笑。「你會被颳去哪裡，連我都不知道，全看風怎麼吹。你就縮好身體護著腦袋，別讓自己受傷吧。」

「這是什麼意思！」

「我已經說了，就是這樣。」美鶴兩手一張，仰望天空，開始高聲唸誦。

「偉大的風之精靈啊，魔導學徒在此招請您那充滿天上的力量。懇請您賜予恩寵，除去封鎖我等的魔力，徹底粉碎，扔入混沌深淵，艾亞羅．拉爾．斯泰尼格爾……」

美鶴將手杖伸向空中，頂端的寶珠閃閃發光，彷彿在相互呼應，夜空的一角放出光明，雲層露出缺口。風……正在吹來。美鶴從雲層之上喚來了風。

小亘只能思考到此爲止。下一瞬間，已被強風吹倒在地上翻滾，找不到物體可以攀附，只能蜷起身體，不停地滾動直到撞上醫院的牆壁，他連忙抓住外牆的裝飾柱，勉強撐直身體站好。

然後，他看到難以置信的景象。

在漆黑的空中，落下一股閃爍著淡淡銀光的龍捲風，行徑動向幾乎可用優雅來形容，就像生物般柔軟，同時還緩緩地朝左右扭動著。它逐漸接近地面，信徒們逐次被吸入，一個也不剩；那些人明明在哭天搶地，卻被強風颳得什麼都聽不見；斷頭台的柱子啪擦折斷，被龍捲風吞了進去；斧頭在空中飛舞，劊子手的身體彷彿在追逐著斧頭，也跟著被吸入。

小亘看到一塊布騰空飛起，邊緣伸出了手腳，最後冒出一張臉孔，是那個長袍男子，雖然他張大了嘴巴，卻聽不見他的哀嚎聲。小亘死命抓著柱子，不料卻突然失去依附。他定睛一看，嚇得半死。那根石柱竟然變成一團樹葉，在強風中簌簌顫抖著崩塌瓦解。

小亘自己也被吹到了半空中。（待續）

宮部美幸

作品集／24
Miyabe Miyuki

勇者物語 Brave Story（上）

國家圖書館出版品預行編目資料

勇者物語BRAVE STORY（上）／宮部美幸著；劉子倩譯．初版．臺北市：獨步文化：家庭傳媒城邦分公司發行, 2006〔民95〕
面；　公分．（宮部美幸作品集；24）
譯自：ブレイブ ストーリー（上）
ISBN 978-986-6954-07-8（平裝）

861.57　　　95014829

原著書名／ブレイブ ストーリー（上）・原出版者／角川書店・作者／宮部美幸・翻譯／劉子倩・責任編輯／王曉瑩・發行人／涂玉雲・總經理／陳蕙慧・出版／獨步文化 城邦文化事業股份有限公司 台北市中正區信義路二段213 號11 樓 電話／(02) 2356-0933 傳真／(02) 2351-6320; 2351-9179・發行／英屬蓋曼群島商家庭傳媒股份有限公司城邦分公司 台北市中山區民生東路二段141 號2 樓・讀者服務專線／(02)2500-7718; 2500-7719・服務時間／週一至週五：09：30-12：00、13：30-17：00・24 小時傳真服務／(02)2500-1990; 2500-1991・讀者服務信箱 E-mail／service@readingclub.com.tw・劃撥帳號／19863813 書虫股份有限公司・香港發行所／城邦（香港）出版集團有限公司 香港灣仔軒尼詩道235 號3 樓 電話／(852) 25086231 傳真／(852) 25789337 E-mail／hkcite@biznetvigator.com 馬新發行所／城邦（馬新）出版集團 Cite (M) Sdn. Bhd. (458372 U) 11, Jalan 30D/146, Desa Tasik, Sungai Besi, 57000 Kuala Lumpur, Malaysia 電話／(603) 9056 3833 傳真／(603) 9056 2833 E-mail／citecite@streamyx.com・美術設計／高鶴倫・印刷／成陽印刷股份有限公司・排版／浩瀚電腦排版股份有限公司・總經銷／大和書報圖書股份有限公司 電話／(02) 8990-2588; 8990-2568 傳真／(02) 2290-1658; 2290-1628・2006 年（民95）9 月初版・定價／480 元・特價／299 元
Printed in Taiwan　ISBN 986-6954-07-2・ISBN 978-986-6954-07-8

宮部みゆき